Literatur – Kultur – Geschlecht

Studien zur Literatur- und
Kulturgeschichte

In Verbindung mit
Jost Hermand, Gert Mattenklott,
Klaus R. Scherpe und Lutz Winckler

herausgegeben von
Inge Stephan und Sigrid Weigel

Kleine Reihe
Band 13

D0989047

Jost Hermand
Helen Fehervary

Mit den Toten reden

Fragen an Heiner Müller

1999

BÖHLAU VERLAG KÖLN WEIMAR WIEN

Gedruckt mit Unterstützung der
William F. Vilas Foundation (Madison/Wisconsin, USA)

Die Deutsche Bibliothek – CIP-Einheitsaufnahme

Hermand, Jost:
Mit den Toten reden : Fragen an Heiner Müller /
Jost Hermand ; Helen Fehervary. –
Köln ; Weimar ; Wien : Böhlau, 1999
(Literatur – Kultur – Geschlecht : Kleine Reihe ; Bd. 13)
ISBN 3-412-14298-0

Umschlagabbildung: Heiner Müller in Delphi
(Foto: Ernst Schuhmacher, Berlin)
Satz: Peter Kniesche, Tönisvorst
Druck und Bindung: MVR Druck, Brühl
Gedruckt auf chlor- und säurefreiem Papier.
Printed in Germany
ISBN 3-412-14298-0

Inhalt

Vorwort

Über Heiner Müller zu reden, wird von Jahr zu Jahr schwieriger. Wo immer sein Name auftaucht, stößt man meist auf Begriffscluster wie Posthistoire, Dekonstruktion, Intertextualität, Todesdiskurs, Maskenhaftigkeit oder Steinernes Schreiben, die zwar nicht völlig aus der Luft gegriffen sind, aber über dem späten Müller den frühen, ja sogar den mittleren Müller weitgehend auszulöschen versuchen. Für viele Literaturwissenschaftler und -wissenschaftlerinnen sind offenbar nur noch jene Müllerschen Werke seit der Mitte der siebziger Jahre von Interesse, in denen sich sein sozialistischer Weltentwurf allmählich einzudüstern begann. Eine solche Sicht bleibt selbstverständlich jedem unbenommen. Allerdings sollte man dabei den „armen h. m." nicht rücksichtslos in drei Personen aufspalten. So wie es nur einen Brecht gibt, gibt es auch nur einen Müller. Der eine war nicht erst rücksichtsloser Anarchist und dann orthodoxer Marxist, der andere nicht erst fanatischer SED-Genosse und dann zynischer Postmoderne-Anhänger. Trotz mancher ideologischer Kurskorrekturen haben die Lebensläufe dieser beiden Autoren, die in einem seltsamen Umkehrverhältnis zueinander stehen, durchaus ihre innere Fälligkeit, und das sowohl in menschlicher als auch politisch-rebellischer Hinsicht.

Wenn daher in diesem Bande eher der frühe und mittlere als der späte Müller im Vordergrund steht, so soll das nicht heißen, daß seine besten Werke aus der Zeit zwischen 1955 und 1975 stammen. Nach unserer Meinung ist fast alles, was dieser wortgewaltige und zugleich politisch eingriffsbereite Dichter geschrieben hat, von derselben Bedeutsamkeit. Von seinen Anfängen bis zu seinem Tode im Jahr 1995 liegt den meisten seiner Werke die gleiche kritisch-zweifelnde und zugleich rebellische Eindringlichkeit zugrunde, die alle große politische Dichtung auszeichnet. Mit ihnen hat Müller ein „Erbe" hinterlassen, das noch längst nicht aufgezehrt ist, sondern immer noch „auf Geschichte wartet", um eine seiner vielen zitierwürdigen Formulierungen aufzugreifen.

Der Autor und die Autorin diese Bandes haben die Entwicklung des Müllerschen Werkes seit über 40 bzw. 30 Jahren verfolgt. Sie leben und wirken zwar in den USA, also weit weg von dem in

Ostberlin stattgefundenen Ereignissen, standen ihm aber dennoch
nahe. Ihr Verhältnis zu Müller war nicht nur ein bewunderndes, sondern auch ein kritisches, jedenfalls was einige seiner politischen Strategien sowie seine manchmal ins Zynische umkippende Verbitterung
über den katastrophalen Verlauf der deutschen Geschichte und die
ideologischen Rückschläge der sozialistischen Hoffnungen betraf.
Dennoch bekannten sie sich immer wieder zu ihm, da sie selbst in
den düstersten Partien seiner Werke stets aufs Neue jenen „Funken Hoffnung" entdeckten oder zumindest vermuteten, durch den
jede Beschäftigung mit großer Literatur überhaupt erst sinnvoll
wird.

  Daß Jost Hermand dabei Müller eher mit Brecht verknüpfte,
während Helen Fehervary im Laufe der Jahre auch den Einfluß von
Anna Seghers auf die Müllerschen Werke in ihre Betrachtungsweise
einbezog, hängt nicht nur mit persönlichen, sondern auch mit allgemeinen ideologischen Verschiebungen innerhalb dieses Zeitraums
zusammen. Dennoch teilen beide eine Weltanschauung, der auch
Müller anhing und die von den meisten Vertretern und Vertreterin-
nen dieser Richtung mit dem Begriff der „dritten Sache" umschrieben wird. Zugegeben, auch das Persönliche war ihnen wichtig, aber
ebenso wichtig war ihnen der unablässige Einsatz für eine sozial ge-
rechtere Gesellschaftsordnung, der nicht nur auf dem guten Willen
beruht, sondern auch die Bereitwilligkeit zu politischen Veränderun-
gen in sich einbeschließt.

  Dieses Buch ist daher nicht nur ein Buch über Heiner Müller,
obwohl fast alle seiner wichtigeren Werke darin behandelt werden,
sondern zugleich ein Werk über eine bestimmte Form der Müller-
Rezeption in den letzten 30 bis 40 Jahren, um neben der historischen Dimension seiner Werke zugleich ihre wirkungsgeschichtli-
chen Aspekte mit zu berücksichtigen. Unter den Titeln aller Aufsätze – ob nun der auf Deutsch oder ursprünglich auf Englisch
geschriebenen – steht daher stets die Jahreszahl ihrer Abfassung
oder ihres ersten Erscheinens. Bei einem Buch über die Dramen
Kleists oder Büchners wäre das vielleicht nicht so wichtig gewesen.
Aber bei Aufsätzen über einen Gegenwartsautor wie Heiner Müller, wo jede Aussage zugleich ein Bekenntnis über ihn einschließt,
erschienen uns die Herkunftsdaten als unverzichtlich. Schließlich
ist bei der Behandlung eines solchen Stückeschreibers jede Äußerung nur dann wirklich konkret, wenn sie zu ihrer Geschichtlichkeit steht. So wie es keine Kunst an sich gibt, gibt es auch keine

Wissenschaft an sich. Beide haben stets etwas Vorläufiges, das sich entweder im Verlauf der Geschichte verliert oder eine Brücke zu etwas Neuem und hoffentlich Besserem bildet.

Dementsprechend treten diese 12 Aufsätze keineswegs mit dem Anspruch des Authentischen oder Definitiven auf. Sie sind sich ihrer historischen Bedingtheit durchaus bewußt. Statt Probleme zu lösen oder gar zu „bewältigen", wollen sie lediglich ein größeres Bewußtsein für Geschichtlichkeit wachhalten, ohne das jede Betrachtung von Literatur notwendig ins Unverbindliche abgleitet. In diesem Sinne warten auch sie „auf Geschichte", und zwar eine Geschichte, die sich vielleicht nie einstellt, aber ohne deren Vorschein wir wesentlich ärmer wären.

J. H. und H. F.

Heiner Müllers Brigadenstücke
(1971)

Helen Fehervary

Als Brecht 1948 sein „westliches" Exil verließ und in die DDR übersiedelte, sah er sich vor die Aufgabe gestellt, die weitgehend antibürgerliche Tendenz seiner dramatischen Produktion durch eine prosozialistische zu ersetzen. Inwieweit ihn dieser Perspektivenwechsel wirklich gelungen ist, mögen die Brecht-Forscher entscheiden. Eins steht jedoch fest, daß sich diese Phasenverschiebung des episch-dialektischen Theaters für die Dramatikergeneration nach Brecht, die sich in den „Aufbau der sozialistischen Wirklichkeit" verwickelt sah, als ein konstantes Dilemma erwies. Demzufolge haben die ostdeutschen Dramatiker in den fünfziger und sechziger Jahren ständig eine janusartige Position eingenommen. Vor allem in jenen Stücken, die sich mit Themen des sozialistischen Alltags beschäftigen, sind sie bei ihren episch-dialektischen Experimenten immer wieder gegen eine Mauer des Unverständnisses angerannt. Wie konnten sie in der Nachfolge des Brechtschen Theaters, das sich weitgehend auf die ökonomischen und politischen Widersprüche der vorsozialistischen Gesellschaft konzentriert, weiterhin Stücke über eine Gesellschaft schreiben, die keine inneren Widersprüche dieser Art mehr zu besitzen schien? Wie konnten sie statt antagonistischer Gegensätze plötzlich die steigende Vergesellschaftung „dramatisieren"? Waren nicht die Form seines Dramas und die Idee des Kollektivs absolute Gegensätze? Kein Wunder, daß Brechts intellektuelle Dramenform, sein „Vergnügen an der Dialektik", für die Generation, die nach ihm kam und die weiterhin in dialektischen Vorstellungen zu denken versuchte, eine mühsame und manchmal kaum zu bewältigende Aufgabe war.

Heiner Müller, 1929 in Eppendorf in Sachsen geboren, wird heute in Ost und West als einer der führenden Dramatiker der jüngeren DDR-Generation anerkannt. Er erhielt seine geistige und politische Schulung in Ostdeutschland, und das sozialistische System bildete

von Anfang an den Rahmen und die Perspektive seines literarischen
Schaffens. Im Gegensatz zu anderen prominenten Vertretern des
DDR-Theaters läßt er sich nicht in die unmittelbare Brecht-Nachfolge einreihen. Zu ihr gehören eher Peter Hacks, der 1955 Westdeutschland verließ, um sich in Ost-Berlin Brecht anzuschließen,
Helmut Baierl, der von 1959 bis 1967 Dramaturg am Berliner Ensemble war, oder Erwin Strittmatter, dessen ländliche Komödie
Katzgraben in enger Zusammenarbeit mit Brecht entstand und die
1954 vom Berliner Ensemble als das erste bedeutende DDR-Zeit-
stück aufgeführt wurde. Ebensowenig schloß sich Müller, dem die
Kulturfunktionäre der SED lange Zeit recht kritisch gegenüber-
standen, jenen an, die wie Heinar Kipphardt (1959) oder Hartmut
Lange (1966) in den Westen übersiedelten. Auch den „Ausweg" einer Flucht ins Ästhetisierende wies er entschieden von sich.

Von Anfang an hatte Müller das DDR-Publikum im Auge, dem
er sich äußerlich und innerlich verpflichtet fühlte. Kunst war für
ihn in erster Linie ein wohlintegrierter Mechanismus innerhalb des
sozialistischen Entwicklungsprozesses, und zwar weniger ein Pro-
pagandainstrument als eine „Aktivkraft" innerhalb der dialektisch
sich vollziehenden Schaffensvorgänge des DDR-Systems. Im Drama sah er das öffentlichste, wirksamste und daher zugleich gefähr-
detste Medium in diesem Prozeß. Obwohl Müllers Sprachstil stark
ins Lyrisch-Pathetische tendiert, hat er sich stets der Bühne zuge-
wandt, anstatt sich wie Bobrowski oder Kunert mit den geistigen
Bewußtseinsprozessen des politischen Überbaus auseinanderzusetzen. Als echtem sozialistischen Dramatiker schien ihm nicht seine
persönliche Unabhängigkeit, sondern der Dialog mit diesem System
das Wichtigste. Anstatt schmollend im gesellschaftlichen Abseits
zu hocken, wollte er sich als notwendige Arbeitskraft innerhalb eines kollektiven System von Produktivität verstanden wissen.

Selbst in Zeiten der Ungnade verstummte Müller nicht völlig,
sondern fuhr fort, Selbstkritik zu üben, zu schreiben und Korrekturen vorzunehmen, um den Kontakt mit dem System aufrecht zu erhalten und sich als echter DDR-Schriftsteller zu erweisen. Nichts lag
ihm ferner, als aus persönlichen Gründen bockig zu werden. Obendrein verzichtete er auf alle billigen Erfolge im „Westen", wie sie
jedem sogenannten „Widerstandskämpfer" geradezu automatisch
zufielen. Die westdeutsche Literaturkritik nahm deshalb Müller erst
zur Kenntnis, als 1966 seine Stücke *Philoktet* und *Herakles 5* bei
Suhrkamp erschienen. Danach erfreute er sich eines kurzen Ruhms.

Vor allem sein *Philoktet*, bei dem verschiedene „westliche" Kritiker sofort auf die „auffällige" Parallele zwischen dem gräßlich leidenden Philoktet auf der Insel Lemnos und dem vereinsamten Müller in der DDR hinwiesen, obwohl sie von Müller sonst gar nichts wußten, wurde lebhaft beklatscht. Im März 1970 wollten die Frankfurter Städtischen Bühnen sogar seinen kaum spielbaren *Herakles 5* mit dem *Herakles*-Stück von Hartmut Lange und der *Omphale* von Peter Hacks an zwei aufeinanderfolgenden Abenden auf die Bühne bringen. Ja, einer der Kritiker schlug vor, diesen Coup de théâtre unter dem Titel *Herakles und die DDR* aufzuführen.[1] Doch Müller verlangte, „sein Stück ‚Herakles 5' nicht an einem Abend zusammen mit einer ‚Herakles'-Fassung Hartmut Langes aufzuführen, der 1966 aus Ost-Berlin über Jugoslawien in die Bundesrepublik" übergewechselt war.[2] Und so wurde schließlich nur die *Omphale* gespielt. Indem Müller sich weigerte, die Rolle des „unterdrückten Intellektuellen" zu spielen, verärgerte er natürlich sein „westliches" Publikum. Aber im Hinblick auf sein Grundkonzept der sozialistischen „Aktivkraft Literatur" blieb ihm eigentlich nur diese Wahl. Daher wurde es im Westen bald wieder still um ihn.[3]

Rein theoretisch gesehen, stimmte Müller damals in seinen politischen und literarischen Anschauungen mit den meisten DDR-Schriftstellern völlig überein. Wie allen Stückeschreibern dieses Staates erschienen ihm Theater und Gesellschaft als ein organisches Ganzes. In den Dramatikern und den Arbeitern sah er die Werktätigen, im Drama und der gesellschaftlichen Wirklichkeit die synthetisch entstandenen Arbeitsprodukte. Müllers Stücke sollten Modelle und Rekonstruktionen dieses unendlichen dialektischen Prozesses sein. Daraus leitete sich die Thematik, Perspektive und Struktur seiner Werke ab. Im Hinblick auf diesen dialektischen Schaffensprozeß ergab sich fast von selbst, daß ihn vor allem die Gegenwartsthematik beschäftigte. In Stücken wie *Der Lohndrücker* (1957), *Die Korrektur* (1958) *und Der Bau* (1965) entwickelte Müller das „Brigadenstück" als ein theatralisches Vehikel, mit dem sich am leichtesten darstellen ließ, was er als die „typische" Grundstruktur seiner gesellschaftlichen Realität empfand: nämlich ein kollektivistisches Brigadensystem mit höchster Leistungsmoral innerhalb eines historischen Rahmens „nichtantagonistischer Widersprüche".[4]

Neben den Brigadenstücken Müllers war das einzige künstlerisch interessante Werk dieser Art, das sich direkt mit solchen Problemen auseinandersetzte, das Drama *Kipper Paul Bauch* (1962/1966) von Volker Braun. In ihm wird jedoch die Affirmation der Wirklichkeit bis zu einem Punkt getrieben, wo sie fast wie eine ungewollte Rebellion von innen wirkt. Die Arbeitslandschaft heißt in diesem Stück „Kippe" und der Kipper Paul Bauch, der „Held der Arbeit" ist ein so leidenschaftlicher Produzent, daß er sich schließlich selbst überflüssig macht. Ständig singt er Hymnen auf den Sozialismus und verwandelt so die Klischees von Kippe, Kipper und Kippen ins Farcenhafte. Braun demonstriert hier ausdrücklich, wie Hellmuth Karasek schreibt, daß „sich die Norm des Normerfüllungsdramas langsam von innen her eigenhändig in die Luft zu sprengen droht".[5]

Doch im allgemeinen war das Brigadenstück nicht allzu beliebt. Was die DDR-Dramatik um 1960 viel eher charakterisierte, war die „Ausweichung". Immer wieder gestaltete man historische Konflikte in der Tradition des „epischen Theaters" oder gab sich dem Trend zum Unpolitischen hin, das heißt wich ins „Leichte, Gefällige" aus, indem man Milieu-, Familien- oder Alltagsstücke schrieb.[6]

In den Stücken, die als historischen Hintergrund die Übergangsphase vom Nazi-Deutschland zur DDR wählten, ließ sich das Dialektische noch am ehesten durchexerzieren. Denn hier wußte man von vornherein, wie sich die Konflikte lösen würden. Das klassische Beispiel dafür war Baierls *Frau Flinz* (1961), ein Gegenentwurf zu Brechts *Mutter Courage*, wo die Heldin beim Übergang von der präsozialistischen in die sozialistische Gesellschaft eine deutliche Bewußtseinsveränderung durchmacht. In Strittmatters *Katzgraben* (1954), das im Jahre 1947, zur Zeit der Bodenreform, spielt, wurde diese Dialektik aus dem Gegensatz von Alt- und Neubauern entwickelt. Auch in Hartmut Langes *Senftenberger Erzählungen* (1960), Hacks *Moritz Tassow* (1965) und Strittmatters *Holländerbraut* (1961) war der historische Hintergrund nicht die Gegenwart, sondern die Übergangsphase vom Reich zur Republik. Obendrein erschienen alle diese Stücke, von *Katzgraben* einmal abgesehen, erst in den sechziger Jahren, also lange nach der Zeit, in der die hier behandelten Probleme wirklich brennende Fragen waren.

Einzig Hacks versuchte in seinem Stück *Die Sorgen und die Macht* (1958/1962), das in den Jahren 1956 und 1957 spielt, die Brechtsche Technik auf die Gegenwartsthematik zu übertragen. Sein Thema ist zwar eindeutig die industrielle Produktionssteigerung. Doch trotz dieser äußerlichen Charakteristika ist auch dieses Brigadenstück „wiederum eine Historie", wie Klaus Völker schreibt.[7] Da es hier nicht mehr um den Gegensatz von präsozialistischer und so-

zialistischer Gesellschaft geht, griff Hacks die ungarischen Unruhen
von 1956 als historischen Konfliktstoff auf. Damit wurde das industrielle Dilemma zwangsläufig zum Reflex der geschichtlichen Vorgänge degradiert. Zu allem Überfluß wandte Hacks eine solche Fülle
„verfremdender" Theatereffekte an, daß die Grundproblematik etwas in den Hintergrund trat. Daß jedoch seine Charaktere »nur die
Qualität eines Gags« besäßen, ist wohl etwas übertrieben.[8] Dennoch
liegt die Lösung der behandelten Probleme weitgehend im Bereich
eines „befreienden" Gelächters.

Neben dieser episch-dialektischen Tradition äußerte sich die
zweite Form der „Ausweichung" in einer deutlichen Neigung zum
Situationsgebundenen oder, wie Klaus Völker es nannte, im „kleinbürgerlichen Arrangement".[9] Sogar in Stücken, die sich direkt mit
Themen der Industrieproduktion oder der ländlichen Kollektivie-
rung befaßten, wofür man Kubas *terra incognita* (1964), Helmut
Sakowskis *Steine im Weg* (1960) sowie Horst Kleineidams *Der
Millionenschmidt* (1962) und *Von Riesen und Menschen* (1967) her-
anziehen könnte, beruht die dramatische Spannung zumeist auf
persönlichen Konfliktmotiven. Mal sind es Wachstumsschwierig-
keiten, mal junge, mal alte Liebschaften, mal häusliche Probleme,
mal Familien-, mal Generationskonflikte. Die meisten dieser Stük-
ke lassen sich als »volkstümliche Milieudramen« klassifizieren. Sie
stellen Menschen und Situationen dar, die zwar einen gewissen illu-
strativen, aber selten einen wahrhaft „typischen" Charakter haben.

Im Gegensatz zu diesen Richtungen verzichtete Müller auf alle
äußerlichen Verbrämungen geschichtlicher oder naturalistischer Art.
Er hielt sich nicht an einen historisch vorgegebenen Rahmen für seine
dramatischen Konflikte, sondern legte seinen Stücken die innere
Dialektik der sozialistischen Brigade als strukturelle und theoretische
Basis zugrunde. Immer wieder strebte er nach einer literarischen Re-
präsentation des kollektiven Überbaus. Aus diesem Grunde verzichtete er auf alle ästhetischen Eselsbrücken, V-Effekte und andere arti-
stischen Hilfsmittel. Seine Stücke stellten weder einen tatsächlichen
historischen Konflikt dar, dessen dramatische Perspektive von außen
bestimmt wird, noch exemplifizierten sie lediglich ein vorgegebenes
didaktisches Schema. Müller produzierte aus dem Schaffensvorgang
selbst heraus. Seine dramatische Spannung entwickelte sich direkt aus
dem Handlungsverlauf und führte damit ex ovo zu eigenen sozialistischen Wertsystemen. Seine dramatische Perspektive fiel völlig mit
seiner schöpferischen Rolle als Schriftsteller zusammen; und es ist

vor allem dieser Aspekt, wo Müller seine Aufgabe als Sprachrohr der
Partei bewußt vernachlässigte und sich zum schöpferischen Bewußtsein des neuen Kollektivismus erhob. Gerade in seinen Brigadenstük-
ken schloß er den gähnenden Abgrund zwischen Oben und Unten,
zwischen dem Äußeren und dem Inneren, zwischen der Autorität
des Lehrenden und dem Lernprozeß der zu Belehrenden, worin die
eigentliche Spannung einer jeden sozialistischen Gesellschaft besteht.

Müllers Brigadenstücke sind daher von allen bloß „veranschau-
lichenden" Milieustücken grundsätzlich unterschieden. Der Termi-
nus „Brigadenstück" ist nicht willkürlich gewählt und läßt sich nicht
mit Genrebezeichnungen wie „Betriebsstück", „Industriestück" oder
„Landstück" auf einen Nenner bringen. Im Gegensatz zu solchen
Dramen werden bei Müller keine bestimmten Situationen beschrie-
ben, sondern Rekonstruktionen jenes dialektischen Prozesses innerhalb einer einzelnen Brigade versucht, in denen sich die Probleme der
gesamten sozialistischen Gesellschaft widerspiegeln. Die industrielle
Situation ist für Müller lediglich die vordringlichste im Rahmen eines solchen Staates, welche die günstigsten Voraussetzungen zur
literarischen Zuspitzung dieses Problems bietet. Er verzichtete daher durchweg auf persönliche oder psychologische Motivierungen,
wie sie gerade in den milieuhaft angelegten „Gesellschaftsstücken"
eines Kleineidam oder Sakowski im Vordergrund stehen. Seine
Charaktere sind in erster Linie Variationen der Brigade und stellen
die verschiedenen Kräfte dar, die durch diesen dialektischen Prozeß
gebunden oder freigesetzt werden. Kurzum: unter Brigade wird
hier keine Gruppe verschiedener Individuen, sondern ein Arbeitsprozeß, nicht ein willkürlich zusammengelaufener Haufen, sondern
ein Kollektiv verstanden.

I

Der *Lohndrücker*, der 1958 im Maxim-Gorki-Theater Unter den
Linden uraufgeführt wurde und einen schlagartigen Erfolg hatte,
erschien noch im gleichen Jahr beim Henschel-Verlag und erwies
sich auch auf anderen DDR-Bühnen als eine kleine Sensation. Der
Held dieses Stückes ist der Maurer Hans Garbe, der damals neben
Hennecke als der Stachanow der DDR galt. Garbe war es zwischen
dem 26. Dezember 1949 und dem 26. Februar 1950 gelungen, bei
Siemens-Plania einen glühendheißen Ringofen mit schnell hochge-

zogenen Schamottsteinen vor dem Auseinanderfall zu bewahren und damit den Fortgang der Gesamtproduktion des Werkes zu gewährleisten. Aufgrund dieser Leistung wurde nicht nur der Zwei-Jahres-Plan pünktlich erfüllt, sondern auch eine Viertelmillion Ost-Mark eingespart. Außerdem stelle Garbe zu diesem Zweck „die erste Brigade bei Siemens-Plania" zusammen und „eröffnete damit den sozialistischen Wettbewerb".[10] Wegen dieses vorbildlichen Aktivismus wurde er 1950 als „Held der Arbeit" ausgezeichnet und stieg hierdurch sowohl für die Arbeiter als auch für die Schriftsteller zu einer Modellfigur wahrhaft sozialistischer Gesinnung auf.

Wer also in den fünfziger Jahren in der DDR ein klassisches Beispiel für den revolutionären Durchbruch des Sozialismus brauchte, berief sich gern auf den „Fall Garbe". Ebenso symbolträchtig erschien vielen die mühsame, aber erfolgreiche Reparatur des Tag und Nacht weiterbrennenden Ringofens, die sich ausgezeichnet als ein Spiegelbild der allgemeinen Zeitsituation interpretieren ließ. Anstatt nämlich das Alte einfach niederzureißen und ganz von Neuem anzufangen, sah man sich nach Kriegsende erst einmal gezwungen, mit den vorhandenen Arbeitskräften und Fabrikanlagen weiterzuwirtschaften, um nach den verheerenden Bombenverlusten und Demontagen nicht völlig ins Agrarische abzusacken. In dieser Situation spielten das individuelle Bewußtsein und die persönliche Entscheidung noch eine höchst bedeutsame Rolle. Die Verwirklichung entscheidender Leistungen ließ sich jedoch schon damals nur kollektiv – in Form einer Brigade – durchführen.

Als daher am 15. März 1951 das Zentralkomitee der SED zu einem großen Plenum zusammentrat, wies es in seiner Kampferklärung gegen den „Formalismus in Kunst und Literatur" ausdrücklich auf die stärkere Berücksichtigung von Themen der industriellen Produktion in der Gegenwartsliteratur hin.[11] In Befolgung dieser Maxime stiegen Garbe und ähnliche Aktivisten schon in den frühen fünfziger Jahren zu beliebten Helden jener „Betriebsstücke" auf, von denen Heinz Kersten einmal schreibt: „Die Handlung war hier stets in einem Industriewerk angesiedelt, meist ging es um die Entlarvung westlicher Saboteure und um eine Steigerung der Arbeitsleistungen. Eine primitive Auffassung von der Figur des ‚positiven Helden', der zu einer makellosen Verkörperung eines Idealtyps des erträumten neuen sozialistischen Menschen wurde, und die Konfliktlosigkeit in der Fabelführung brachte unwahre, schematisierte Stücke mit schablonenhaften Handlungen hervor."[12]

Vor Müllers *Lohndrücker* stammt wohl der interessanteste Versuch, den Garbe-Stoff zu dramatisieren, von Bertolt Brecht.[13] Brechts Schwierigkeiten mit der Parteiführung während der Zeit der Plenumssitzungen im März 1951 sind allgemein bekannt. Um der an ihm geübten Kritik die Spitze abzubrechen, schrieb er kurz darauf sein *Verhör des Lukullus* in die *Verurteilung des Lukullus* um und schuf zugleich mit Dessau eine Kantate, die unter dem Titel *Herrnburger Bericht* am 22. Juli 1951 im *Neuen Deutschland* erschien. Überdies begann Brecht im Frühjahr 1951 fleißig Material zu einem Garbe-Drama zu sammeln. Käthe Rülicke berichtet, daß er sich den reparierten Ringofen selber angesehen habe. Mitte Mai fanden sogar lange Unterhaltungen zwischen Brecht und Garbe statt, an denen auch Paul Dessau und Helene Weigel teilnahmen. Außerdem wurden Berichte von Arbeitskollegen und Parteifreunden Garbes über sein aktivistischen Leistungen angefordert. Alle diese Dokumente, die allmählich zu einem dicken Konvolut anwuchsen, liegen heute im Brecht-Archiv.[14]

Doch regelrechte Szenen zu diesem Stück, das den Archiv-Noten zufolge *Büsching* heißen sollte,[15] hat Brecht im Sommer 1951 nur drei entworfen. Und auch diese sind recht flüchtig und skizzenhaft. Obwohl sich Brecht im November 1954 noch einmal hinsetzte, um für seinen *Büsching* oder *Hans Garbe*, wie der Plan jetzt hieß, ein regelrechtes Szenarium zu entwerfen,[16] hat er weder dieses Stück noch irgendein anderes, das sich mit Alltagskonflikten der DDR auseinandersetzt, je vollendet. War ihm die DDR-Thematik zu heikel? Wollte er erst den Erfolg der *Katzengraben*-Inszenierung abwarten? Jedenfalls hat der „Klassiker" nicht jenes Garbe-Drama geschrieben, das Müller mit seinem *Lohndrücker* gelungen ist, in dem sich für die DDR-Dramatik der entscheidende Durchbruch zur sozialistischen Gegenwartsdramatik vollzog.[17]

Die Skizzen, die Käthe Rülicke bespricht, haben eine gewisse Ähnlichkeit mit Brechts *Katzengraben-Notaten*. „Sprachlich suchte Brecht eine große Form", schreibt sie, „die Arbeiter sollten, wie ehemals die Könige und Feldherren Shakespeares, in Versen sprechen, die gleichzeitig die noch so nahen Vorgänge verfremden, übersehbar machen sollten. Brechts Versuche sind in einer gebundenen Sprache, reimlos und in unregelmäßigen Rhythmen geschrieben."[18] Gerade bei diesem Stoff wollte Brecht seine „epischen" Mittel besonders intensivieren, um sich damit von dem „überepischen" Stoff zu befreien, wie er ihn nannte.[19] Er faßte daher eine ganze Reihe komplizierter V-

Effekte ins Auge, von denen er sich die größtmögliche Distanzie-
rung von der Direktheit der unmittelbaren Gegenwartsthematik
versprach.

Müller verfuhr dagegen genau entgegengesetzt. Obwohl sein
Lohndrücker beweist, wieviel er von Brecht gelernt und übernommen hat, so vor allem den sprunghaften Dialog, die schnelle Folge
kurzer Szenen, die Betonung der Handlung, die realistisch, aber
nicht psychologisch motivierten Charaktere, begnügte sich Müller
mit relativ wenigen Verfremdungs-Effekten und präsentierte seine
Handlung direkt. Auf Verse wird völlig verzichtet. Die Handlung
selbst vollzieht sich weitgehend in einem alltagssprachlichen Dialog, ohne daß besondere Projektionen, Erzähler, Lieder und dergleichen herangezogen werden.

Doch der Hauptunterschied besteht in der Auffassung des
„positiven Helden" und seines Konflikts. Unter dieser Perspektive
gesehen, ist Brechts Stück eine historische Chronik, während Müller
ein DDR-Brigadenstück geschrieben hat, in dem das sozialistische
Kollektiv gestaltet wird. Brecht war in erster Linie an der Figur Garbes interessiert, was seine ausführlichen Unterhaltungen mit ihm beweisen. Er nannte darum seinen Stückentwurf einfach *Büsching* oder
Hans Garbe. Was er im Auge hatte, war vor allem das Leben dieses
Mannes, angefangen mit seinen Erlebnissen unterm Faschismus über
seine „Heldentaten" während der Nachkriegszeit bis zu seinem Tode.[20] Käthe Rülicke bemerkt dazu: „Der Held stand nicht, wie die
Helden der bisherigen Stücke Brechts, die sämtlich in einer Klassen-
gesellschaft lebten, im Gegensatz zur Gesellschaft, sondern er vertrat
sie. War es in den bisherigen Stücken gerade die Produktivität der
Helden, ihre positiven Eigenschaften, die sie schädigten, [...] so half
Garbe sich und der Gesellschaft, indem er produzierte".[21] Um zugleich das Lehrhafte dieses Vorgangs zu unterstreichen, wollte Brecht
wie in der *Maßnahme* einen Chor ins Spiel bringen. „Das Stück
sollte die Gesamtzusammenhänge der Gesellschaft ausdrücken, die
aber ‚Büsching' mindestens in der ersten Phase gar nicht übersehen
konnte", schreibt Käthe Rülicke, „Brecht plante deshalb, Chöre ein-
zuführen, die diesen Zusammenhang geben sollten."[22] Alles in allem
scheint Brecht eine „historische Parabel" mit eingelegten Chören im
Auge gehabt zu haben, die in dem Zeitraum von 1944 bis 1954 statt-
findet, in dem sich Garbe allmählich von einem parasitären über ein
idealistisch-spontanes zu einem sozialistisch-verantwortungsbewuß-
ten Verhältnis zur Gesellschaft entwickelt.

Im Gegensatz zu Brecht interessierte sich Müller für Garbe nur in zweiter Linie. Sein Stück hat keinen „Helden". Er bemühte sich bewußt, das Klischee des allzu positiven DDR-Helden zu vermeiden, um nicht ins Idealisierende zu geraten. Schon im Vorwort konstatierte er karg und entschieden: „Das Stück spielt 1948/49 in der DDR. Die Geschichte des Ringofens ist bekannt. Die Personen und ihre Geschichten sind erfunden."[23] Auch der Titel *Der Lohndrücker* ist keine Personenbezeichnung, sondern eine Aktivistenrolle. Was Müller beschäftigte, war weniger das Individuelle als die Dialektik der gesellschaftlichen Beziehungen. Seine Charaktere sind weder Privatpersonen noch Typen. Alles, was mit ihrem Wesen zusammenhängt, wird ausschließlich durch den komplexen Arbeitsprozeß innerhalb der Brigade bestimmt. Der nationale Heros Garbe verliert auf diese Weise seinen billigen Heiligenschein und verwandelt sich in den Antriebsmotor eines brigadenhaften Kollektivverfahrens. Auch die anderen Personen des Stückes sind lediglich Variationen derselben Grundkonstellation. Es ist die Gesamtbrigade, die hier dargestellt wird, nicht ein lehrbuchhafter Bannerträger. Was sich daraus an Konflikten ergibt, hängt stets mit dem Verhältnis des Einzelnen zum Kollektiv zusammen.

So gesehen, beruht Müllers Stück auf der Dialektik des Alten und des Neuen innerhalb der „neuen" kollektiven Brigadenform. Dem klischeeartigen Gegensatz zwischen Nazi-Deutschland und sozialistischem Umbruch, der schließlich in das Paradies der DDR überleitet, wird bewußt aus dem Wege gegangen. Obwohl Balke alias Garbe unter Hitler eine etwas zweifelhafte Rolle gespielt zu haben scheint, beschäftigt sich keine Szene mit seiner persönlichen Vergangenheit. Was Müller in den Vordergrund rückt, ist das Hier und Jetzt: die Gegenwart der DDR, mag diese auch noch so widersprüchlich sein. Nicht mehr die Dialektik des Alten und des Neuen bestimmt sein Weltbild, sondern wie dieses Neugeschaffene rückwirkend die „alten" Menschen umzumodeln beginnt. Er schrieb darüber schon 1953: „Mit der Veränderung der Verhältnisse geht die des Verhaltens nicht parallel. Die das Neue schaffen, sind noch nicht neue Menschen. Erst das von ihnen Geschaffene formt sie selbst."[24]

Wohin man auch schaut, herrscht daher im *Lohndrücker* ein höchst komplexes System molekularartiger Zusammenstöße, und zwar sowohl in den einzelnen Charakteren als auch in ihrem Verhältnis zueinander. Statt mit einem holzschnittartigen Konflikt konfron-

tiert zu werden, wird man in ein kinetisches Energiefeld hineingezo-
gen. Was jedoch fehlt, ist die im konventionellen Dreischritt erreichte
Synthese, der man bei anderen sozialistischen Dramentypen so oft
begegnet: ob nun im naturalistischen Milieustück mit seinen harmlo-
sen Schlußtableaus, in der wesentlich prägnanteren, aber immer noch
eindimensionalen Form des Lehrstücks oder in der dramatisierten
Chronik, die den Übergang von der präsozialistischen in die sozialistische Gesellschaft schildert. Müller spaltete die sozialistische Dialektik in eine Fülle verschiedenster Energiefelder auf und stellte sie
zugleich als einen Prozeß dar, der auch in der Zukunft nicht zum
Stillstand kommen wird. Er erklärte: „Das Stück versucht nicht, den
Kampf zwischen Altem und Neuem, den ein Stückeschreiber nicht
entscheiden kann, als mit dem Sieg des Neuen vor dem letzten Vor-
hang abgeschlossen darzustellen; es versucht, ihn in das neue Publikum zu tragen, das ihn entscheidet."[24]
      Und so schrieben Brecht und Müller, obwohl sie beide das glei-
che Thema aufgriffen und den gleichen produktionssteigernden
Effekt erzielen wollten, doch zwei ganz verschiedene Stücke, von
denen das eine in der Skizze steckenblieb, während das andere mit
Erfolg über die Bühnen ging. Wo Brecht mit einem komplizierten
System von V-Effekten zu arbeiten hoffte, ging Müller ganz direkt
vor. Während Brecht eine historische Chronik im Sinne hatte, in der
die Gestalt des vorbildlichen Aktivisten den Ausschlag gibt, entwik-
kelte Müller das sozialistische Brigadenstück, dessen innere Span-
nungen sich aus der Situation des Kollektivs ergeben. Wie es zu diesem auffälligen Gegensatz in der Behandlung des Garbe-Stoffs kam,
hängt aufs engste mit den höchst verschiedenen „Umständen" zusammen, in denen sich Brecht und Müller damals befanden.
      Als Brecht am *Büsching* arbeitete, war er gerade aus der einzel-
gängerischen Rolle eines nicht allzu berühmten Exilschriftsteller
erlöst worden und als künstlerischer Leiter des Berliner Ensembles
zum bewunderten Vorbild des ostdeutschen Theaters aufgestiegen.
Der „Musterknabe" Garbe, wie ihn Esslin ironisch nennt,[26] war mit-
hin auch ein Spiegelbild Brechts. Vor allem nach den Plenumssitzungen im März 1951 sah er sich mehr denn je mit der persönlichen Entscheidung konfrontiert, aktiv in den Aufbau der sozialistischen
Wirklichkeit einzugreifen. „Die Auftraggeber haben schließlich ein
Recht, gewisse Wünsche anzumelden",[27] sagte er nach der Kritik an
seinem *Lukullus* und wählte den Garbe-Stoff, um damit die Erwartungen seiner parteiamtlichen Freunde zu erfüllen. „Brecht ver-

braucht augenblicklich sein altes Gepäck", hieß es damals, „er verbraucht es ein Stück nach dem anderen, weil er Zeit braucht, sich
zurechtzufinden. Er braucht wirklich Zeit. Angenommen, er hätte es
gekonnt, dann hätte er wahrscheinlich schon ein Stück über unsere
Zeit geschrieben. Aber die wirkliche Kritik an Brecht wird davon
beinhaltet sein, wieviel Zeit vergeht, bis er dieses Stück schreiben
kann, und was das für ein Stück sein wird! Das ist das Entscheidende."[28] In dieser Zwangslage als nationaler Klassiker, der sich plötzlich
den kritischen Augen der Partei ausgesetzt fühlte, hatte er nur die
Wahl, deren „Auftrag" auszuführen oder sich für eine Weile in
Schweigen zu hüllen. Was er schließlich mit seinem *Büsching* tat, war
beides: er entwarf ein nationales Lehrstück, das den klassischen Ar-
beitsheros der DDR zum Helden hat, aber er vollendete es nicht.

Heiner Müller stellte dagegen vor der Uraufführung des *Lohndrücker* im Jahr 1958 eine relativ unbekannte Größe dar. Nach
kurzen Zwischenstationen als Angestellter und Journalist war er
1954 nach Berlin gekommen und dort Mitarbeiter am Maxim-
Gorki-Theater geworden.[29] Er brauchte also keine Rolle zu spielen,
sondern hatte noch die Gunst der Anonymität auf seiner Seite. Im
Gegensatz zu Hacks, Baierl und Lange, die aus der Brecht-Schule
kamen, war er an kein besonderes Vorbild gebunden. Doch brachte
ihn seine Tätigkeit am Maxim-Gorki-Theater sicher mit jenen un-
befriedigenden Zeitstücken in Kontakt, die sich mit den rein situationsgebundenen Konflikten vorbildlicher Helden beschäftigten.
Gerade der Nachdruck auf dem Exemplarischen muß ihn abgesto-
ßen haben. Denn bloße Propagandathese konnte man schließlich
auch in Zeitungen oder auf Transparenten lesen. Dazu brauchte
man nicht ins Theater zu gehen. Jeder DDR-Bürger konnte von
solchen Stücken sagen, was eine der Figuren im *Lohndrücker* sagt:
„Das kann ich in der Zeitung lesen, auf die meinen Hintern abon-
niert ist."[30] Nur zu sagen oder zu hören, was es in dieser Gesellschaft an positiven Elementen gab, mußte auf die Dauer recht
langweilig werden, vor allem wenn es sich um Leistungen aus historisch längst überholten Phasen handelte. Um so faszinierender
mußte für einen jungen sozialistischen Schriftsteller die Gestaltung
seiner eigenen Wirklichkeit sein, um damit seine persönliche Rolle
in dieser Gesellschaft zu definieren.

Das Stück *Lohndrücker* ist in der Tat ein geradezu vollendetes
Beispiel eines sozialistischen Dramas: es ist hervorragend durch-
konstruiert, ist parteilich, ehrlich und zugleich amüsant. Obwohl

die westdeutsche Literaturkritik seinen Erstdruck kaum beachtete, wurde es am 3. März 1961 im *Times Literary Supplement* recht günstig besprochen. Ja, noch acht Jahre später nannte man es hier „the frankest, most critical play about life in the G.D.R. written by any G.D.R. playwright. Nowhere, not even in Brechts's best plays, has the dilemma of the industrial worker under a nominally socialist regime been more lucidly expressed. It is ohne of the milestones of socialist drama."[31] Auch in der DDR wurde es anfangs allgemein gelobt. So charakterisierte es Hermann Kähler trotz scharfer Kritik als einen „Drehpunkt' in unserer dramatischen Entwicklung, das heißt etwas unbedingt Neues. In diesem Stück betraten deutsche Arbeiter aus unserem Leben als historisches Subjekt, als ernstzunehmende Charaktere mit ernstzunehmenden Konflikten, als geschichtemachende Persönlichkeiten die Bühne".[32] Doch schon kurz darauf wurde dieses Stück in der DDR ganz anders beurteilt. Vor allem nach dem großen Plenum des ZK der SED vom 15. bis 17. Januar 1959 wurden Baierl, Hacks und Müller wiederholt als Vertreter einer ausgeklügelten, volksfernen und damit „unrealistischen" Didaktik angegriffen. Drei Monate später fand im April 1959 die erste Bitterfelder Konferenz statt, die mit ihrem Slogan „Kumpel greif zur Feder!" das Ideal des Arbeiterschriftstellers propagierte, um damit die immer noch bestehende Kluft zwischen der Welt der Literatur und der Welt der Arbeit zu schließen. Hermann Kähler, dessen Wertkriterien ein gutes Spiegelbild der jeweiligen Parteilinie sind, betonte damals, daß das Konzept des „didaktischen" Theaters am stärksten „mit dem Namen Heiner Müllers verbunden sei.[33] Und zwar charakterisierte er das „Lehrstück" als einen „Umweg", der einer „tiefergreifenden Weiterentwicklung des Realismus in unserer Kunst" hemmend im Wege stehe.[34] Nach seiner Meinung fehle diesem Dramentyp eine echte Spontaneität, da er durch sein „rationalistisches Heranarbeiten an die historischen Ereignisse" notwendig im Abstrakt-Reflektierenden lande.[35] Kähler bezeichnete daher Müller, Hacks und Baierl als bloße Mitläufer und warf ihnen eine gewisse Fremdheit dem sozialistischen Alltagsleben in der DDR gegenüber vor. Es sei höchst bedenklich, schrieb er über Baierl, meinte aber zugleich Hacks und Müller, daß er wie „andere jüngere Dramatiker unserer Republik das ,Milieu', die direkt-konkreten Gegebenheiten, unter denen die Personen des Stücks handeln, aus eigenem Erleben nicht kenne", sondern die Realität erst „studieren" müsse.[36]

Kähler behauptete damit, daß die „professionelle Angestrengt-
heit und rationale Nüchternheit solchen ‚Studiums'" Müller daran
gehindert hätten, die politisch-aktuelle Bedeutung des Garbe-Stoffs
zu erkennen.[37] Kurz gesagt, nach Kählers Meinung hat Müller sein
Thema verfehlt. Er habe sich, so hört man, lediglich auf die Dialektik
innerhalb der Charaktere beschränkt und darüber versäumt, Balke als
den „neuen Menschen" des Sozialismus zu zeichnen. Der Nachdruck
auf dem „neuen" Balke hielt Kähler für „ganz natürlich". „Daß Balke
schon weiter war", schrieb er, „daß er schon anders dachte und fühlte, daß sein einst so verrottetes Innenleben bereits anders und
menschlicher funktionierte, ist das eigentlich Bedeutsame, das Neue
und Unerhörte – aber gerade das wurde seiner eigentlichen Bedeutung gemäß nicht klar herausgearbeitet, es wurde ‚vorausgesetzt'".[38]
    Derlei hatte Müller allerdings nicht „klar herausgearbeitet". Ihm
war es nicht um die Dramatisierung eines Propaganda-Slogans gegangen. Müller besaß den Mut, die sozialistische Gesellschaft so zu
schildern, wie sie im Jahre 1949 wirklich ausgesehen hatte. Seine Dramatis personae lassen sich darum eher mit Raupen als mit Schmet-
terlingen vergleichen. Einen solchen Realismus empfand Kähler jedoch als zu nüchtern. Müllers „strenge, lakonische, literarisch bis ins
letzte disziplinierte Form" erschien ihm einfach nicht lebensvoll und
poetisch genug.[39] „Wie sehr dieses Verfahren ‚kunstpoetisch' entstanden war", schrieb er indigniert, „aus der Weiterentwicklung von
Vorlagen, weniger aus dem Zugriff in die poetische Realität, mehr
aus der rationellen Überlegung, [...] zeigte sich in einer kühlen, per-
fektionierten ‚Makellosigkeit', mit der der Stoff, der so ganz anders
geartet war, ‚bearbeitet' wurde."[40]
    Wogegen also Kähler opponierte, war nicht Müllers Mangel an
dichterischen Einfällen. Es war eher die rationale „Überlegung"
und „Makellosigkeit" dieses engagierten sozialistischen Dramatikers, die er als irritierend empfand. Schließlich war Müllers *Lohndrücker* eins jener Stücke, wie Kersten zu Recht bemerkte, die „in erster Linie an den Verstand des Publikums unter weitgehender
Ausschaltung des emotionalen Faktors" appellierten. Ja, Kersten behauptete sogar: „Sie waren an weltanschaulicher Überzeugung und
dramatischem Talent den oft opportunistischen Verfassern der bisherigen ‚sozialistischen Gegenwartsstücke' eindeutig überlegen.
Wenn ein ‚sozialistisches Theater' verwirklicht werden sollte, so
konnten gerade von dieser Seite auch künstlerisch ernstzunehmende interessante Impulse dazu ausgehen."[41]

Es war somit gerade die Verbindung von weltanschaulicher
Überzeugung und dramatischem Talent, die diesem Stück gefährlich wurde. Das gab jedoch die Parteileitung nie zu. Sie begnügte
sich mit der verleumderischen These, daß die mangelnde „Parteilichkeit", die sich bei dieser didaktisch-dialektischen Methode ein-
stelle, das Publikum dazu verführe, falsche Schlüsse aus dem Ganzen zu ziehen.[42]

Dabei lag genau das Gegenteil vor! Die Lehre des *Lohndrücker*
war durch und durch „parteilich", und sie war es auf eine Weise,
die dem Publikum nur einen Schluß zuließ: nämlich daß der Sozialismus in der DDR – trotz aller Relikte der Vergangenheit – durchaus operationsfähig sei und sich in Zukunft noch vervollkommnen
lasse. Müller erreichte damit, was auch die Partei vom sozialistischen Theater forderte – nur daß er es im Rahmen seiner eigenen
Spielregeln tat. Kurz: der *Lohndrücker* war die erste dramatische
Affirmation der unmittelbaren DDR-Realität, und zwar auf der
Basis der Vernunft, ohne alle aufwendigen Kulissen. Sein Autor
verließ sich nicht auf die Tricks der Massenmedien, die sich in Ost
und West an die gefühlsmäßige Eingestimmtheit wandten und damit lediglich die Sublimationswünsche ihres Publikums befriedig-
ten. Dies Drama verlangte nach einem Publikum, das sich mit sich
selbst auseinandersetzen will, was – auf die Dauer gesehen – immer
wirksamer ist als ein bloßer Propaganda-Monolog. Doch gerade
das empfand die Partei als zutiefst „intellektualistisch" und nicht
aus „spontanem sozialistischem Geist" heraus geboren. Und damit
hatte sie in ihrem Sinne sogar recht. Denn schließlich war Müllers
rationale Affirmation des sozialistischen Arbeiterstaates kein wirk-
liches Spiegelbild der gesellschaftlichen Realitäten in der DDR.
Mußten nicht dem, der bei solchen Stücken zu denken anfing, die
Transparente auf den Straßen notwendig etwas billig erscheinen?

II

Müller zweites Brigadenstück, *Die Korrektur*, erschien 1958 in der
Neuen deutschen Literatur.[43] Eingeleitet wurde es durch eine recht
distanzierende Notiz von seiten der Herausgeber, die zugleich eine
kritische Gruppendiskussion mit abdrucken ließen, die man in Schwarze Pumpe, dem Ort der Handlung dieses Dramas, abgehalten hatte.
Diese Art der Veröffentlichung nahm dem Stück von vornherein jede

Chance einer dramatischen Verwirklichung und sollte den Autor zu
einer Bearbeitung anregen. Demzufolge wurde das Ganze erst nach
einer gründlichen Revision inszeniert und in dieser Fassung, zusammen mit dem *Lohndrücker*, 1959 vom Henschel-Verlag in Buch-
form herausgegeben. Wenn westliche Kritiker auf den *Lohndrücker*
und die *Korrektur* zu sprechen kamen, behandelten sie das zweite
Stück meist recht herablassend, als eine Art Nachspiel zum ersten.
So schrieb etwa Klaus Völker: „Müller hält sich in der ‚Korrektur‘
enger an das Lehrstück, er verwendet den Song und direkte Agitation. [...] Die Komposition [...] ist nicht so kunstvoll verknüpft wie im
‚Lohndrücker.‘"⁴ Doch die zweite Fassung der Korrektur ist nicht
nur schlechter als der *Lohndrücker*, sondern steht zugleich in einem
völligem Widerspruch zu den dramatischen Intentionen des Müllerschen Brigadenstücks. Bei ihr handelt es sich um eine didaktische Parabel, die einen unverkennbaren Agitprop-Charakter hat. Wenn also
Völker diese Version als bloßes „Lehrstück" bezeichnet, so läßt sich
dem schwerlich widersprechen. Der Nachdruck liegt hier ganz auf
jenen Elementen, die Müller seiner ersten Fassung nachträglich auf-
gepfropft hat, um dieses Stück überhaupt auf die Bretter des Maxim-
Gorki-Theaters bringen zu können.

Nur diese Bearbeitung ins Auge zu fassen, würde demnach zu
einem völlig verzerrten Bild von Müllers Ideen und der Entwicklung seiner Brigadenstücke führen. Denn hier erweist er sich wirklich, gegen seine ursprüngliche Absicht, als bloßer Didaktiker. Kein
Wunder, daß diese Version wie ein seltsamer Zwitter anmutet. Die
erste Fassung hält sich dagegen von allen didaktischen Elementen
im Sinne Hacks' und Baierls oder auch des Brechtschen *Büsching*
noch relativ frei. Was Müller dennoch mit der Brechtschen Tradition
verbindet, ist selbstverständlich seine kritisch-rationale Methode.
Doch gerade die war der Partei zu abstrakt, weshalb sie seine dramaturgischen Mittel als zu trocken oder lehrhaft-verfremdend bezeichnete. Er wurde daher zeitweilig mit Hacks und Lange zu jenen
„intellektualistischen" Jungdramatikern gerechnet, die im Laufe der
Jahre durch die Kumpel des „Bitterfelder Weges" ersetzt werden
sollten.

In der ersten Fassung der *Korrektur* geht es um Vorfälle, die sich
1956/57 auf der Großbaustelle Schwarze Pumpe tatsächlich ereignet
hatten. Durch übermäßige Bürokratisierung war hier der kollektive
Arbeitsprozeß mehr und mehr ins Stocken geraten. Die neue sozialistische Norm, die von den Funktionären aufgestellt war, konnte

schlechterdings nicht erfüllt werden. Die von Müller geschilderte
Brigade sieht sich darum zu einer gewissen „Korrektur" gezwungen.
Um ihre Quoten zu erfüllen, wird einfach auf dem Papier korrigiert, was man als Bautätigkeit nicht geleistet hat. Lediglich der
neue Vorarbeiter Bremer, ein KP-Mitglied seit 1918, der unter
Hitler im KZ gesessen hat, weigert sich, an diesen Mogeleien teil-
zuhaben. „Betrug", sagt er, „kommt nicht in Frage. [...] Das ist
keine Brigade. Das sind Lumpen" (K 23, 30). Ebensowenig will er
mit den „bürgerlichen" Ingenieuren zusammenarbeiten, die sich als
„Intelligenzler" über die Arbeiter lustig machen. „Hat vielleicht der
Ingenieur im KZ gesessen für die Partei", fragt er, „hab ich Bomben
konstruiert für Hitler?" (K 31). Auf diese Weise durchbricht Bremer den unumgänglichen Zusammenhang zwischen dem Alten und
dem Neuen, dem Plan und seiner Verwirklichung und bedroht damit die Gesamtheit. „Wir können es uns leisten", wird er von der
Partei belehrt, „den Sozialismus mit Leuten aufzubauen, die der
Sozialismus nicht interessiert. Soweit sind wir. Wir können nicht
auf sie verzichten. Soweit sind wir noch nicht. Und wenn wir soweit sind, ist es nicht mehr nötig, weil sie sich interessieren werden
für den Sozialismus. [...] Wir brauchen keine Barrikaden, Genosse
Bremer, wir brauchen Industriekombinate" (K 31). Als Bremer darauf die Brigade verläßt, trägt er indirekt dazu bei, daß eins der gerade
zementierten Fundamente zusammenbricht. Dieser „Betriebsunfall"
bringt nicht nur die systematischen Mogeleien ans Licht, sondern
führt zugleich zu einer neuen Durchstrukturierung des Brigadensy-
stems. „Das Eckfundament [...] rutscht ab", heißt es, „es muß her-
ausgerissen und neu gegossen werden" (K 27). Was also nötig ist, ist
eine viel fundamentalere Form von „Korrektur".

Wie im *Lohndrücker* konzentrierte sich Müller wiederum auf
die Idee des Kollektivs und der Dialektik innerhalb der Brigade. In
beiden Stücken war er mehr interessiert an der Dynamik der Arbeit
als an der Arbeit selbst, mehr an den Energiequellen des Sozialismus als an dessen zufälligen Manifestationen. Die *Korrektur* ist dabei als Drama noch geschlossener, um diese innere Dialektik bis
zum Siedepunkt zu treiben. Daß hier alles viel komplexer wirkt als
im *Lohndrücker*, wird auf die fortgeschrittenere Sozialstruktur zu-
rückgeführt. Es muß klar werden, schrieb Müller, „daß die in
‚Korrektur' dargestellten heftigeren Kämpfe nicht mehr wie die in
‚Lohndrücker' behandelten auf der Ebene des Wiederaufbaus einer
ruinierten Wirtschaft ausgetragen werden, sondern auf der höheren

Plattform des sozialistischen Aufbaus; daß der Fluß der Dinge rei-
ßender geworden ist, mehr und verschiedenere Menschen mitreißend
[...] auf einer Großbaustelle spielt, wo unter ganz anderen (schwie-
rigeren) Bedingungen andere (schwierigere) Leute arbeiten."[45]
    Im *Lohndrücker* liegt der Hauptnachdruck auf dem realisti-
schen Dialog und der Handlung. In der *Korrektur*, die nur halb so
lang ist, drängte Müller eine viel kompliziertere Handlung in Kurz-
szenen zusammen, die regelmäßig zwischen epischer Reflexion und
dramatischem Geschehen alternieren. Jede Reflexionsszene enthält
Hinweise auf die Vergangenheit des Erzählers und zugleich eine
Exposition jener Ereignisse, die sich in der nächsten Handlungs-
szene abspielen werden. Dieser Verklammerungseffekt führt sowohl
zu einer gedanklichen Vertiefung als auch zu einer Beschleunigung
der Handlung. In Müllers erstem Brigadenstück wurde die dramatische Spannung rein durch den in Dialog und Handlung entfalteten
dialektischen Prozeß vorangetrieben. In seinem zweiten wird sie dadurch erreicht, daß er mit collagehaften Sprachkonzentraten operiert,
um so den dramatischen Prozeß innerhalb des sozialistischen Überbaus herauszuarbeiten. Der Titel „Korrektur" charakterisiert daher
auch den Stellenwert dieses Dramas in Müllers eigener Entwicklung.
Einerseits ist es eine revidierte Form seines *Lohndrückers*, der Versuch einer neuen Intensität; andererseits antizipiert es bereits die
komplexe Struktur, die er später in seinem *Bau* zu verwirklichen
suchte.
    Die Kritik, welche die Herausgeber der *Neuen deutschen Litera-
tur* der ersten Fassung der *Korrektur* voranstellten, bezog sich vor
allem auf die Abwesenheit eines genau umrissenen „positiven" The-
mas. Wie in seinem ersten Stück, heißt es hier, habe der Autor noch
immer nicht die „Gesetzmäßigkeit" der offiziellen Wirklichkeit begriffen. „Wir glauben allerdings nicht", wurde ihm vorgehalten, „daß
das reiche Material voll bewältigt ist. Uns scheint, daß die Autoren
[Müller und seine Frau Inge] sich allzusehr darauf konzentrieren, die
der Wirklichkeit innewohnenden Widersprüche herauszukehren, deren Lösung jedoch allzu summarisch, allzu skizzenhaft, allzu unkon-
kret behandeln. Während die Mängel, die den Verhältnissen und den
Menschen noch anhaften, anschaulich und plastisch vorgeführt werden, sind die Prozesse der Wandlung, der Entwicklung, des Wachstums übersprungen. Sie werden postuliert, aber nicht gezeigt. Die
Kräfte, durch welche sie hervorgerufen und gefördert werden, sind
zu wenig erkennbar."[46] Müllers Versuch, den kollektiven Prozeß

von unten her zu sehen, stand für die Herausgeber der *Neuen deutschen Literatur* zwangsläufig im Gegensatz zur Autonomie der „Kräfte" von oben. Dies „hat zur Folge", hieß es daher, „daß die Durchsetzung des Neuen nicht als notwendiger Sieg jener Kräfte erscheint, die den sozialistischen Aufbau tragen, sondern fast als Autorenwillkür. Die Grundidee ist damit stark beeinträchtigt. Der hier erkennbare Fehler steht sicher in engem Zusammenhang mit dem Streben der Autoren nach einer knappen, prägnanten Diktion. [...] Übermäßige ‚Verdichtung' kann zu einer Verflüchtigung des Inhalts führen."[47]

Ebenso kritisch lesen sich die Diskussionsberichte aus Schwarze Pumpe. Daß Müller versuchte, den Arbeitern Einblicke in den industriellen Prozeß zu geben und sie zur kollektiven Selbstkritik anzuregen, wurde durchaus gutgeheißen. Was man jedoch rügte, war die Tatsache, daß es hier nicht um das Typische, sondern um einen Einzelfall gehe. So sagte etwa der FDJ-Sekretär von Schwarze Pumpe: „Dieses Hörspiel ist gedacht für die Menschen in der DDR. Wenn es nur für den Betrieb wäre, dann wäre gar nicht so viel zu bemängeln. Ich bin also der Überzeugung, daß man hier ein zu stark negatives Bild bekommt gegenüber dem, was hier bei uns schon steht. Ist nicht das Typische auf der Baustelle der Kampf der Arbeiter um die Einhaltung der Pläne? Dieses Typische, dieser Kampf kommt meiner Meinung nach zu wenig zum Ausdruck."[48]

Ein halbes Jahr nach der Erstfassung der *Korrektur* und der ihr beigegebenen Kritik erschien in der *Neuen deutschen Literatur* ein zweiteiliger Aufsatz unter dem Titel *War ‚Die Korrektur' korrekturbedürftig?*[49] Der erste Abschnitt, *Zwischenbemerkung* überschrieben, stammte von Müller; der zweite bestand aus einer Stellungnahme von Hans Dieter Mäde, dem Regisseur der *Korrektur* am Maxim-Gorki-Theater. Müller begriff sich schon hier als „Mitautor der Wirklichkeit", wie er später seine Rolle als DDR-Schriftsteller definierte.[50] Ein Dramatiker, der von seinem Publikum nicht verstanden werde, hatte für ihn keine konstruktive Funktion innerhalb der Gesellschaft. Nicht ohne Ironie umschrieb er deshalb seinen eigenen Modus operandi mit den Worten: „Die Selbstkritik der Autoren ist in die exekutive Phase getreten: Die ‚Korrektur' wird korrigiert. Die neue Literatur kann nur *mit dem neuen Publikum* entwickelt werden.[...] Die Aufführung bewirkte Depression statt, wie erwartet, Aktivität. Was nicht nur auf das Konto des Stücks geht: Offenbar nahm sogar dieses Publikum zu der Vorführung seiner Schwierigkeiten auf dem Theater eine andere (passive) Haltung ein als zu ihrem Vorkommen in der Wirklichkeit."[51] Das neue Publikum war also anscheinend doch nicht so „neu", wie Müller erwartet hatte. Dementsprechend revidierte er seinen Standpunkt.

Die erste Fassung behandelte den Prozeß einer kollektiven Dialektik in der Form des Brigadenstücks; die zweite löste bestimmte repräsentative Probleme innerhalb des sozialistischen Aufbaus im Rahmen eines Lehrstücks. Die korrigierte *Korrektur* verzichtete daher auf die regelmäßige Alternierung von Monolog und Dialog, reduzierte die individuelle Reflexion und fügte zugleich neue Szenen hinzu, um den Gang der Handlung zu verdeutlichen. So wurde etwa der Monolog eines Ingenieurs, der Geschichten erzählt, „die nicht in der Zeitung stehen", einfach weggelassen. Am stärksten litt der Charakter Bremers unter diesem Umbau. In der ersten Fassung ist er der „alte Revolutionär", der einsieht, daß sich der kollektive Prozeß nur von innen heraus entwickeln kann, und der darum von der Partei abgesetzt wird. In der revidierten Fassung rettet ihn der Parteisekretär vor der drohenden Entlassung, befestigt damit den Status quo und führt so eine bequeme Lösung und ein Happy end für alle herbei. Mäde vom Maxim-Gorki-Theater bezeichnete dies als eine „Korrektur", die auf einer „produktiven Kritik" beruhe,[52] und pries den aufheiternden Schlußeffekt als Manifestation jenes Optimismus, wie ihn sich die Partei vom Theater wünsche. Im Hinblick auf den Prolog, der wie der Epilog nachträglich hinzugefügt wurde, um dem Ganzen eine komödiantische Note zu geben, heißt es bei ihm: „So entstand die heiter-ironische Vorstellung der Figuren, die dem Zuschauer hilft, seine Aufmerksamkeit auf das Wesentliche der Vorgänge einzustellen, und die eine optimistische Ausgangsposition, eine Betrachtung der Vorgänge aus der Perspektive des ‚Wir sind über'n Berg', möglich macht."[53]

In der DDR empfand man damals Schweigen oft vernichtender als Kritik. Die kritische Auseinandersetzung mit der ersten Fassung der *Korrektur* war daher in Wahrheit eine Form der DDR-Ermunterung, und Müller griff diesen Dialog mit den Kulturfunktionären nicht unwillig auf. Nach 1959 wurde jedoch dieser Balanceakt zwischen der Meinung der Partei und seinem Konzept eines sozialistischen Brigadenstücks immer schwieriger. Müller war sich dessen bewußt, als er seine *Zwischenbemerkung* schrieb, die bereits manchen Hinweis auf seine spätere Entwicklung enthält. „Weitere Fragen", bemerkte er lakonisch, „können hier nur angedeutet werden:

der Widerspruch zwischen dem technischen Niveau (der Produktionsmittel) und dem höheren politisch-ökonomischen (der Produktionsverhältnisse), unvermeidlich in einer Übergangszeit. [...] Folgen für die Dramaturgie: Tendenz zu ‚offenen‘ und Splitterformen, Schwierigkeit, zu ‚geschlosseneren‘ Formen zu gelangen. Zu untersuchen bleibt, wie der in ‚Korrektur‘ unternommene Versuch, eine geschlossene Form herzustellen, weil verfrüht, die Inhalte beschneidet, wie der ästhetische Vorgriff einen politischen Rückschlag auslöst.“[54] In der *Korrektur* hatte sich Müller noch den „Produktionsverhältnissen“ unterworfen; von nun an konzentrierte er sich auf sein „Produktionsmittel“. Folgerichtig war die korrigierte *Korrektur* sein letztes Werk über die DDR, das vor 1970 auf den Bühnen dieses Staates aufgeführt wurde.

Sein nächstes Stück trug den Titel *Die Umsiedlerin oder Das Leben auf dem Lande*. Die Tatsache, daß sich Müller der Bodenreform zuwandte, beweist wiederum seine unmittelbare Zeit- und Gesellschaftsbezogenheit. Denn im April 1960 war in der DDR die offizielle Überführung aller Einzelbauern in die landwirtschaftlichen Produktionsgenossenschaften angeordnet worden. Die Partei tat alles, um diese Errungenschaft als einen Sieg des Sozialismus hinzustellen und damit ein neues kollektives Bewußtsein unter den Bauern zu verbreiten. Doch Müller nahm sich dieses Problems wiederum von unten statt von oben an und fiel daher in Ungnade. Und so wurde die *Umsiedlerin* damals nicht veröffentlicht und erlebte nur eine Studentenaufführung im Jahr 1961. Klaus Völker, der sie gesehen hat, berichtet, daß Müller sein Stück zurückziehen mußte und daß jede weitere Diskussion über dieses Drama untersagt wurde.[55] Völker hielt es für eins „der besten Stücke jüngerer Dramatik in der DDR“.[56] Hermann Kähler, hinter dessen Kritik stets die offizielle Parteilinie stand, nannte es dagegen einfach ein „mißratenes Stück“.[57]

III

Nach all diesen Erfahrungen hatte Müller nur noch die Wahl, sich anzupassen oder zu schweigen. Die *Umsiedlerin* beweist, daß Anpassung nicht gerade zu seine Stärken gehörte. Also zog er sich, wahrscheinlich unter dem Druck der Partei, in ein sechsjähriges Schweigen zurück. Für einen Mann, der in seinen frühen Dreißi-

gern war und sich als Stückeschreiber in den Dienst des Sozialismus stellen wollte, muß das ein harter Schlag gewesen sein. Als
Müller daher 1965 mit seinem Drama *Der Bau* dieses Schweigen
erstmals durchbrach, brachte er ein Werk an den Tag, das in seiner
leidenschaftlichen Bekennerhaltung, seinem Zorn und seiner Frustrierung ein getreues Spiegelbild seiner eigenen Rolle innerhalb des
DDR-Kollektivs liefert. Was hier der Haupheld, der Parteisekretär
Donat, der auf Gedeih und Verderb „mit der Partei verheiratet" ist,
von sich sagt, traf ebensogut auf Heiner Müller zu: „Meine vierte
Großbaustelle, Wismut, Schwarze Pumpe, Rostock vorher, in der
Bauleitung am Schreibtisch sitzt mein Feind, es ist eine Berufskrank-
heit, ich komme dazu wie der Blitz zum Donner, Feinde in der VVB
auch und im Ministerium, weil mir der Plan nicht heilig war, fünfzig
schulterklopfende Feinde grasen mit hundert Augen meine Biografie
ab und meine Kaderakte nach einem faulen Punkt, ich lebe unterm
Mikroskop, sie graben mir das Wasser ab mit ihrem volkseigenen
Schanzzeug, Kommunisten alle, bis der Staatsanwalt das Gegenteil
beweist. Warum widersprechen sie mir nicht, meine Feinde sind
nicht meine Feinde, hab ich ein Recht, den Staatsapparat zu lästern,
und wenn es die dritte Parteistrafe ist und dreimal unverdient. Ich
hör sie jubeln über meine Unmoral, ich kenne die Musik, ich habe
mitgesungen."[58]
  Die Parallele zu Müllers eigener Biographie liegt auf der Hand.
Zugleich zeigt dieser Abschnitt, wie übrigens das ganze Stück, daß
Müller bei der Arbeit am *Bau* bereits die Möglichkeit weiterer Par-
teirügen vorhersah. Diese Stück ist daher in jedem Sinne ein mikro-
skopisches Abbild der Großbaustelle „DDR", wo jede Art von Produktion mit Fehlern, Wartezeiten und Parteistrafen verbunden sein
kann, sei es nun auf dem Theater oder dem industriellen Baugelände.
„Das Feld ist vermint" (B 195), heißt es an einer Stelle, „Baun ist ein
Fehler, Warten ist ein Fehler" (B 187) an einer anderen. Müllers
Stück legt Zeugnis dafür ab, daß sein Autor diese Arbeits- und Le-
bensweise als seinen Modus vivendi akzeptierte. Schon die Entscheidung, ein weiteres Brigadenstück zu schreiben, deutet in diese Richtung. Wie Donat beging er bewußt den „Fehler", einfach mit der
Produktion fortzufahren. Das zeigt sich am deutlichsten in folgender
Szene. Als Parteisekretär, als „Gewissen" der Großbaustelle, konfrontiert Donat einmal den Oberbauleiter, der für die Planerfüllung
verantwortlich ist mit der provozierenden Frage: „Eine Investleiche
für den Quartalsbericht oder ein Wasserwerk für die Chemie, was

willst du? Ich will das Wasserwerk. Und im Dreischichtsystem. [...]
Deine Einwände heb auf für die Parteiversammlung, hast du Einwände? Eh wir sitzen für die Plankorrektur, steht das Wasserwerk.
Du brauchst mir nicht zu sagen, daß ich einen Fehler gemacht habe.
Das weiß ich auch: Ich würde einen größeren Fehler machen jetzt,
wenn ich ihn korrigiere, und wenn du ihn zementierst, macht du den
größten. Ich bin zu eilig vorgegangen, es war über deine Autorität,
geh mit, dann hast du sie wieder" (B 193). Der Oberbauleiter macht
jedoch nicht mit. „Wenn einer den Plan ändert, dann ist es die Plan-
kommission", lautet seine Antwort. „Ein Fehler wird schneller gemeldet als korrigiert, und manchmal eh er getan wird", heißt es auf
dieser Baustelle (B 195). Und so führte auch Müllers „Fehler", nämlich die Produktion fortzusetzen und den *Bau* zu schreiben, unwei-
gerlich zu einer neuen Parteirüge und besiegelte damit das Schicksal
dieses Brigadenstücks.
    Die Handlung des *Bau* geht auf den Roman *Spur der Steine*
(1964) von Erik Neutsch zurück. Bei Neutsch stehen hauptsächlich
die persönlichen Geschicke seiner drei Zentralgestalten – des Par-
teisekretärs Horrath, der Ingenieurin Katrin und des rebellischen
Arbeiters Balla – im Vordergrund. Horrath, der ständig zwischen
seiner Familie und der Liebe zu Katrin, seinem persönlichen Ver-
antwortungsbewußtsein und den harten Parteianforderungen hin-
und herschwankt, hat stellenweise geradezu „tragische" Ausmaße.
Sein Kampf, diese widerstreitenden Elemente in einem Kompromiß
zu versöhnen, führt schließlich zu Isolierung und Versagen. Am
Ende des Romans verliert er nicht nur seine Familie und Katrin,
sondern wird obendrein aus Beruf und Partei gestoßen.
    Der *Bau* trägt den Untertitel *Nach Motiven aus Erik Neutschs
Roman „Die Spur der Steine"*. Im Hinblick auf die Hauptgestalten
ist das sicher zutreffend, obwohl ihre Schicksale, die bei Neutsch
auf über 900 Seiten dargestellt werden, bei Müller nur in dramatischen Abbreviaturen erscheinen. Im Gedanklichen stößt jedoch
Müller ständig in Neuland vor. Bei Neutsch bleiben die zentralen
Probleme am Schluß weitgehend ungelöst, was zum Teil mit der
deskriptiven Art der epischen Großform zusammenhängt. Die *Spur
der Steine* ist, wie schon ihr Titel sagt, ein Tatsachenbericht, eine
Geschichte des industriellen Wachstums der DDR. Für Müller ist
dagegen das Tatsächliche nur das Sprungbrett seiner Ideen. Wenn
er „Bau" sagt, stößt er damit sofort über die bloße Wirklichkeit
hinaus. Während sich Neutsch auf die bitter-akkurate Nachzeich-

nung der statischen Realität beschränkt, liefert Müller den dyna-
misch-generativen Überbau zu dieser Wirklichkeit.

Worin der Roman *Spur der Steine* brilliert, ist vor allem das in-
time Wechselspiel zwischen Individualstruktur und gesellschaftli-
cher Bezogenheit. Für Neutsch bildet die Großbaustelle nur den
Hintergrund oder das „Milieu" seiner weitgehend psychologisch
erfaßten Probleme. Bei Müller ist dagegen die Baustelle das eigentliche Thema des Ganzen. Seine Dramatis personae sind keine individuellen Persönlichkeiten vor einem industriellen Hintergrund,
sondern wirken wie integrale Figurationen innerhalb eines kollektiven Arbeitsmechanismus. Wie schon im *Lohndrücker* stellen sie
lediglich Variationen der Brigadenstruktur dar. Das dialektische
Schema ist daher das gleiche wie in Müllers früheren Brigadenstük-
ken. Wiederum ist es die ineffektive Planungsbürokratie, die den Arbeitsprozeß auf der Baustelle stört und schließlich aus dem Gleichgewicht bringt. Eine abtrünnige Brigade weigert sich deshalb, sich an
die von oben erlassenen Planvorschriften zu halten. Anstatt weiterhin
auf einer Kraftwerkbaustelle herumzulungern, wo es ständig an den
nötigen Baumaterialien fehlt, arbeitet sie freiwillig im Dreischichtsystem an einem Wasserwerk. Damit wird diese Brigade zu einem
störenden und gleichwohl vorbildlichen Element innerhalb des allgemeinen Arbeitsprozesses. Indem sie den Plan einfach in ihre eigenen Hände nimmt, verstößt sie rücksichtslos gegen den Status
quo und macht eine neue Baugesinnung sichtbar.

Doch Müller intensivierte nicht nur sein altes Brigadenkonzept,
sondern stattete es zugleich mit zwei weiteren Dimensionen, einer
privaten und einer historischen, aus. Die private Beziehung zwischen Donat und der Ingenieurin Schlee ähnelt der zwischen Horrath und Katrin Klee in Neutschs *Spur der Steine*. Ihre innere Hingabe an den Sozialismus führt zu dieser Verbindung und zerstört
sie zugleich. Obwohl ihnen die Zukunft „aus dem Gesicht ge-
schnitten" ist (B 227), scheitern sie immer wieder an der Realität
der Gegenwart. Den historischen Hintergrund zu diesem Stück bilden die geradezu makrokosmischen Ausmaße des Konzeptes „Bau".
Und hier trennte sich Müller eindeutig von Neutsch. Im Roman wird
der geradezu unmerkliche, quälerisch voranschreitende Sozialisie-
rungsprozeß am Schluß durch den Flug Gagarins ins Weltall gekrönt.
Diese historische Errungenschaft, die Katrin und Balla auf einer Reise durch die Sowjetunion erleben, drängt die psychologischen Probleme etwas in den Hintergrund und gibt dem Ganzen trotz man-

cher resignierenden Töne doch eine leidlich optimistische Schluß-
perspektive. Müller konzentrierte sich dagegen ganz auf die DDR-
Baustelle. Sein Stück spielt kurz nach dem 13. August 1961, als die
Berliner Mauer gebaut wurde. Die Worte „Baustelle" und „Bau"
sind daher äußerst vieldeutig und geben auch der Dialektik zwischen oben und unten, zwischen alt und neu eine merkwürdige
Ambivalenz.[59] Obendrein wird das Mißverhältnis zwischen der bürokratischen Macht und der kollektiven Energie, dem Kraftwerk und
dem Wasserwerk, zu einer Spannung zwischen der Großbaustelle
DDR und der Großbaustelle Individuum, zwischen bloßer Realpolitik und der Schaffung wahrhaft menschenwürdiger Zustände ausge-
weitet. „Hätt ich gewußt", sagt der Brigadier Barka einmal, „daß ich
mein eignes Gefängnis bau hier, jede Wand hätt ich mit Dynamit ge-
laden" (B 185).

In Neutschs Roman bildet der historische Flug ins Weltall eine
gewisse Kompensation. Er erweckt Hoffnungen jenseits der harten
Realität der Baustelle. In Müllers Drama erlaubt das historische Ereignis des Mauerbaus keine solchen Träume oder Flüge in die Zukunft. Seine Wirkung ist „konkret" und schafft lediglich das Gefühl
der Abgeschlossenheit. Der Mauerbau und die Eingangsfrage des
Stückes „Warum zertrümmert ihr das Fundament?" haben daher eine seltsame Parallelität. Die Antwort darauf erfolgt völlig im Sinne
der herrschenden Machtpolitik: „Die Politik geht vor der Ökonomie / [...] Jetzt weißt du, wer das Fundament zertrümmert. / Papier
sprengt den Beton, Papier wellt den Boden / Kracht auf dein
Trommelfell, leert meine Taschen / Ersetzt mir Junker und Kapita-
list / Und setzt mir Beulen in die Ideologie" (B 170). Die „Praxis"
erweist sich wieder einmal als die „Esserin der Utopien" (B 180).
Die einzelne Baustelle und der einzelne Sozialist werden in diesem
Kräftespiel notwendig zu Sündenböcken der herrschenden Macht-
struktur. Statt zur wahren Kommune voranzuschreiten, arbeitet
der Marxismus wieder einmal gegen sich selbst. „Den Plan", heißt
es, „sabotieren die Planer, sie werden dafür bezahlt, wir müssen
uns selber helfen seit 1880" (B 177).

Die Dialektik zwischen den objektiven Verhältnissen und dem
individuellen Verhalten, die schon in *Lohndrücker* und *Korrektur*
im Mittelpunkt stand, wird daher im *Bau* von Szene zu Szene immer komplexer. Da sich ökonomische Grundlage verändert hat,
wird auch der geistige Überbau dementsprechend abgewandelt. In
Müllers früheren Stücken machten die einzelnen Charaktere meist

einen Lernprozeß vom Alten zum Neuen durch, wobei der Parteisekretär, als das sozialistische Gewissen, die Brigade in kritischen
Augenblicken vor dem Auseinanderfall bewahrte. In einem fortge-
schritteneren Stadium des Sozialismus, wie es im *Bau* dargestellt
wird, kann auf solche Hilfestellungen verzichtet werden. Hier übernehmen die Mitglieder der Brigade die Rolle des sozialistischen
Gewissens, um die Partei, die bisher einen recht nebulösen Überbau
bildete, von oben nach unten zu ziehen und mit dem Humanisie-
rungsprozeß der konkreten Arbeit zu verbinden. Die Partei und die
Brigade sind daher im *Bau* geradezu Synonyme. Die einheitsstiften-
den Elemente kommen vor allem in der Gestalt Donats zum Durchbruch, der als Parteisekretär nicht mehr als Vollzugsorgan höherer
Autoritäten, sondern als Repräsentant des kollektiven Gewissens
fungiert. Damit wird Donat die leibhaftige Verkörperung aller ihn
umgebenden dialektischen Prozesse. Im Gegensatz zu den anderen
Charakteren dieses Stücks, die in molekularartigen Kollisionen aufeinander reagieren und sich als Variationen des Brigadenprinzips
entfalten, erlebt Donat diese Kollisionen in seinem Inneren. Er entwickelt sich nicht innerhalb der Handlung, sondern verkörpert sie.
Und so steht seine Entwicklung in direkter Proportion zum Ge-
samtverlauf dieses Dramas. Durch diese dramaturgische Gleichset-
zung von Handlung und Charakter wird all das, was bei Neutsch
ungelöst bleibt, in einem ideologischen Sinne umstrukturiert und
damit gelöst. Im Roman steht der Hauptcharakter gegen die Wirklichkeit und scheitert an ihr. Im Drama stehen Wirklichkeit und Charakter in einem reziproken Verhältnis zueinander und sind eigentlich
synonym.

Aufgrund dieser Umfunktionierung läuft die äußere Dialektik
völlig mit der inneren Reflexion parallel. Was sich daraus entwick-
kelt, ist geradezu ein „Prozeß", dieses Wort einmal im doppelten
Sinne verstanden. Sowohl die innere als auch die äußere Dialektik
werden einer juristischen Prüfung unterzogen. Da die Entscheidung
von innen kommen muß, macht der Parteisekretär, der das Kollektiv
repräsentiert, den „Fehler", an den falschen Bau heranzugehen. Den
Bau des Wasserwerks voranzutreiben, stellt eine kollektive Alternative zur politischen Fehlplanung dar und bedeutet damit eine innere
Überwindung des Kraftwerks – und des Mauerbaus. Eine solche
Entscheidung muß im Rahmen der hier geschilderten Konstellation
notwendig zu einer Parteistrafe führen. Das Urteil der Partei über
Donat, das eigentlich den Wendepunkt des Ganzen bildet, bleibt je-

doch seltsamerweise ausgespart. Wie es ausfallen wird, ist nach der Szene in der Eingangshalle, wo Donat sein doppeltes Alter ego, den alten und den jungen Kommunisten, trifft, völlig klar. Donat nimmt hier den juristischen Prozeß bereits innerlich vorweg: aus Befragung wird Reflexion, aus Beurteilung Selbsteinschätzung, aus Strafe Selbstkritik. Ja, Donat fühlt sich vor diesem Tribunal zugleich als Subjekt und Objekt, als Richter und Verteidiger. Indem er so den dialektischen Verlauf der Geschichte in sich aufnimmt, identifiziert er sich zugleich mit ihm und sieht sich als Beweger und Bewegten innerhalb des sozialistischen Aufbaus. In diesem Bewußtsein kommt Müllers ganzes Bau-Konzept zum Ausdruck: „Kein andrer wollt ich sein als ich und ich / Seit ich das Und kenn zwischen mir und mir. / Mein Lebenslauf ist Brückenbau. Ich bin / Die Fähre zwischen Eiszeit und Kommune" (B 224).

Wie sein Hauptcharakter übernimmt damit auch Müller mit diesem Stück die Rolle des Gewissens für den sozialistischen Kollektivismus. Und damit führt er eigentlich nur aus, was auch die Kulturtheoretiker der SED auf der Plenarsitzung im Dezember 1965, auf der dieses Stück einer heftigen Kritik unterzogen wurde, als das Planziel des sozialistischen Schriftstellers hinstellten. Man höre folgende Thesen. Erstens: „‚Der Sozialismus siegt‘, so entspricht das den Gesetzen der gesellschaftlichen Entwicklung."[60] Zweitens: „Der Schriftsteller, der Künstler und Publizist stehen vor der Aufgabe, Kunstwerke von nationaler Bedeutung zu schaffen unter den Bedingungen des umfassenden Aufbaus des Sozialismus in der DDR, mit all seinen komplizierten Erscheinungen, die mit der Spaltung Deutschlands und der allmählichen Entwicklung des sozialistischen Weltsystems zusammenhängen."[61] Drittens: „Die Bewußtseinsentwicklung ist immanent mit der Entwicklung der Gesellschaft verbunden."[62] Viertens: „Wir möchten Schriftsteller und Künstler ermutigen, komplizierten Erscheinungen des Lebens nicht auszuweichen. Sie selbst sind im direkten und übertragenen Sinne Partei, um im Bewußtsein ihrer Verantwortung an hervorragender Stelle an der großen sozialistischen Kultur des Volkes mitzuschaffen."[63]

In Müllers Stück bezieht sich das Konzept „Bau" jedoch nicht nur auf die Wirklichkeit, sondern auch auf die Kunst. Kunst und Realität, industrielle Produktion und künstlerisches Schöpfertum wirken bei ihm durchaus kongruent. Und so sind die beiden Protagonisten des „neuen Menschen", der Ingenieur Hasselbein und der Vorarbeiter Barka, ebenfalls Repräsentanten jener Dialektik, die

sich im Innern Donats abspielt. Hasselbein ist ein einfallsreicher
Neuerertyp, den man als „Hamlet in Leuna, Hans Wurst auf dem
Bau" und „Zweiten Clown im kommunistischen Frühling" mattge-
setzt hat (B 177). Anstatt seine Pläne zu verwirklichen, läßt sie die
SED in den Schubläden der Parteikommissionen als „Muster ohne
Wert" verschimmeln (B 178). Doch er muckt nicht auf, sondern re-
signiert. „Ein Takt Bau, ein Takt Ruine. Ein Schritt vor, ein Schritt
zurück", stöhnt er einmal auf (B 194). Erst als Donat in den Bau-
prozeß eingreift, was sich dann als sein „Fehler" erweist, verwandeln sich Hasselbeins Pläne zu schöpferischen Ideenperspektiven.
Doch dazu muß der Vorarbeiter Barke her. Ihn gewinnt Donat, indem er auf seine Autorität freiwillig verzichtet und selbst mit Hand
anlegt. Als Barka das sieht, gibt er jedes Streikgelüst auf und setzt
sich energisch für das Dreischichtsystem ein, mit dem Donat den
Bau des Wasserwerkes vorantreiben will. Obendrein erfindet er ein
neues Baumaterial, das zur Realisierung von Hasselbeins Ideen un-
umgänglich ist. Wie Hasselbein kommt er damit zur Erkenntnis, daß
auch Arbeit ein Schöpfertum, eine Kunst sein kann. Hierzu sagt Donat: „Jedes Vieh schwitzt für sein Fressen / Die Arbeit fängt an, wo
der Schweiß aufhört" (B 216).

Um dieses Verständnis zwischen Ingenieur und Vorarbeiter zu
erreichen, versucht auch Donat, in sich selbst zu einer neuen Synthese zwischen Theorie und Praxis, Schöpferkraft und Handwer-
kertum vorzustoßen. Um das zu verdeutlichen, führt Müller zwei
Künstlertypen in die Handlung ein, die wie kurzsichtige Antipo-
den dieses neuen Schöpfertums wirken. Etwas vereinfacht gesprochen, verkörpern sie die beiden Tendenzen innerhalb der DDR-
Dramatik, die Müller mit seinen Brigadenstücken von Anfang an
zu überwinden suchte. Erstens: die Beschränkung auf historische
und psychologische „Urkonflikte". Zweitens: die bloße Bilderbo-
gensicht der Realität.[64] Der eine Trend wird durch einen skepti-
schen Dichterling mit einem „Nichts-Neues-unter-Sonne-Gesicht"
verkörpert, der die gesamte Baustelle fleißig „nach Konflikten" ab-
grast (B 225). Ihm sagt Donat unverblümt ins Gesicht: „Die Sonne
selber ist in jedem Augenblick neu, ein Gebilde, das aus seiner eigenen Explosion besteht, nichts, solange Sie die Zähne heben vor
dem Brot der Frühe, nichts für eure fleischfressende blutsaufende
Kunst. Das Blut ist getrocknet, die Tragödie ist gelaufen, unseren
Schatten rennen wir uns an den Sohlen ab, lange genug haben wir
euch mit Katastrophen beliefert. [...] Aus Raum und Zeit wird un-

ser Brot gebacken, Orpheus" (B 225). Der andere Trend wird
durch einen Maler verkörpert, der bei seinem Versuch einer akku-
raten Wirklichkeitsschilderung bei einer banalen Oberflächlichkeit
landet. Er „klatscht" lediglich „den Horizont ab" (B 217), wie sich
Hasselbein äußert, der an anderer Stelle meint: „Die Kunst fängt
an, wo das Museum aufhört" (B 201). „Verschwenden Sie Ihr Auge
nicht auf die Natur, die Kulturpaläste hängen voll davon, Malerei
für Blinde. Ein Malerauge, das keine drei Monate faßt. Malen Sie
wenigstens, was Sie nicht sehen" (B 217).

Nach Hasselbein läßt sich die Realität nur durch ein Zyklogramm wiedergeben, das heißt durch eine Serie schnell aufeinan-
derfolgender Photographien, die man nach bewegten Objekten an-
gefertigt hat, woraus halbabstrakte Kurven resultieren. Nur ein
solches Modell würde nach seiner Meinung ein „realistisches" Bild
jener Vorgänge geben, die sich auf einer solchen Baustelle abspielen. Wer dagegen als braver Naturalist die Leinwand oder die Bühne lediglich mit Zementblöcken füllt, sieht nach Hasselbein an der
Realität genau vorbei. Sehen ist nicht bloß Sichumsehen, lautet seine Maxime. „Ein Zyklogramm", sagt er einmal, ist eine „Kreuzung
aus Raum und Zeit, ein Jahr Beton, Stahl undsoweiter. Auch als
Fernrohr zu verwenden. [...] Beton fliegt durch die Luft, Stahl pflügt
den Acker der Vögel, die Wolken werden bebaut, der Wind wird
bewohnbar" (B 217). Diese Zyklogramm-Idee scheint mir im Zentrum von Müllers Konzept eines wahrhaften Schöpfertums zu stehen. Sie ist eine Projektion der Wirklichkeit unter den Bedingungen
von Zeit und Raum, die eine mimetische Illustration und zugleich eine kritische Analyse enthält. Nicht umsonst ist dieser Vorstellung eine ganze Szene gewidmet, die Müller mit *Zyklogramm oder Der
Tanz der Steine* überschreibt. In ihr soll der inspirierende Bewe-
gungsrhythmus der gesamten Baustelle eingefangen werden, um so
die Antithese Kraftwerk-Wasserwerk zu überwinden, um die es in
der Szene *Zimmermannstanz* geht. Zugleich eröffnet sich in dieser
Zyklogrammsszene, der vorletzten des Stückes, ein Blick über jene
„Schwelle aus siebenmal Schnee" (B 217), die in der letzten Szene
im Mittelpunkt steht. Zwar ist auch hier von „Frost im Beton / In
meinen Knochen auch" die Rede; aber die Augenblicke der Wirklichkeit scheinen so kurz zu sein „wie die Spanne zwischen Schnee
und Wasser" (B 224). Schnee ist in diesem Zusammenhang die
Metapher der Realität, und zwar nicht als etwas Gefrorenes, sondern als etwas zu Verwandelndes, etwas Aufhebbares. Wo es taut,

hebt für Müller der „Tanz der Steine" an. Damit wird die düstere
„Spur der Steine" verlassen und ein neuer Aktivismus in Gang gesetzt.

All das beweist, wie stark in diesem Drama die äußere Handlung ins Innere verlegt wird. So wie sich die kollektive Dialektik
vornehmlich in Donats innerer Dialektik widerspiegelt, geht auch
die Handlung ständig ins Reflektorische über. Das Wechselspiel
verschiedener Charaktere, der Dialog, wird daher gegen Schluß
immer stärker durch die individuelle Betrachtung, den Monolog,
ersetzt. Die Dramatik weicht dem lyrischen Ausdruck, die Handlung
der Sprache. Anstatt einen bloßen Abklatsch der Wirklichkeit zu
liefern oder sie leichtfertig zu negieren, setzten Donat und Hasselbein der Wirklichkeit eine neue Alternative entgegen. Sie greifen sie
nicht an, sondern geben ihr eine neu formulierte Struktur und heben
sie damit auf die Ebene eines höheren Bewußtseins. Gerade bei diesen beiden Charakteren verrät darum der Gebrauch der Metapher
und der rhythmischen Sprache einen besonderen Höhenflug. Die
gleiche Funktion hat der ständige Wechsel von Vers und Prosa. Erst
wird lediglich das rein Faktische reproduziert, dann wird es auf einer höheren Ebene neu umgeschaffen.

Interessanterweise war es gerade diese metaphorische Überhö-
hung, die von den DDR-Kritikern am schärfsten angegriffen wurde. So nannte Wilhelm Girnus den *Bau* eine „eruptive Kaskade von
Metaphern", die in ihrer Wiedergabe der Realität ständig zur „Mehr-
deutigkeit" neige.[65] Rolf Rohmer widmete diesen sprachlichen Über-
steigerungen im DDR-Drama der frühen sechziger Jahre einen
ganzen Aufsatz. In ihm rügte er vor allem, daß durch eine solche
Autonomie der rhetorischen Mittel die sprachlichen Elemente
„nicht nur charakterisierend, festsetzend, beschreibend wirken und
also die ,eigentliche' dramatische Handlung bloß begleiten, sondern
selbst handlungsbestimmend werden können".[66] Der „Fehler", den
diese Autoren begehen, bestehe also darin, die Sprache nicht mehr als
einen bequemen Slogan zur Heraushebung des Typischen in der
„eigentlichen" Wirklichkeit zu verwenden. Rohmer schien es höchst
gefährlich, wenn alle „Gestaltungsmittel" in einem genau durch-
dachten „System auftreten – oder besser: ein solches bilden".[67]

Das war jedoch genau, das, was Müller beabsichtigte und wo er
über den bloßen Abklatsch hinausging. Die dramatische Verein-
heitlichung wird bei ihm nicht in der Handlung, sondern in der
Logik des metaphorischen Systems erreicht – wenn auch nicht im

Sinne der von der Partei erhofften Propagandaparolen. Die Fabel
verlor damit etwas von ihrer bisherigen Wichtigkeit. „Die Sprache
verselbständigt sich", schrieb Rohmer tadelnd über den *Bau*, sie
„ersetzt die Handlung, statt sie zu tragen".[68] Doch indem Müller
nach einer solchen unabhängigen Sprache strebte, erreichte er eine
ganz neue Produktivität der gestalterischen Mittel. Was ihn interessierte, war eben nicht nur das Faktische, sondern auch der intellektuelle Überbau. Und so drang er im Verlauf der Handlung immer
stärker ins Abstrakte vor: die Charaktere wurden zu Gesten, die
Handlungsanstöße zu Metaphern. Wie in einem Zyklogramm wird
die Wirklichkeit gespiegelt und zugleich umfunktioniert, um ein
dramatisches Modell für die fortschreitende Entwicklung der schöpferischen Produktivität zu entwerfen. Der *Bau* kulminiert daher
notwendig in der Chiffre. Aufgrund dieser Neigung zum Metaphorischen kam Müller schließlich zu der Erkenntnis, daß die Oper, wo
man sich weitgehend in Bildern und energiegeladenen Gesten ausdrücken kann, zur „Darstellung nichtantagonistischer Widersprüche
besser ausgerüstet ist als das Schauspiel".[69] „Was man noch nicht sagen kann, kann man vielleicht schon singen", schrieb er in seinen
Sechs Punkten zur Oper, „jeder Gesang enthält ein utopisches Element, antizipiert eine bessere Welt".[70] Insofern ist sein *Bau* eigentlich
ein Libretto, ein „Instrument sozialer Fantasie".[71] Denn auch ihn
ihm – wie in der von Müller erträumten Oper der Zukunft – äußert
sich eine „Flucht in den utopischen Weltentwurf".[72]

Die erste gedruckte Fassung des *Bau* erschien 1965 in *Sinn und
Form*.[73] Im Oktober des gleichen Jahres sollte unter der Leitung
von Benno Besson im Deutschen Theater in Berlin die Premiere
dieses Stückes stattfinden. Sie wurde jedoch bis zum Dezember
verschoben und dann endgültig abgesetzt. Offiziellerweise hieß es
lediglich, daß Müller noch „am Text weiterarbeite".[74] Doch weitere
Proben fanden nicht mehr statt. Anschließend versuchte Müller,
den *Bau* bei anderen Bühnen der DDR unterzubringen, erhielt in-
des überall Absagen. Nur in Leipzig scheint man sich an ein Inszenierung dieses Dramas herangewagt zu haben. Über ihr Schicksal
hieß es am 11. Juli 1966 in der *Süddeutschen Zeitung*: „Der ‚Bau' ist
vor einiger Zeit in Leipzig am Tag vor der Premiere abgesetzt worden."

All das hing zum Teil mit den innerparteilichen Säuberungen
zusammen, die damals in der DDR durchgeführt wurden. Eins der
ersten Signale dieses neuen Kurses war das 11. Plenum des ZK der

SED, das im Dezember 1965 stattfand und den *Bau* auf die offizielle Abschußliste setzte. Doch es war nicht nur Müller, der wieder
einmal in Ungnade fiel. Auch Wolf Biermann wurde vom Dezem-
ber-Plenum und vom *Neuen Deutschland* schärfstens angegriffen,
ja vorübergehend verhaftet und von der Parteikandidatur ausgeschlossen. Ebenso erging es Robert Havemann, der im Dezember
1965 seine Stellung bei der Deutschen Akademie der Wissenschaften verlor. Mit dem *Moritz Tassow* von Peter Hacks, den Benno
Besson im Oktober mit großem Erfolg an der Berliner Volksbühne
herausgebracht hatte, verfuhr man nicht minder rücksichtslos. Er
mußte ebenfalls sang- und klanglos in der Versenkung verschwinden. Selbst der Roman *Spur der Steine*, für den Neutsch 1964 den
Nationalpreis erhalten hatte, erschien der Partei plötzlich als ein
höchst suspektes Werk. Deshalb fiel nicht nur Müllers dramatische
Bearbeitung dieses Stoffes, sondern auch der DEFA-Film *Spur der
Steine*, den Frank Beyer gedreht hatte, der Parteikritik zum Opfer.
Er erlebte seine Premiere bei den Arbeiterfestspielen in Potsdam im
Juni 1966 und wurde dann in Ostberlin gezeigt. Da Neutschs Roman zu den Bestsellern auf dem DDR-Buchmarkt gehörte, war das
Interesse an diesem Film selbstverständlich groß. Als ihn jedoch
das *Neue Deutschland* als ein „verzerrtes Bild unserer sozialistischen Wirklichkeit" bezeichnete, wurde er drei Tage später wieder
vom Programm abgesetzt.[75]
    Aufgrund dieser Schwierigkeiten, die Müller mit dem 11. Ple-
num hatte, stieg er in Westdeutschland plötzlich in die ominöse
Gruppe jener „antimarxistischen Widerstandskämpfer" auf, mit
man die eigene Ideologie zu rechtfertigen suchte. Unterstützt wurde dieser Trend durch die 1966 bei Suhrkamp erscheinenden Dramen *Philoktet* und *Herakles 5*. Vor 1965 hatte sich außerhalb Ost-
deutschlands kaum jemand für Müller interessiert. Doch jetzt
tauchte sein Name in der westdeutschen Presse, sobald das Stich-
wort „Säuberungen" fiel, immer häufiger auf. Obwohl er sich als
Fall nicht so gut ausschlachten ließ wie der „Fall Biermann", war
auch Müller schließlich ein Opferlamm der SED und damit frohe
Botschaft für den Westen. Demzufolge ging es fast nie um die literarischen Qualitäten, sondern immer nur um den politischen Skandal-
wert seiner Werke. Womit sich die Kritiker in der BRD beschäftigten, waren lediglich jene Stücke, „die nicht gespielt werden" durften,
wie es in der *Süddeutschen Zeitung* hieß.[76] Man redete zwar auch
von „Literatur", appellierte aber weitgehend an Ideologisches oder

die bloße Sensationsgier. Das bewiesen nicht nur der Erfolg eines
Biermann, dessen Schallplatten in der BRD wie heiße Semmeln ab-
gingen, sondern auch politisch motivierte Inszenierungen wie die
Aufführung des *Moritz Tassow* von Peter Hacks durch das Wup-
pertaler Schauspielhaus im Frühjahr 1967. Aufgrund solcher Verschiebungen ins Demagogische wurde Müllers *Bau* kaum als das
gewürdigt, was er wirklich ist: nämlich das Libretto einer sozialistischen Oper der Zukunft. Im Osten empfand man dieses Stück als
politisch unbequem und unterdrückte es. Im Westen hatte es nur
den üblichen Sensationswert, der sich wie alle politischen Meldun-
gen schnell verbrauchte. Auf diese Weise versank es hüben und
drüben in der Kategorie der „unbequemen Literatur".[77] Den Rechten war es zu links, den Linken war es zu rechts – und damit war
sein Schicksal endgültig besiegelt.[78]

Daß man sich im Osten noch eine Weile mit seinen „literarischen" Qualitäten auseinandersetzte, hatte ebenfalls rein politische
Gründe. In bewährter Weise versuchte man hier die ideologischen
Schwächen gerade an den ästhetischen Mängeln nachzuweisen. Wohl
das interessanteste Beispiel eines solchen Ermittlungsversuches fand
im Januar 1966 statt, das noch im gleichen Jahr unter dem Titel *Gespräch mit Heiner Müller* in *Sinn und Form* erschien.[79] Und zwar
handelt es sich hier um eine Diskussion über *Bau* und *Philoktet*, an
der Heiner Müller, Wilhelm Girnus, Werner Mittenzwei und Rudolf Münz teilnahmen. Es ist offensichtlich, daß sich Girnus und
Mittenzwei dabei einer öffentlichen Selbstkritik unterzogen. Der
eine hatte den „Fehler" begangen, diese beiden Stücke kurz vor
dem 11. Plenum in *Sinn und Form* zu veröffentlichen;[80] der andere
hatte in der gleichen Zeitschrift den *Philoktet* als ein Ruhmesblatt in
der neueren sozialistischen Dramatik bezeichnet.[81] Diese „Fehler" versuchten sie jetzt wettzumachen, indem sie Müller einer peinlichen
Befragung unterwarfen. Doch gerade das hier entfaltete Wechselspiel von Kritik und Selbstkritik, von Angriff und Verteidigung be-
stätigte eigentlich nur, was Müller in seinem *Bau* als den spezifisch
dialektischen Verfahrensprozeß beim Aufbau des Sozialismus be-
schrieben hatte.

Wie gespannt die Situation gewesen sein muß, geht schon aus
den einleitenden Bemerkungen von Girnus hervor, der sich bei aller Schärfe bewußt „liberal" zu geben versuchte: „Die Beratungen
des 11. Plenums haben einen bemerkenswerten Widerhall über die
Grenzen der Deutschen Demokratischen Republik hinaus gefun-

den. Bekanntlich hat sich in der Vergangenheit wiederholt der lite-
raturinteressierte Deutsche darüber beklagt, bei uns in Deutschland
sei die Literatur nicht in ähnlichem Maße eine öffentliche Institution geworden wie etwa in Frankreich. Heute können wir, glaube
ich, sagen, die Literatur und das Gespräch über sie sind auch in unserem sozialistischen Land seit längerer Zeit bereits eine res publica" (G 30). Girnus beschloß diese Erklärung mit der unnötigen
Frage: „Es ist auch viel gesagt worden über den Charakter des literarischen Engagements hier und heute. Heiner Müller, Sie zählen
sich zu den engagierten Schriftstellern?" (G 30). Müllers Antwort
war nicht ohne Grund ironisch und doch zugleich von absoluter
Aufrichtigkeit: „Ja, ich glaube, das ist eine Selbstverständlichkeit.
Wer sich nicht engagieren will, wird engagiert, unter Umständen
gegen sein Interesse als Person und Autor. Nicht ganz so selbstverständlich ist vielleicht, daß Literatur auf die Praxis nur wirken kann,
wenn sie sich orientiert an einem realen Entwurf von der Welt und
vom Menschen, und ich sehe da keinen, in unserer Epoche, als den
von Marx und Lenin, in dessen Realisierung wir stehen. Literatur
muß also gemessen werden an diesem Programm und seiner Realität
hier." Girnus: „Und Sie bejahen das?" Müller: „Natürlich." Darauf
versuchte Girnus einen anderen Dreh: „Ihr Stil ist gekennzeichnet
durch eine reiche metaphorische Sprache, nicht immer ganz einfach, gelegentlich vieldeutig, ja zu kontroversen Deutungen Anlaß
gebend. Ihr Name und Ihr Stück ‚Der Bau' sind auch auf den Beratungen des 11. Plenums genannt worden. Was sagen Sie zu der
Kritik, lehnen Sie sie ab oder finden Sie sie berechtigt?" (G 30).
Müller beantwortete auch diese Frage so direkt wie möglich: „Die
Kritik auf dem Plenum und vorher war für mich sehr interessant
und von großer Bedeutung für meine Weiterarbeit nicht nur an diesem Stück. Was Sie abgedruckt haben, war eine Arbeitsfassung,
nicht gedacht als endgültig. Ein Stück kann nie fertig sein vor der
Aufführung. Und auch nach der Aufführung wird man daran wei-
terarbeiten, wenn es nötig ist. Ich habe inzwischen daran gearbeitet, es wird noch daran gearbeitet" (G 31).
    So verläuft keine „Diskussion"! Das war eine hochnotpeinliche
Befragung. Von einer wirklichen „Offenheit" konnte bei diesem „Gespräch" kaum die Rede sein; hier wurden lediglich Entscheidungen,
die von oben kamen, nach unten weitergereicht. Dem Ganzen lag jenes „Stafettenprinzip" zugrunde, das Müller in seinem *Bau* durchaus
bejaht hatte (G 39); nur daß es diesmal in falscher Richtung durch-

geführt wurde. Ansonsten waren alle inneren Kollisionen die gleichen wie seinem Stück. So sagt etwa der „alte Kommunist" zu Donat, als dieser kurz vor seiner Parteistrafe steht: „Da kommen deine
Sparringspartner. Vor den Chemikern keine Angst. Die stehn über
den Dingen, hoch wie ihr Gehalt, und das ist sehr hoch. Bei den
Baupraktikern mußt du auf Distanz gehn, sonst kommst du aus dem
Clinch nicht mehr heraus. Der Investmann. Auf seine Linke mußt du
aufpassen. Belfert kennt du. Du wirst ihn kennenlernen. Die Pfaffen
habens leicht: Gerechtigkeit den Toten. Bei uns ist jeder Tag der
jüngste. Wir müssen sie uns aus den Zähnen reißen stückweis, die
Gerechtigkeit" (B 197).

Wie gesagt, Girnus befand sich in diesem „Gespräch" in der un-
gemütlichen Situation, seine Hände in Unschuld zu waschen und
doch zugleich Selbstkritik zu üben. Denn schließlich hatte er nicht
nur Müllers Stücke und die Mittenzwei-Rezension, sondern auch
den *Moritz Tassow* von Hacks in *Sinn und Form* abgedruckt.[82] Es
war daher nicht verwunderlich, daß er aus Nervosität dauernd zum
Angriff überging. Hatte man nicht Peter Huchel, seinen Vorgänger,
aus ähnlichen Gründen abgesetzt? Und waren nicht gerade wieder
neue Säuberungen im Gange, denen sogar altbewährte Parteigenos-
sen zum Opfer fielen? Man braucht bloß an Wolfgang Joho, den
Chefredakteur der *Neuen deutschen Literatur*, zu denken, der drei
Monate später seines Postens enthoben wurde. In einer solchen Situation war auch Girnus gezwungen, sich bis auf die Zähne zu
wappnen und einfach um sich zu schlagen. Es war also er, der bei
diesem „Gespräch" auf Brennesseln saß, und nicht Müller. Müller
hatte nach dem 11. Plenum nicht mehr viel zu verlieren. Er wußte
längst, daß man nur auf der Grundlage einer Igelpostition von Zeit
zu Zeit zum Gegenschlag ausholen kann. Auch für diese Haltung ist
wiederum sein Donat repräsentiv: „Das Feld ist vermint, der Fehler
bleibt mein Fehler. [...] Ich wollte, ich könnte schon wir sagen, wer
ist nicht gern wir. Meine Arbeit, sein Vorzeichen zu ändern, nur die
Null ist neutral gegen minus und plus. Die Ausnahmen später. Mit
der Seele werden wir uns beschäftigen, wenn das synthetische Eiweiß
in die Serie geht. Bis dahin Ökonomie. Die schmutzige Praxis. Ich muß
meinen Gegenschlag vorbereiten, ich hab's auch gelernt" (B 196).

All das wußte Girnus selbstverständlich. Daher verlegte er sich
immer wider auf rhetorische Tricks oder bewußte Mißdeutungen,[83]
um Müller auf den Leim zu locken. Er stellte zwar ständig große
Fragen wie: „Was ist das Thema; wie haben wir die Fabel aufzufas-

sen; welches ist der allgemeine Tenor, die Grundstimmung, aus der
heraus das Stück geschaffen ist?" (G 31). Aber in Wirklichkeit interessierte er sich nur für die konkrete Widerspiegelung der Realität und den Grad an Parteilichkeit, der in diesem Stück zum Ausdruck kommt. Am schärfsten wurde diese Befragung, als man sich
dem Gang der Handlung zuwandte, der zwar dialektisch angelegt
sei, aber nicht zu einer befriedigenden Synthese vorstoße. Wenn die
„politische und ästhetische Wertung des Stücks" allein von der
Handlung abhänge, wie Mittenzwei vorschlug (G 31), dann sei der
Bau allerdings inakzeptabel. Der einzige, der bei diesem Gespräch
von einer Perspektive ausging, die Müllers Intentionen etwas nä-
herkam, war Rudolf Münz. Er sagte: „Wir verwenden hier Begriffe
aus der konventionellen herkömmlichen Dramaturgie wie Fabel,
Charaktere, Entwicklung, Wandlung usw. Es wurde richtig gesagt,
daß Heiner Müllers ,Bau' von der Struktur her ganz offensichtlich
nicht so ohne weiteres mit solchen Begriffen zu erfassen ist, was ich
übrigens für einen großen Vorzug des Stücks halte. [...] Ich verglich
,seine' Fabel mit der von Neutschs Roman – ein Verfahren, das,
wie ich heute weiß, ganz und gar unsinnig ist und zu nichts führt,
weil beide Werke zu unterschiedliche Aspekte und Ziele verfolgen.
[...] Faßt man die Fabel im herkömmlichen und auch im Brechtschen Sinne auf als Verknüpfung der wichtigsten Vorgänge, so
kommt man bei Heiner Müllers Stück schon ins Gedränge, weil
hier die Vorgänge viel weniger im Vordergrund stehen als vielmehr
Reflexionen, Betrachtungen, Gefühle" (33 f.). Als Girnus und Mittenzwei weiterhin die „Konfliktlosigkeit" bemängelten, antwortete
ihnen Münz: „Aber es ist kein Stück, das von seiner Struktur her
auf einem zentralen Konflikt aufgebaut ist; die Struktur ist hier
eine gänzlich andere" (G 34). Darauf gab Girnus zu bedenken, daß
es Müllers Aufgabe gewesen wäre, wenigstens den Konflikt zwischen dem Alten und dem Neuen zu gestalten. Doch all diese
grundsätzlichen Auseinandersetzungen blieben immer wieder in
der Luft hängen, da man dem Konkreten wohlweislich aus dem
Wege ging und sich ständig ins Abstrakte flüchtete. Lediglich Mittenzwei war am Schluß ehrlich genug zu sagen, daß solche Diskussionen stets auf den gleichen Problemkreis hinausliefen, „nämlich
die Gestaltung der komplizierten Dialektik von oben und unten"
(G 35).
    Und um diese Polarität drehte sich eigentlich das ganze
„Gespräch". Was die Partei so irritierte, war die Hartnäckigkeit,

mit der Müller auf diese Gegensätzlichkeiten hinwies und sie zugleich – von unten her – in der Form des Brigadenstücks zu überwinden suchte. Als Mitautor der Wirklichkeit setzte er sich keine
rosa Brille auf, sondern bemühte sich auf höchst aktive Weise daran
mitzuwirken, daß in einem zukünftigen sozialistischen Staat die
Gegensätze zwischen Ästhetik und Politik, Arbeit und Spiel, Alltag
und Geschichte, Privatem und Gesellschaft in einer höheren Synthese „aufgehoben" würden.[84] Theorie und Praxis scharf auseinan-
derzuhalten, hielt er für eine Zementierung des Status quo, die nur
den „wissenden" Oberen, aber nicht den „unwissenden" Unteren
diene. Wo also Müller an die Überwindung dieser Antinomie heran-
ging, kam er notwendig den Funktionären ins Gehege; wo immer er
das Subjekt-Objekt-Dilemma dramatisch zu gestalten suchte, bedrohte
er sofort die Subjekt-Objekt-Beziehung zwischen Partei und Theater, DDR-Politik und DDR-Kunst und schließlich DDR-Führung
und DDR-Bürger.

Die Partei tat daher alles, das Konzept „Bau" als etwas ideologisch Widersinniges hinzustellen. Schon zwei Monate nach jenem
Gespräch in *Sinn und Form*, das von der These ausgegangen war,
daß in der DDR die Literatur eine „res publica" sei, zu der sich jeder äußern dürfe, erschien ein Aufsatz von Rolf Rohmer in *Theater
der Zeit*, in dem „wissenschaftlich" nachgewiesen wurde, daß Müllers Stück den dialektischen Gesetzen der historischen Entwicklung diametral zuwiderlaufe.[85] Rohmer, der zu den gescheiteren
DDR-Kritikern gehört, präsentierte hier Müller zwar als einen er-
fahrenden Praktiker, aber doch wissend-unwissenden Verfälscher
des marxistischen Geschichtsbildes. Während Girnus, Mittenzwei
und Münz mehr auf die polit-dramaturgischen Schwächen des *Bau*
eingegangen waren, ging Rohmer in seiner Argumentation ad ho-
minem über. Er sah in Müller einen Dramatiker, der keine genügen-
de Objektivität besitze und daher ständig in seiner eigenen Psyche
herumbohre. Ein solches Verfahren empfand er nicht nur als undia-
lektisch, sondern geradezu als unsozialistisch. Aufgrund dieser systematischen Demaskierung kam er zu folgendem Urteil: „Die Analyse
beweist, daß nicht primär dramaturgisch-gestalterische Eigenwillig-
keit und strukturelle Mängel die Problematik des Werks ausmachen.
[...] Das Gesamtwerk bleibt in seiner undialektischen und dabei falschen Darstellung unserer gesellschaftlichen Wirklichkeit brüchig, ja
fragwürdig. Der resignatorische Unterton, der in den letzten Text-
partien des Stücks die Spannung zwischen Realität und Zukunftsideal

empfindlich spürbar macht, ist zugleich letztes Zeichen für die ideelle Schwäche des Stücks."[86]

Einem Staat, der auf einem genau kalkulierten System von Abhängigkeit aufgebaut ist, mußte das kollektive Prinzip in Müllers Brigadenstücken notwendig als ein destruktives Element erscheinen. Gerade da, wo sich Müller ganz der Idee des DDR-Kollektivs verschrieb, war er daher für die Partei eine Gefahr. Es war seine Tragik, mit dem *Bau* ein wahrhaft sozialistisches Drama geschrieben zu haben, das seiner Zeit weit vorauseilte. Da er mit diesem Stück ins Neuland der Utopie vorstieß, isolierte e sich notwendig von seinen realen Gesprächspartnern und verlor damit seine Wirksamkeit auf der Bühne. Deshalb beschränkte er sich nach 1966 weitgehend auf Bearbeitungen, anstatt weiterhin Brigadenstücke zu schreiben. Er tat dies sicher nicht, um ins Bequeme auszuweichen, sondern um sich in kollektiver Verantwortlichkeit auf das momentan Erreichbare zu konzentrieren.

Kommen wir zum Schluß. In der Gestalt Heiner Müllers sieht sich die DDR einem Schriftsteller gegenüber, der alle simplen Kompromisse oder Illusionen von sich weist und zugleich den Ausweg des anarchistischen Rebellen verschmäht. Daß er weiterhin auf einem Dialog mit den Oberen besteht, macht ihn für diese Oberen unbequem und zu gleicher Zeit interessant. Sie versuchen daher immer wieder, mit ihm ins Gespräch zu kommen. Und dazu gehört viel Toleranz, denn Müller behauptet nach wie vor:[87] „Damit das Ganze mehr als seine Teile, muß jeder Teil zunächst ein Ganzes sein. Je stärker die Bauteile ihre Selbständigkeit behaupten, desto komplexer das Gesamtkunstwerk.[...] Die Tatsache, daß Kunst hier und heute zunehmend ein gesamtgesellschaftliches Phänomen wird, bedingt die Erhöhung der Eigenverantwortlichkeit ihrer Produzenten."[88]

Aus dem Amerikanischen von Jost Hermand

Deutsche fressen Deutsche

Heiner Müllers *Die Schlacht* an der
Ostberliner Volksbühne
(1978)

Jost Hermand

„Wie es war, ist es nicht."

Als ich am 3. Januar 1977 die Tageskasse der Volksbühne anrief,
um mir eine Karte für die Premiere der Neufassung von Müllers
Die Schlacht zurücklegen zu lassen, sagte die freundliche Stimme
am anderen Ende des Drahts: „Für Müller-Stücke braucht man
keine Karten zu reservieren! Nur Kotzebues *Deutsche Kleinstädter*
sind schon ausverkauft." Und so kam denn zur Uraufführung dieser Fassung, die am 21. des gleichen Monats stattfand, wirklich nur
eine kleine Schar von Unentwegten. Sie erlebte jedoch einen der
denkwürdigsten Abende in der Geschichte des Ostberliner Theaters der letzten dreißig Jahre. Was Manfred Karge und Wolfgang
Langhoff hier auf die Bretter stellten, reichte an Bestes von Besson
und Wekwerth, ja von Brecht selbst heran. Fünf kurze Auftritte,
die in der Rotbuch-Version nur zehn Druckseiten umfassen, waren
mit einer Fülle theatralischer Einfälle in Szene gesetzt worden, die
jeder Beschreibung spottet. Nichts, aber auch nichts hatte man unversucht gelassen, um diesen knappen und zugleich mythologisch
überladenen Szenen zu einer einprägsamen Theatralisierung zu verhelfen: Filmeinblendungen, Pantomimen, Slapstick-Gags, Antikisierendes, Groteskes, Pop-Elemente, Monstrositäten à la Frankenstein,
Rezitationen, Parodien auf religiösen Kitsch, Publikumsreaktionen
der ersten Inszenierung, Horror-Elemente, Schießereien, Orgelmusik, Klassiker-Parodien, Todesengel, Revuegirls und ähnliches mehr.
Und doch hatte das Ganze eine ins Fleisch schneidende Unerbittlichkeit, einen makabren Ernst, ja eine geradezu „klassische" Ein-
heitlichkeit, die weit über jeden ästhetischen Eklektizismus oder
eine bloße Collagetechnik hinausging.

Das Publikum saß daher am Schluß wie verdonnert da. Kaum
einer klatschte. Alle fühlten sich nach soviel offener Brutalität, soviel Horror wie geprügelt, wie vor den Kopf geschlagen. Man war
einfach überwältigt, empfand „Furcht und Schrecken", als habe
man eben der Schlußszene des *Ödipus* oder der *Familie Schroffen-
stein* beigewohnt. Die sprachliche Verdichtung, die theatralische
Schärfe, die Intensität des Ganzen ließen dem Zuschauer einfach
keinen Raum für Abstand, für Reflexion, für befreites Aufatmen,
für politische Einsicht oder für irgend etwas Kathartisches. Und so
ging jeder zwar aufgewühlt, aber zutiefst deprimiert nach Hause,
da man keinen Ansatz fand, sich mit dem hinreißend dargestellten
Horror kritisch auseinanderzusetzen.[1]

Nun, solche Reaktionen hatte es bereits im Herbst 1975 nach
der Uraufführung der ersten Fassung gegeben, obwohl damals auf
die *Schlacht* noch der *Traktor* gefolgt war, um vom Schrecken der
Nazi-Zeit eine Brücke zur Anfangsphase der DDR zu schlagen.
Schon 1975 hatten die Kritiker dem Ganzen zu starke Verknap-
pung, Schwerverständlichkeit und Überbetonung des Brutalen
vorgeworfen, wie aus einem öffentlichen *Brief* Müllers an Martin
Linzer hervorgeht.[2] Da es ihn „langweile", sich mit jener „akademischen Journaille" abzugeben, die weitgehend aus „verhinderten Zen-
soren" bestehe (womit er offensichtlich Wolfgang Harich meinte),[3]
war Müller in diesem Brief einfach zur Gegenoffensive übergegangen. Anstatt die an ihn gestellten Fragen zu beantworten, hatte er
kurzentschlossen neue aufgeworfen, ja sogar auf die „aktuelle Relevanz" des Faschismus und der Ausbeutung für die DDR hingewiesen – Dinge, die man nicht leichterhand in die Vergangenheit oder
in den Westen abschieben solle.

Doch Müller war schon damals nicht nur auf seine eigene Verteidigung angewiesen. Es gab auch andere, die sich seiner Sache an-
nahmen, wie etwa Hildegard Brenner (BRD) oder Helen Fehervary
(USA), die vorbehaltlos seinen Standpunkt bezogen und gerade
Müllers schwierigste und vielleicht auch problematischste Stücke,
also *Mauser* und *Die Schlacht*, als seine wichtigsten bezeichneten.
Beide sahen in Müller nicht nur den bedeutendsten DDR-Dramatiker, sondern den bedeutendsten deutschen Gegenwartsdramatiker
schlechthin, der weit über Brecht hinaus in ein Neuland politischen
Theaters vorgestoßen sei, indem er als Meister der totalen Dialekti-
sierung alles in Frage stelle und damit einen ganz neuen Typ des
Lehr- und Lernstücks geschaffen habe. Im Gegensatz zu Brecht sei

Müller kein platter „Pädagoge" mehr, der sich noch immer dem
„Optimismus des bürgerlich-aufklärerischen Rationalismus" verpflichtet fühle, schrieb Brenner, sondern ein Nachaufklärer, der bereits durch die bittere Erfahrung der dialektisch-revolutionären
Prozesse hindurchgegangen sei.[4] Auch Fehervary rückte ihn von
„Vertretern der Aufklärung" wie Lenin oder Brecht ab und stellte
ihn als einen in unaufhaltsame Prozesse Verstrickten hin, dessen
Geschichtsbild viele Elemente der Kritischen Theorie, der Benja-
minschen „Thesen", der Negativen Dialektik usw. in sich aufgenommen habe.[5]

An dieser Sicht mag manches stimmen. Doch was ist daran besser,
das heißt in einem besserem Sinne marxistisch als das Geschichtsbild,
das Brecht entwickelt hat? Müller selbst sieht im Hinblick auf *Die
Schlacht* dieses „Bessere" vor allem in seiner gründlicheren Faschismus-Analyse und gibt damit indirekt zu, daß man *Die Schlacht* zum
Teil als einen Gegenentwurf zu *Furcht und Elend des Dritten Reiches*
und *Der aufhaltsame Aufstieg des Arturo Ui* lesen solle. Brecht sei
bei der Abfassung dieser Stücke weitgehend auf „Sekundärmate-
rial" angewiesen gewesen, wie Müller in seinem *Brief* behauptet,
und habe obendrein die Widerstandskraft der deutschen Arbeiterklasse überschätzt. Daraus sei ein „Faschismusbild nach der Schnur
der (damals notwendig unkompletten) marxistischen Analyse" entstanden.[6] Mit dieser Bemerkung mag Müller durchaus recht haben.
So hat Brecht das Phänomen „Faschismus" im *Arturo Ui* sicher
verharmlost, indem er es als geschickte Machination einer lumpen-
proletarischen Gangster-Clique beschrieb. Das war einseitig und
wurde dem Massencharakter der faschistischen Bewegung in keiner
Weise gerecht.

Doch wie sieht denn die „komplettere marxistische" Analyse dieses Phänomens bei Müller aus? Wird sie dieser Bewegung – im
Lichte unserer Erfahrungen und Erkenntnisse – in einem umfas-
senderen Sinne gerecht? Genau besehen, erscheint mir seine Analyse
noch begrenzter und damit unkompletter als die von Brecht. Wofür
sich Müller interessiert, ist lediglich der „gewöhnliche Faschismus",
der von den meisten Leuten als das „Normale, wenn nicht die
Norm" empfunden wurde und wo „Unschuld ein Glücksfall" war.[7]
Er faßt also durchaus das „Massenhafte" dieser Bewegung ins Auge
– und bildet in diesem Punkt einen Gegenpol zu Brecht. Doch das
Gegenteil einer falschen These muß nicht immer die richtige These
sein. Denn diese Gegenposition verleitete Müller dazu, im Fa-

schismus, den Brecht zurecht einen „pervertierten Sozialismus"
nannte, nur noch das absolut Negative zu sehen. In Müllers Stück
gibt es weder Widerstand noch Exil, weder Konzentrationslager
noch Strafbataillone. Was in ihm dargestellt wird, ist ein allgemeiner
Brutalisierungsprozeß, durch den sich ganz Deutschland in ein einziges Schlachthaus verwandelt habe, in dem es bloß noch Schlächter
und Geschlachtete gab. In seiner *Schlacht* bedeutet „Schlacht" nicht
mehr Klassenschlacht, sondern nur noch Schlachten im Sinne von
zwanghaftem Abschlachten.

Und das erscheint mir als Analyse des Faschismus wesentlich
kurzschlüssiger als das Faschismusbild, das Brecht in *Furcht und
Elend* entwirft.[8] Denn das „Massenhafte" des Faschismus äußerte
sich eben nicht nur als Massenbrutalisierung, sondern auch als Mas-
senenthusiasmus, ja als Massenidealismus, den die Nazis im deutschen Volke zu entfesseln wußten. So interpretiert etwa Müllers 2.
Szene („Ich hatt einen Kameraden") – in der drei deutsche Soldaten
in russischer Winternacht den vierten Mann ihrer Gruppe, weil sie
am Verhungern sind, einfach umlegen und auffressen – glatt am Faschismus vorbei. Mit solchen Soldaten hätte Hitler den Zweiten
Weltkrieg bereits nach vierzehn Tagen verloren. Wenn die drei Land-
ser ihren zu Tode erschöpften Kameraden für „Führer, Volk und
Vaterland" noch 200 Kilometer auf den Schultern mitgeschleppt
hätten, so wäre das eine bessere Analyse des Faschismus gewesen. Bei
Müllers Szene hat man das Gefühl, als spiele sich dieser Vorgang
nicht in Rußland, sondern in irgendeiner grauen Vorzeit – auf dem
Schlachtfeld zu Theben oder vor den Toren Trojas – ab. Auch daß
sich die dargestellte Brutalität in allen fünf Szenen (1. Brudermord,
2. Kameradenmord, 3. Familienmord, 4. Gattenmord, 5. Opferung
eines Deserteurs) fast ausschließlich gegen Deutsche richtet, wirkt
höchst befremdlich. Bestand denn der Faschismus lediglich darin,
daß Deutsche von Deutschen gefressen wurden? Hat sich nicht die
Brutalität des Faschismus vor allem gegen andere Völker und „Ras-
sen", gegen Russen, Polen, Juden usw. gerichtet? Eine solche Vereinseitigung wirkt geradezu wie ein Hohn auf die wirklichen Opfer des
Faschismus! Ja, nicht nur das. Eine solche Vereinseitigung wirkt zugleich wie ein Hohn auf jene Deutschen, die entweder ins Exil gegangen sind oder im Untergrund gegen den Nazi-Staat Widerstand
geübt haben. Wenn das Dritte Reich so ausgesehen hätte, wie es
Müller darstellt, das heißt ohne Exil, ohne inneren Widerstand, ohne
jene Kräfte, die sich diesem Ungeist unter Einsatz ihres Lebens wi-

dersetzten, hätte es nie eine DDR und nie einen DDR-Dramatiker
wie Heiner Müller gegeben. „Unschuld" war eben nicht nur „Zu-
fall", wie Müller behauptet.

So betrachtet, stellt seine *Schlacht*, die sich im Untertitel „Szenen
aus Deutschland" nennt, keine wirkliche Faschismus-Analyse dar,
sondern wirkt eher wie ein Rückfall in den nur allzu bekannten Topos der „Deutschen Misere".[9] Doch dieser Topos hat es Müller nun
einmal angetan. So ist in seinem Drama *Germania Tod in Berlin*
(1971), in dem Friedrich II. als Clown I und Hitler als benzinsaufen-
des Ungeheuer auftreten, Deutschland die große Hure, die es
mit allen getrieben hat: die Nibelungenhure, die Preußenhure, die
Kaiserhure, die Hitlerhure, die Kleinbürgerhure. In *Leben Gundlings Friedrich von Preußen Lessings Schlaf Traum Schrei* (1976) ist
es noch einmal das „Preußische", das Müller als Inbegriff aller wi-
dernatürlichen Unmenschlichkeiten entlarvt. Ja, selbst die DDR
wird von ihm immer wieder in diesen Gesamtzusammenhang „deutscher Geschichte" gestellt. „Man kann ein DDR-Bild nicht geben",
sagte Müller 1975 auf dem 7. Wisconsin Workshop, „ohne die DDR
im Kontext der deutschen Geschichte zu sehen, die zum größten Teil
auch eine deutsche Misere ist."[10] Wohl das beste Beispiel dafür sind
seine *Bauern* (1960), die in der DDR leider erst mit fünfzehnjähriger
Verspätung gespielt werden konnten. Am Schluß der ersten Szene
schiebt hier Flint sein Fahrrad durch den Schlamm, und zwar mit einer Goethe-und-Schiller-Ausgabe, einer Fahne und einem Transparent unterm Arm, bis ihm plötzlich Friedrich II. mit seinem Krückstock und Hitler mit Eva-Braun-Brüsten auf den Rücken springen.
Es gelingt ihm zwar, diese beiden wieder abzuschütteln, aber Bücher,
Fahne und Transparent fallen dabei in den Dreck.[11] Wenn das
„Preußische" und das „Faschistische" in der DDR noch so stark
weiterwirken, wie Müller behauptet, wenn die Barbarei noch immer
wie ein Alptraum auf diesem Staat lastet, wenn alles stets nur eine
Ausgeburt der „Deutschen Misere" ist: welche Hoffnung soll dann
der Zuschauer schöpfen? Soll er seine Zuversicht allein auf den großen Bruder, die Sowjetunion, setzen? Schließlich sind die drei russischen Soldaten, die am Schluß der *Schlacht* den vertierten und
ausgehungerten Deutschen etwas von ihren Tagesrationen abgeben,
die einzigen positiven Gestalten in diesem Stück. Das gleiche gilt
für jenen russischen Bauern, von dem es im *Traktor* heißt, daß er den
deutschen Soldaten auf die Frage, wo denn sein Acker sei, mit weit
ausgebreiteten Armen geantwortet habe: „HierallesmeinFeld".[12] In

diesem Sinne sieht es Fehervary, die das „Dunkle" in Müller weitgehend aus seiner Einsicht in die Verfehlungen der deutschen Geschichte ableitet. Die russische Geschichte werde von ihm ganz anders, das heißt wesentlich positiver behandelt. So gebe es etwa in
Zement revolutionäre Kräfte, die es in Deutschland nie gegeben
habe.[13] Das ist schon richtig. Dagegen spricht jedoch ein Stück wie
Mauser, in dem auch die russische Revolution – vor dem Hintergrund des alten Zarenreiches – aufs Brutalste „dialektisiert" wird.

Der Hinweis auf die „Deutsche Misere", so wichtig er auch
scheint, greift daher etwas zu kurz. Müller ist kein Biermann, der
sich mit plakativen Phrasen begnügt, sondern einer, der wesentlich
tiefer zu bohren versucht. Hinter seiner „Misere" steht ein provozierend eingedüstertes Weltbild, das stets die gesamte Menschheitsgeschichte im Auge behält. Das sogenannte Dunkle oder Radikal-Böse
ist für ihn nicht nur Teil der deutschen Tradition, sondern Teil der
gesamten Vorgeschichte der Menschheit. Alles: ob nun Steinzeit,
Antike, Mittelalter, Preußen, Hitler, ja zum Teil sogar noch die Gegenwart ist für ihn Prähistorie, Eiszeit, Barbarei, Schlachten oder Ge-
schlachtetwerden. So heißt es etwa im Prolog zu seinem *Philoktet*
(1966):[14]

> Damen und Herren, aus der heutigen Zeit
> Führt unser Spiel in die Vergangenheit
> Als noch der Mensch des Menschen Todfeind war
> Das Schlachten gewöhnlich, das Leben eine Gefahr.
> Und daß wirs gleich gestehn: es ist fatal
> Was wir hier zeigen, hat keine Moral
> Fürs Leben können Sie bei uns nichts lernen.
> Wer passen will, der kann sich jetzt entfernen.

Den gleichen Prolog hätte man auch vor der *Schlacht* sprechen
können. Denn in beiden Stücken – wie auch in Müllers *Macbeth*-
Bearbeitung – wird das „Schlachten" als das Gewöhnlichste von
der Welt dargestellt. Ja, um die innere Korrespondenz all dieser
„vorgeschichtlichen" Epochen noch deutlicher zu machen, waren
dem Programmheft von Müllers *Schlacht* eine Bilderserie aus
Goyas *Schrecken des Krieges* und jener Abschnitt aus der *Ilias* beigegeben, in dem die Griechen den toten Hektor aufs Grausamste
zerfleischen. Im Gegensatz zur „verteufelt humanen" Antike-Re-
zeption der Goethe-Zeit hat gerade das Griechische bei Müller meist
die Funktion, den archaischen Aspekt alles bisherigen menschlichen

Handelns herauszustellen.[15] Aus diesem Grunde rühmte er etwa das
Antigone-Vorspiel Brechts von 1947 als eine wesentlich „konkre-
tere" Darstellung des Dritten Reichs als die Szenenfolge *Furcht und
Elend*.[16]

Es wäre darum verfehlt, Müller wegen seiner bewußten Anachronismen, seiner Zeitraffertechnik, mit der er die gesamte Vorgeschichte der Menschheit revuehaft auf die Gegenwart zu beziehen
versucht, einen ästhetischen Eklektizismus oder eine billige Brutali-
sierung der Geschichte vorzuwerfen, wie das Wolfgang Harich getan hat, der bereits der *Macbeth*-Bearbeitung Müllers jede „ge-
schichtsphilosophische Tiefe" absprach und ihm eine Neigung zu
Pessimismus, Brutalität, ja ein schamloses Kokettieren mit der „westlichen" Horror- und Pornowelle unterschob.[17] Solche Tendenzen gehen nicht nur auf ein modisches Schielen auf Artaud, Beckett und das
Westberliner *Antikeprojekt* zurück!

Doch Harichs Reaktion gibt immerhin zu denken. Schließlich
ist er nicht der Uneinsichtigste unter den DDR-Kritikern. Im Gegenteil. Wenn also ein Mann wie er Müller mißversteht, kann das
nicht allein am Rezipienten liegen, sondern deutet auf eine Problematik hin, die in manchen von Müllers Dramen nun einmal nicht
zu übersehen ist. Und die besteht vor allem in ihrer zu hoch ange-
setzten Abstraktionsebene, mit der Müller sein Publikum, das er
bereits 1957 im Vorspruch zum *Lohndrücker* als das „neue Publikum" adressierte, einfach überfordert.[18] In diesem Punkte, nämlich
kein „Pädagoge" sein zu wollen, unterscheidet er sich allerdings
von Brecht. Es waren daher in der DDR lediglich höchst verein-
zelte Kritiker wie Wolfgang Heise, die selbst die *Schlacht* als ein
Werk empfanden, in dem „uns Müller mit gegenwärtig noch
mächtiger Vorgeschichte der Menschheit" konfrontieren wolle.

Und so blieb Müller – wegen seiner komplizierten „Schwarzmalereien" – lange in der Isolation, ja wurde jahrelang überhaupt
nicht gespielt. Denn tonangebend war nun einmal in der DDR der
sechziger Jahre die sogenannte Vollstrecker-These, das heißt das
Bemühen, alle positiven Vorbilder der Vergangenheit im Sinne der
herrschenden „Erbe"-Konzepte in das allgemeine Bewußtsein zu
integrieren. Müllers abgrundtiefes Erschrecken vor dieser Vergangenheit, das selbst da, wo andere leuchtende Vorbilder sahen, nur
Barbarei erblickte, mußte notwendig schockieren. Hier war einer,
der nicht zur Ruhe kommen wollte, der sich nicht integrieren ließ
und der deshalb ein eminenter Störfaktor blieb. Müllers Neigung

zum Topos der Deutschen Misere, zu Grausamkeit, zu Kleistscher
Maßlosigkeit, zu schockartiger Sexualität, zu Kafkaesker Verfremdung, zu Vorgeschichtlichem, zu Härte, zu Beispielen einer stillstehenden Dialektik, ja zu totaler Negation waren darum ein Stachel für
all jene, die im Zeitalter der „Sozialistischen Menschengemeinschaft"
vorzeitig in den Ruhestand treten wollten. Denn bei ihm wurde die
Vergangenheit nicht einfach in das Gegenwärtige integriert, indem
man sie solange zurechtrückte oder umdeutete, bis sie in eine wohl-
gefällige Vorläuferlinie paßte, sondern selbst das Gegenwärtige noch
immer im Lichte einer als „barbarisch" hingestellten Vergangenheit
gesehen.

Müllers Stücke sind demnach weder dialektisch noch moralisie-
rend. Er hat in ihnen keine objektiven „Weisheiten" anzubieten,
sondern will vor allem einreißen, Abgründe aufzeigen, um damit
Platz zu schaffen „for the beginning of an entirely new future", wie
Fehervary im Hinblick auf die *Schlacht* behauptet.[19] Zugegeben: all
das sind selbstverständlich höchst noble Intentionen. Doch werden
sie in Stücken wie *Die Schlacht* dramatisch und politisch wirklich zur
Anschauung gebracht? Wenn Fehervary schreibt: „The *Slaughter*
was written in order to be negated", so hat sie natürlich recht.[20] Aber
als der Weisheit letzter Schluß bleibt selbst eine solche Formel viel
zu abstrakt. Auch Brechts *Mutter Courage* „was written in order
to be negated"! Hier muß man also noch etwas genauer sondieren.

Was Müller von Brecht wirklich unterscheidet, ist weniger das
negative Beispiel als ein ganz anderes Konzept von Möglichkeiten
politischer Einsicht. Bei Müller soll man nicht durch kritische Distanz, durch Reflexion lernen, sondern durch Furcht und Schrek-
ken. Müller glaubt nicht an Fortschritt, an ein sich allmählich ausbreitendes Wissen, das heißt an ein aufklärerisches Stafettenprinzip
innerhalb der Geschichte. Für ihn gibt es keine historischen Etappen, kein Weiterführen einmal begonnener Tendenzen, keine fortschreitende Emanzipation, sondern nur Barbarei und Utopie, nur
Vorgeschichte und Nachgeschichte der Menschheit. Geschichte ist
für ihn nichts, was sich weiterspinnen, sondern nur, was sich überwinden läßt. Und damit wird alles „Gegenwärtige", ob nun einst
oder heute, zur bloßen Durchgangsphase. So sagt etwa Müller in
einer Anmerkung zu *Mauser* bewußt paradox: „Damit etwas
kommt muß etwas gehen die erste Gestalt der Hoffnung ist die
Furcht die erste Erscheinung des Neuen ist der Schrecken."[21] Wenn
jedoch allein Furcht und Schrecken das jeweils Neue ankündigen,

dann hat die Menschheit an sich schon immer die Möglichkeit gehabt, über ihren eigenen Schatten zu springen – selbst in der Antike, selbst im Mittelalter. Welche Rolle spielt da eigentlich noch der
Marxismus? Das ist ebenso negativ-utopisch gedacht, wie Bloch
positiv-utopisch zu denken versuchte: bei Müller vom Schrecken,
bei Bloch vom positiven Vorschein her konzipiert.

Und so wird denn die Utopie – als Gegensatz zu Horror – bei
Müller oft, wenn auch nicht immer, als das total Unvermittelte
hingestellt. Dafür spricht folgende Stelle aus *Mauser*:[22]

> Nicht eh die Revolution gesiegt hat endgültig
> In der Stadt Witebsk wie in anderen Städten
> Werden wir wissen, was das ist, der Mensch.

Ja, im *Bau* (1965) sagt einer der Arbeiter ebenso geschichtslos abrupt von sich selber:[23]

> Kein andrer wollt ich sein als ich und ich
> Seit ich das Und kenn zwischen mir und mir
> Mein Lebenslauf ist Brückenbau. Ich bin
> Die Fähre zwischen Eiszeit und Kommune.

Wenn die realgeschichtliche Situation so wäre, wie sie Müller in
diesen Zeilen anvisiert, hätten wir wenig Hoffnung. Schon um den
Gedanken der „Revolution" fassen und verbreiten zu können, wird
man „menschliche" Menschen brauchen. Und wie soll sich eine
„Fähre" in Gang setzen, wenn da immer noch „Eiszeit" herrscht?
In Eiszeiten ist der Fluß des Geschehens erstarrt. All das würde ein
totales Herausspringen aus der Geschichte erfordern, um den von
Müller erträumten Sprung vom Tier zum Mensch zu erzielen. Freilich, mit einer solchen Sicht wird jedes blinde Vertrauen auf eine
automatische Evolution der Menschheit zu „Besserem" zu recht ad
absurdum geführt. Aber wird damit den Menschen nicht auch die
Hoffnung auf die Revolution genommen?

Es ist daher sehr die Frage, ob Müllers Geschichtsbild tatsächlich so dialektisch ist, wie Hildegard Brenner behauptet. Wenn
nämlich alles Bisherige nur Barbarei, nur Eiszeit der Menschheit
war, dann hätte der Sozialismus keine wirkliche Chance. Wenn es
nicht schon in der Vergangenheit einsichtsvolle und kämpferische
Menschen gegeben hätte, wäre jede Hoffnung auf eine bessere Zu-

kunft von vornherein illusionär. Dann ständen der Menschheit nur
neue barbarische Zeitalter bevor, in denen sich wiederum nichts in
Bewegung setzt. Und damit würde jede Arbeit im Gegenwärtigen
total entwertet. Dann wäre die „Praxis" nur die „Esserin der Utopi-
en", wie der Ingenieur Hasselbein im *Bau* behauptet.[24] Dann wäre
alles nur neuer Schrecken, nur Stillstand, der keine Aussicht auf die
Möglichkeit eines dialektischen Umschlags erlaubt. Jedenfalls kann
ein Publikum, das nur *Die Schlacht* oder *Mauser* kennt, keine posi-
tiveren Folgerungen aus Müllers Geschichtsphilosophie ziehen.
Ihm bleibt die Möglichkeit, das Negative auf einer zweiten Ebene
dialektisch aufzuheben, weitgehend verschlossen.

Denn wer ist schon zu dialektischen Höhenflügen fähig, die eine totale Negierung der totalen Negativität erfordern, ohne daß da
irgendein vermittelnder Weg gezeigt wird? Macht sich nicht Müller
mit solchen Konzepten zum Dichter einer utopischen Hoffnung,
die nur von ganz wenigen verstanden, geschweige denn mitvollzo-
gen werden kann? Und ist es sinnvoll, jene, die da nicht mitkön-
nen, einfach als unverständig hinzustellen, wie das in den einge-
blendeten Publikumsreaktionen vor dem 2. und 4. Bild der *Schlacht*
geschah? Sind das die besten Mittel, um das noch „unterentwickel-
te" Massenbewußtsein – in dem noch „mächtig Vorgeschichte nach-
wirkt" – auf den Stand des höchsten sozialistischen Bewußtseins zu
bringen? Wären hier nicht pädagogisch effektivere Strategien notwendig, um jenen realen Sozialismus zu erreichen, bei dem diese
Diskrepanz allmählich kleiner wird, ja schließlich völlig verschwin-
det?

Müller denkt da anders. Er glaubt, daß das Publikum in der DDR
eher „unterfordert" werde, wie es in *Theater-Arbeit* heißt.[25] Das gilt
sicher nicht für seine Stücke, die weitgehend als „Intellektuellen-
stücke" gelten. Das breite Publikum begreift einfach nicht, daß es
durch die schwarz-in-schwarz gemalte Darstellung der Deutschen
Misere, des Hitler-Faschismus oder der Vorgeschichte der Menschheit zu „Besserem" herausgefordert werden soll. Im Gegenteil. Es
wird eher entmutigt, wenn es bloß niederschmetternde Brutalitäten
vorgesetzt bekommt. Und so sind es weiterhin nur gewisse Intellektuelle, die das „erschreckend hohe Niveau" dieser Stücke be-
wundern. Ja, manche streichen gerade die zunehmende Verknap-
pung, Abstrahierung, Intellektualisierung der Müllerschen Dramen
heraus, um sich selber als die einzig Einsichtigen hinstellen zu können. Andere haben dagegen eher das beklemmende Gefühl, daß es

sich bei diesen Werken um etwas höchst Elitäres handelt, daß sich
in *Bau, Mauser, Traktor* und *Schlacht* Dinge abspielen, die man –
unter den gegebenen Umständen – eher im ZK oder auf einer Par-
teihochschule diskutieren sollte als im Theater. Denn diese Stücke –
im Gegensatz zu *Weiberkomödie, Zement, Lohndrücker* oder *Bauern*
– sind zu komprimiert, zu anspruchsvoll, zu raffiniert gebaut, als
daß hier das breite Publikum einfach „koproduzieren" könnte, wie
sich Müller das denkt.[26] In den USA würde man sagen: „Müller is a
poet's poet." Er erfindet Handlungen, die einen viel größeren As-
soziationsreichtum haben als die Stücke eines Hacks oder Dorst. Er
schreibt Verse, die in ihrer Dichte, ihrer Härte, ihrer Vielschichtig-
keit zum Besten gehören, was die deutsche Literatur in den letzten
zwanzig Jahren hervorgebracht hat. Doch er erklimmt dabei Hö-
hen, wo selbst andere linke Poeten der Schwindel ergreift. „Ich
mußte oft so lange über die einzelnen Sätze nachdenken", schrieb
Peter Schneider 1974 über den *Bau*, „daß es mir nur schwer gelang,
den Gang der Handlung zu erfassen. Aus jedem zweiten Satz weht
einen plötzlich der Atem der Jahrhunderte an, ein Aphorismus folgt
dem anderen, die Sprache wird zum Bildungserlebnis."[27] Es wäre daher etwas arrogant, im Mißerfolg mancher dieser Stücke allein den
Beweis ihrer Größe und Bedeutsamkeit zu sehen.[28] Auch „Klassiker"
wie Müller sollten von Zeit zu Zeit mal wieder in den sprachlichen
und gesellschaftlichen „Unterbau" absteigen, wie Schneider zu recht
erklärt.[29]

Trotz alledem war die *Schlacht* in der Darstellung der Ostberliner
Volksbühne ein ungeheures Schau- und Lehrstück! Hier gibt es einen
Staat und eine Bühne, die einem Dramatiker wie Heiner Müller, der
momentan sicher die stärkste Potenz unter den deutschsprachigen
Dramatikern ist, nach langen Jahren Ulbrichtscher Verkennung, die
in seinem Werk so manche Narbe hinterlassen haben, endlich die
Möglichkeit bieten, ein politisch nicht ganz unproblematisches
Stück für eine relativ kleine Anzahl von Zuschauern mit höchstem
Aufwand in Szene zu setzen. Und das gleich zweimal, in zwei verschiedenen Inszenierungen! Ein solcher Vorgang ist geradezu atemberaubend – und hat im Westen keine vergleichbare Parallele. Wo
sind schon in den letzten fünf Jahren in unseren Breiten Probleme
des Faschismus auf einer so hohen Ebene dramatisch durchreflektiert
worden? Herrscht hierzulande nicht eher die fatale Neigung zur
Verharmlosung (*Ich war Adolf Hitlers Zahnbürste*) oder gar zur offenen Rechtfertigung (*Der Arzt von Stalingrad*)? Doch nicht nur

das: Wo wird in der Bundesrepublik der Zweite Weltkrieg so kom-
pliziert dargestellt wie in Hermann Kants *Der Aufenthalt*, Frauen-
probleme so vielschichtig abgehandelt wie in Irmtraud Morgners
Trobadora Beatriz? Immer wieder wird in solchen Werken auf das
gesamte literarische Erbe, die gesamte deutsche Geschichte oder die
Geschichte der Gesamtmenschheit zurückgegriffen, um die zur
Diskussion gestellten Probleme so multidimensional wie nur möglich zu entfalten. Und zwar wird dabei auch das Höchste, Wider-
sprüchlichste, ja selbst manches Problematische nicht gescheut, um
der guten Durchschnittsliteratur der DDR auch einige „Meister-
werke" zur Seite zu stellen, die jenes oft zitierte „Utopisch-Uner-
ledigte" enthalten, das in eine qualitativ veränderte Zukunft weist.

Und das ist auch gut so. Denn jede sozialistische „Übergangsge-
sellschaft", in der das sozialistische Bewußtsein noch nicht zum Massenbewußtsein geworden ist, sieht sich notwendig vor die Aufgabe
gestellt, in ihrer Kulturpolitik mal das „Hohe", mal das „Niedrige"
zu akzentuieren, also eine Methode genau kalkulierter Wechselbäder
zu praktizieren, um dem erwünschten Ziel der einen großen, gebildeten Nation allmählich näherzukommen. Neben allen Literatur-
formen und Medien, die auf Massenwirksamkeit hinzielen (also
Film, Funk und Fernsehen), muß sie mit derselben Intensität die
vielgeschmähte „Erbe"-Pflege betreiben, um ihren Anspruch auf
legitime Erfüllung aller progressiven Träume und Wünsche der Gesamtmenschheit aufrechtzuerhalten und zugleich Werke von einer
ebenso hohen ästhetischen Qualität produzieren, mit denen dieser
Anspruch auch in der eigenen Praxis eingelöst wird.[30]

Und im Rahmen dieser kulturpolitischen Konstellation haben
auch die Dramen Müllers durchaus ihre Berechtigung und ihren
Ort. Sie sind nicht nur Störfaktoren oder Provokationen, sondern
auch Leitbilder eines künstlerischen Anspruchs, der in seiner Wirkung auf andere DDR-Stückeschreiber doch in einem gewissen
Sinne „massenwirksam" werden könnte. Ihre Hauptfunktion besteht nicht in einer offenen oder versteckten Herausforderung der
Parteihierarchie, wie man das im Westen gern sehen würde. Dazu
gehörte eine bürgerlich-antinomische Denkform, über die Müller
zum Glück weit hinaus ist. Genau besehen, sind die meisten seiner
Stücke im ständigen Ringkampf mit diesem Staat entstanden, wenn
auch dieser Ringkampf lange Zeit ein höchst ungleicher war und
bestenfalls mit einem fruchtlosen Clinch verglichen werden kann.
Leider haben die Verantwortlichen in der DDR etwas spät erkannt,

mit welchem Partner sie es in diesem Falle zu tun hatten. Daher die
unleugbaren Narben, die Härte, die Widersprüchlichkeit, die Neigung zu totaler Negierung, die manche der Müllerschen Werke
kennzeichnet.[31] Denn durch diese Nichtanerkennung wurde er gezwungen, den Brechtschen Gestus des Zeigens, Anregens und Ver-
mittelns aufzugeben und ein Theater der Konfrontation zu entwik-
keln, das manchmal fast ans Absurde grenzt. Wenn Müller daher
den „Horror" liebt, dann auch deswegen, um in aller Frustrierung
nicht die letzte Hoffnung auf eine endgültige Änderung der politischen Situation zu verlieren und das qualitativ „Andere" mit den
Mitteln des Schreckens herbeizuzwingen.

Daß ein solcher Stücktyp, für den *Die Schlacht* durchaus reprä-
sentativ ist, beim breiten Publikum, das nach harten Aufbaujahren
seit 1970/71 stärker nach Konsum und Unterhaltung drängt,
schwer ankommt, ist also nicht nur Müllers Schuld. Es wäre deshalb töricht, im Hinblick auf die „Härte" und „dialektische Ab-
straktheit" von einer bewußten Widerborstigkeit des Autors zu
sprechen. All das ist viel eher Resultat jener höchst komplexen politischen und gesellschaftlichen Gesamtentwicklung der DDR, deren Führungsschicht – in berechtigter Angst, die notdürftig errich-
tete Basis wieder zu gefährden – so manchen unbequemen Fragern
einfach den Mund verschloß. Es ging und geht bei dieser Auseinandersetzung weniger um ein Ringen Müllers *gegen* die DDR als
um ein Ringen Müllers *mit* der DDR. Wie sich dabei die Akzente
verschieben werden, hängt nicht allein von der SED oder von Müller, sondern auch von jenen außenpolitischen und gesellschaftlichen
Prozessen ab, in die beide gleichermaßen verwickelt sind.

Es hat daher keinen Sinn, in dieser Sache entweder für Müller
und gegen den „Apparat" oder für den „Apparat" und gegen Müller Partei zu ergreifen (schon gar nicht von außen her). Beide sind
nach wie vor aufeinander bezogen. Allerdings könnte diese Beziehung wieder etwas produktiver werden, falls man ihm auch in Zukunft jene „relative Autonomie" zugesteht, wie sie in der Aufführung der *Schlacht* durch die Volksbühne zum Ausdruck kam. Falls
man Müller dagegen weiterhin vom Zentrum der Entscheidungen
abdrängen sollte, werden auch seine Werke Spuren solcher „Ab-
drängungen" zeigen. Doch das sind selbstverständlich Probleme,
deren gründliche Behandlung über den Rahmen eines knappen
Theaterberichts, der hier bereits über Gebühr strapaziert wurde,
weit hinausgehen würde.[32]

Braut, Mutter oder Hure?

Heiner Müllers *Germania* und ihre Vorgeschichte (1979)

Jost Hermand

I

Nationale Allegorien sind nichts Außergewöhnliches. Alle Staaten haben nicht nur ihre Fahnen, Nationalhymnen und emblematischen Hoheitszeichen, sondern neigen auch dazu, sich in bestimmten Personifikationen widerzuspiegeln. Dazu gehören jene drolligen, wenn auch leicht überzeichneten Spießer-, Onkel- und Vaterfiguren, über die zwar viele lächeln, die sie aber zugleich – wie ältere Verwandte – als liebenswert empfinden. Die Engländer haben in dieser Hinsicht ihren John Bull, die Nordamerikaner ihren Uncle Sam, die Deutschen ihren deutschen Michel – und niemand fühlt sich dadurch verulkt oder gar beleidigt.[1] Selbst Tiere sind in einigen Ländern als nationale Allegorien nicht unbeliebt. In Rußland war es lange Zeit der Bär, in Frankreich der gallische Hahn, in Italien die kapitolinische Wölfin, die Romulus und Remus gesäugt haben soll. Und auch durch sie fühlt sich niemand in seiner nationalen Ehre bedroht oder gar angegriffen.

Genau besehen, ist jedoch der Symbolwert solcher Figuren und Tiere, die eher das statische als das dynamische Prinzip innerhalb des geschichtlichen Ablaufs verkörpern, recht begrenzt. So hat der deutsche Michel zwar Momente, in denen er gewaltig aufbraust, doch nur um dann erneut in ein verschlafenes Philisterdasein zurückzufallen. Mit ihm ist also nicht viel Staat – und noch weniger Geschichte – zu machen. Überhaupt erweisen sich männliche Figuren für solche nationalen Personifikationen als nicht besonders ergiebig. Sie sind einfach zu sehr Berufstypen, das heißt charakterlich individualisiert und damit dem „Biologisch-Wesenhaften" entrückt, wie man lange Zeit behauptete. Frauengestalten galten dage-

gen als viel erdhafter, allgemeiner und daher symbolträchtiger –
wie die Geschichte der Frau Welt, der Eva, ja fast aller allegorisch
repräsentierten Tugenden und Laster beweist. Im Gegensatz zu
Männern wurden deshalb Frauen auch auf dem Sektor der nationalen Allegorie – nach alter Tradition – in einer Fülle verschiedenster Situationen dargestellt und obendrein allegorisch überhöht: ob
nun als Kind, Mädchen, Aschenputtel, Dornröschen, Jungfrau,
Braut, Ehefrau, Mutter, Matrone, Witwe, Hure, Siegesengel, Hüterin der Art, Verführerin oder ständige Gebärmaschine. Die Frau
(von Männern weitgehend auf ihre biologische Funktion beschränkt und zugleich zum Objekt sexuellen Besitzverlangens fe-
tischisiert) mußte darum in diesem Bereich geradezu unzählige Erscheinungsformen annehmen und in ihnen den jeweiligen Zustand
der Nation oder die Hoffnung auf bessere Zustände ausdrücken.
Man denke an Mütterchen Rußland oder die französische Marianne. Doch die Vielgestaltigste unter all diesen Figuren war sicher die
Germania, da sie die Deutschen, ein Volk mit nicht endenwollen-
den Hoffnungen und Niederlagen, Umbrüchen und Stagnationen,
Demütigungen und Überhebungen, zu allegorisieren hatte.

Ihr erster Auftritt erfolgte im 16. Jahrhundert, als sich in Deutschland – im Zuge der Reformation und des Humanismus – immer
stärker nationale Regungen bemerkbar machten. Und zwar stütz-
ten sich die Humanisten bei der Allegorisierung dieses National-
bewußtseins gern auf die neuentdeckte *Germania* des Tacitus, die
häufig zum Anlaß utopischer Hoffnungen für ein vom gleichen
Geiste beseeltes Vaterland wurde. Schließlich stellt Tacitus Germanien weitgehend als ein Land des Sittlichen, Wahrhaften und Reinen dar, das aufgrund seiner inneren Stärke und Rechtschaffenheit
den dekadenten, weil scholleflüchtigen Römern als Vorbild einer
neuen Virtus dienen sollte. Doch bei dem damaligen Stand der
Dinge – vor allem nach der Niederlage der Bauern und der durch
den Papismus wieder zurückgedrängten Reformation – verlor diese
Germania-Allegorie schnell ihren jugendlichen Reiz. So erscheint
sie etwa 1579 bei dem Humanisten Nathan Chyträus in seinem
Gedicht *Germania degenerans* bereits als ältliches, unansehnliches
Weib, das von niemandem geachtet wird und das dringend einer
wirksamen Medizin gegen Vergreisung bedürfte:[2]

O miseram patriae faciem! o miseranda! verternum
auferet ex oculis quae medicina tuis?

Im 17. Jahrhundert, besonders während der Zeit des Dreißigjähri-
gen Krieges, nahmen solche Klagen eher ab als zu. Daher begegnet
die Germania in den Gedichten eines Andreas Gryphius, Friedrich
von Logau, Paul Fleming, Georg Philipp Harsdörffer, Johannes
Rist und anderen meist in der Figur des geschändeten oder verwü-
steten „Teutschlands", die – über soviel Leid und Not – ihre blut-
besudelten Hände verzweifelt zum Himmel reckt.

Einen neuen Verjüngungsprozeß machte diese Figur erst in den
vierziger bis siebziger Jahren des 18. Jahrhunderts durch, als sich
im Gefolge des patriotischen Pietismus und der Dichtungen eines
Friedrich Gottlieb Klopstock, Johann Peter Uz, Gottlieb Wilhelm
Rabener, Matthias Claudius und des „Göttinger Hains" ein neuer
Nationalstolz entwickelte. Noch intensivere Formen nahm dieser
Germania-Kult selbstverständlich im Zeitalter der Befreiungskriege
an, wo im Kampf gegen Napoleon das neuerstarkte Deutschland
zumeist in der Figur des reinen „teutschen Mädchens", der Braut,
die auf ihren Bräutigam wartet, oder der sorgenden Mutter des
Volkes allegorisiert wurde und wo sich im erneuten Rückgriff auf
Tacitus und die germanischen Urtugenden bei all diesen Figuren
wiederum der Name „Germania" einstellte. Nicht nur Arndt, Jahn
und Fichte sprachen in diesen Jahren ständig von der glorreichen
Germania, auch Kleist wollte unter diesem Titel eine deutschge-
sinnte Zeitschrift gründen. Ja, selbst die Studenten organisierten
sich innerhalb einer Burschenschaft, die sich „Germania" nannte.
Und im Rahmen dieser Bewegung regten sich die ersten chauvini-
stischen Überheblichkeitsgefühle. Hier wurde die Germania nicht
nur als Symbol eines berechtigten Einheitswillens, sondern auch als
jenes „heilige Herz der Völker" hingestellt, das offenbar hochge-
muter schlägt als das aller anderen Nationen.

Doch dieser Furor teutonicus machte in der folgenden Restau-
rationsepoche nur allzu bald jener Lethargie Platz, deren Symbolfigur der deutsche Michel wurde. Die Germania taucht in diesen Jahren nur noch auf den verstaubten Titelblättern von Zeitschriften
für germanische Altertumswissenschaft auf. Zu einer vorwärtswei-
senden Allegorie wurde diese Figur erst wieder im Vormärz, das
heißt in den Jahren zwischen 1840 und 1848. Das läßt sich am besten anhand der aristophanischen Komödie *Die politische Wochen-
stube* (1845) von Robert Prutz illustrieren. Schlaukopf, ihr „Held",
einst „Republikaner" und jetzt „Wirklicher Geheimer Königlicher
Leibspion", bedient sich hier eines zur Germania aufgeschminkten

„feilen Weibes", das die „neue Zeit" gebären soll, da das Regime
(und damit auch er) davon überzeugt ist, daß man das aufrühreri-
sche Volk nur noch durch die Hoffnung auf eine bessere Zukunft
im Zaume halten kann. Weil Schlaukopf befürchtet, daß diese Germania eine Mißgeburt zur Welt bringen möge, soll ihr ein Doktor
notfalls ein falsches Kind unterschieben. Doch dieser Plan mißlingt.
Die falsche Germania zerplatzt im Augenblick der Geburt wie ein
„Bovist" und bringt scharenweise Reaktionäre zur Welt. In diesem
Moment sieht die „ächte Germania", eine wesentlich jüngere Frau,
endlich ihre Chance, offen vor das Volk hinzutreten und es aufzu-
fordern, seine Ketten abzuschütteln.[3]
  Andere Vormärzler waren in diesem Punkte etwas skeptischer
und hatten Angst, daß sich der deutsche Michel – nach ein paar revolutionär verschwärmten Tagen – mit seiner Germania nur allzu
schnell wieder hinter den Ofen verkriechen würde. Und die Geschichte gab ihnen leider recht. Heinrich Heine konnte daher bereits im Oktober 1849 schreiben:[4]

> Gelegt hat sich der starke Wind,
> Und wieder stille wird's daheime;
> Germania, das große Kind,
> Erfreut sich wieder seiner Weihnachtsbäume.

Doch dieses „große Kind" erfreute sich in den folgenden zwei Jahr-
zehnten nicht nur seiner Weihnachtsbäume, sondern auch seiner
neuen Zündnadelgewehre, mit denen es erst Österreich und dann
Frankreich in die Knie zwang. Wie zwischen 1808 und 1815 wurde
somit im Bereich der Nationalallegorien aus dem „großen Kind"
schnell die brünstige Braut, die endlich das Hochzeitsbett mit dem
Herrscher aller Deutschen besteigen möchte. Vor allem in den Jahren 1870/71 taucht daher auf vielen Siegesmeldungen, Postkarten,
amtlichen Verlautbarungen, in Zeitungen und Zeitschriften immer
wieder die strahlende Germania auf: ob nun als Rosselenkerin, als
Walküre, als Siegesgöttin oder als völkische Braut, die sich 1815
und 1848 noch mit dem ganzen Volke vermählen wollte, jetzt aber
den „Starken von oben" als Bräutigam bevorzugt. Auch die Ge-
dichtbände dieser Zeit sind voller Germania-Hymnen, wobei sich
„Germania" meist auf „Viktoria" reimt. Man denke an Ferdinand
Freiligraths Gedicht *Hurra, Germania!*, in dem die Germania im
Donnerhall der Schlacht das Schwert gegen die Franzosen zückt.

Wohl den besten Ausdruck dieser Stimmung liefert das Gedicht *An Deutschland. Januar 1871* von Emanuel Geibel. Sein Autor entblödete sich nicht, der Germania, die schon seit 64 Jahren Witwe sei, enthusiastisch zuzurufen:[5]

> Nun wirf hinweg den Witwenschleier,
> nun gürte dich zur Hochzeitsfeier,
> O Deutschland, hohe Siegerin!

Aus der Witwe Germania wird in den folgenden Strophen – nach vielen allegorischen Windungen und Verrenkungen – erst die deutsche Walküre, die „Behelmte mit dem Flammenschwert", in deren Gliedern noch das „Mark der Nibelungen" lebendig ist, und dann die Jungfer Germania. Folgerichtig heißt es am Schluß mit einem verzückten Blick auf die bräutlich Verjüngte:

> Dein Bräut'gam naht, dein Held und Kaiser,
> und führt dich heim im Siegesglanz.

Nach diesem Zeitpunkt war kein Halten mehr. Überall tauchten plötzlich Germanias auf: auf den Siegesdekorationen eines Anton von Werner, in Form des von Johannes Schilling entworfenen Niederwalddenkmals, zu dessen Grundsteinlegung sogar Kaiser Wilhelm der Erste angeilt kam, oder auf den Briefmarken des Neuen Reiches.[6] Doch nicht nur auf offiziös-staatlicher Ebene blühte der Germania-Kult. Auch der Zentralverband der deutschen Bäckereiinnungen oder der Verein der Deutschamerikaner in Chicago legten sich damals den stolzen Namen „Germania" zu.

Bei der Breite und Trivialität dieser Germania-Begeisterung blieben selbstverständlich auch einige Gegenstimmen nicht aus. So schrieb etwa Ferdinand von Saar um die Jahrhundertwende in seinem Gedicht *Germania* recht sorgenvoll:[7]

> Sieghaft, drohenden Blicks, starrst du von Waffen nun,
> und Europa gehorcht.
> wenn du auch nicht befiehlst;
> deine grimmigsten Feinde,
> niederhält sie bleiche Furcht.

Andere Autoren neigten dagegen eher zu Sarkasmus, Spott und Hohn, wenn sie auf die vom wilhelminischen Bürgertum ange-

himmelte Germania zu sprechen kamen. So riß etwa Frank Wede-
kind in seinem 1892 verfaßten Gedicht *Von Germanias Ehestand*
höchst unehrbietige Witze über das seit 1871 verheiratete kaiserliche
Reichsehepaar, in welchem er die arme Germania bedauerte, daß sie
jetzt durch ihren Ehegemahl gezwungen werde, ein Schlachtschiff
nach dem anderen zu gebären. Über die gebärtüchtige Germania, die
an „fécondité" die französische Marianne weit übertreffe, machte
man sich in diesen Jahren überhaupt gern lustig. „Ja, Germania, die
Übermutter", heißt es im Gedicht eines Anonymus von 1900, „gern
und fruchtbar tut sie ihre Pflicht",[8] da es ihr weniger um Teint und
Taille als um eine wehrtüchtige Nachkommenschaft gehe.

Ihren letzten Höhepunkt erlebte diese Germania-Begeisterung im
Ersten Weltkrieg, wo der Kaiser und die oberste Heeresleitung nichts
unterließen, die Figur der Germania noch einmal mit allem Prunk
und Pomp auf die nationale Bühne zu stellen. Um so blasser wurde
dafür ihr Bild in der Weimarer Republik. Die Liberalen und Sozial-
demokraten der sogenannten Weimarer Koalition huldigten weitgehend einem verschwommenen Internationalismus oder dem ebenso
verschwommenen Leitbild der „guten Europäer" – und ließen demzufolge die Nationalidee unter die Räuber fallen. Man denke an das
höhnische Gedicht *Deutschland, du Blondes, Bleiches* des jungen
Bertolt Brecht, das mit den revoluzzerhaften Zeilen schließt: „Und in
den Jungen, die du / Nicht verdorben hast / Erwacht Amerika!"[9] Ja,
selbst die Kommunisten versäumten es in dieser Zeit, auch die nationale Komponente in ihre politischen Strategien einzubeziehen.

Die Völkischen, die Präfaschisten und später die Nazis hatten
daher ein leichtes Spiel, den Nationalgedanken in ihrem Sinne aus-
zuschlachten. Allerdings gebrauchten sie dabei nicht mehr das
Wort „Germania", sondern brüllten lieber „Deutschland, erwa-
che!" Von Germania oder Germanien zu sprechen, wirkte in den
zwanziger Jahren bereits etwas veraltet. Das klang nach Zweitem
Reich, das von diesen Kreisen nur als eine Übergangslösung oder ein
Zwischenreich angesehen wurde. Die Symbolfigur des „Dritten Reiches" war daher nicht mehr die wilhelminisch aufgeputzte Reichs-
heroine mit dem gen Westen gezückten Flammenschwert, sondern
die unentwegt schwangere „Hüterin der Art" oder die stolze „Mutter des Volkes", da man das Wehrhafte von jetzt ab nur noch im
Bereich des Männlichen gelten ließ.

Ähnliches trifft auf die nationalen Leitbilder der Exilliteratur
zu. Auch hier ist nicht mehr von der Germania, sondern nur noch

von Deutschland oder der deutschen Mutter die Rede. So beginnt
etwa das berühmte *Deutschland*-Gedicht, das Brecht kurz vor der
Machtübergabe an die Nationalsozialisten schrieb, mit den Zeilen:[10]

> O Deutschland, bleiche Mutter!
> Wie sitzest du besudelt
> Unter den Völkern.
> Unter den Befleckten
> Fällst du auf.

Doch es sollte im Laufe der dreißiger und frühen vierziger Jahre
noch schlimmer kommen: erst die Vertreibung der linken und
linksliberalen Intellektuellen, dann die Zerschlagung der Arbeiterorganisationen, dann die Judenverfolgung, dann die Konzentrationslager, dann der mörderische Zweite Weltkrieg. Das Gedicht
Deutschland, das Brecht im Jahre 1945 schrieb, hat daher kein
Hölderlinsches Pathos mehr, sondern klingt eher wie ein korrumpiertes Volkslied:[11]

> Die Sau macht ins Futter
> Die Sau ist meine Mutter
> O Mutter mein, o Mutter mein
> Was tuest du mir an?

Und doch war selbst dieses Deutschland immer noch Deutschland.
Wer sich daher nicht völlig von seinen Ursprüngen lösen wollte,
mußte sich nach 1945 wohl oder übel auch mit diesem vom Nazismus versauten, verdreckten und verseuchten Deutschland auseinandersetzen. Doch mit welchem? Das alte Deutschland bestand ja
nach dem Zweiten Weltkrieg nicht mehr. Was noch existierte, waren vier Besatzungszonen, aus denen sich nach dem Beginn des
Kalten Krieges schnell zwei höchst verschiedene deutsche Teilstaaten entwickelten, die sich aufs schärfste befehdeten. Nicht nur
die Deutschen selber (jedenfalls die politisch Bewußteren unter ihnen), auch die aus dem Exil Heimkehrenden sahen sich daher vor
eine neue ideologische und auch menschliche Entscheidung gestellt:
nämlich nach Ostdeutschland oder Westdeutschland zu gehen. Wie
schwer manchen diese Wahl gefallen ist, beweist selbst das Beispiel
Brechts. Doch er entschied sich schließlich für Ostdeutschland. Als
man ihn nach dem „Warum" dieser Entscheidung fragte, soll er –
in letzter Verzerrung und Umkehrung ältester Germania-Vorstel

lungen – gesagt haben: Westdeutschland erscheine ihm wie ein altersschwacher Roué, Ostdeutschland dagegen wie eine syphilitische Hure, die aber schwanger sei.

II

In jenem Staat, den Brecht in der Figur des „altersschwachen Roué" allegorisierte, wurde das Wort „national" nach dem Kriege erst einmal sehr klein geschrieben. Noch seltener stößt man hier auf das Wort „Germania". Es gibt zwar ein Werk mit dem Titel *Germanien*, das Alexander von Lernet-Holenia 1946 in Westberlin bei Suhrkamp herausbrachte, aber dieses Buch bleibt recht abstrakt in seiner Klage über die Verfehlungen der deutschen Nation. Genau betrachtet, hat es eher den Charakter einer Abendländischen Elegie à la Hans Carossa als den einer konkreten Vergangenheitsbewältigung. Mit der höchst dringlichen Auseinandersetzung mit dem Faschismus ließ man sich jedenfalls in diesem Staat viel Zeit. Doch nicht nur die Auseinandersetzung mit dem Faschismus blieb aus, die bisherige deutsche Geschichte wurde überhaupt negiert oder einfach beiseite geschoben. Die Bundesrepublik Deutschland, die sich zwischen 1947 und 1949 aus der damaligen Bi- und dann Trizone entwickelte, glaubte auf jede historische Legitimierung von vornherein verzichten zu können. Statt nach der Erfahrung des Faschismus einen durchgreifenden Traditionswechsel vorzunehmen, vertrat sie offiziellerweise – vor allem unter der Kanzlerschaft Konrad Adenauers – einfach den ewig-einen Status quo. Hier pries man nichts, hier verdammte man nichts, hier feierte man nichts, hier stellte man keine historischen Traditionszusammenhänge dar – hier begnügte man sich einfach mit ein paar kaschierenden Korrekturen und wurstelte ansonsten so weiter, als habe man auch zwischen 1933 und 1945 nur gefrühstückt, gearbeitet und dann Feierabend gemacht. Selbst die Erwartungen der Bürgerlich-Liberalen wurden damit enttäuscht. Bis 1949 hatten diese Kreise gehofft, daß ein solcher Staat, der sich auf bürgerlich-kapitalistische Konzepte stützt, wenigstens an die Ideale der Achtundvierziger Revolution oder der Weimarer Republik anknüpfen würde. Doch nichts dergleichen geschah. In allem wurde einfach zur altbewährten „Tagesordnung" übergegangen. So gesehen, geschah sogar die Entscheidung, das reichlich vorbelastete *Deutschlandlied* zur bundesrepublikanischen

Nationalhymne zu erklären, nicht aus radikal-demokratischen oder faschistischen Motiven, sondern sollte lediglich den Status quo konfirmieren und zugleich den Alleinvertretungsanspruch der Adenauer-Regierung auf ganz Deutschland untermauern.

Selbst die bürgerlich-liberale Presse oder die Kulturträger dieses Staates taten anfangs wenig oder nichts, diesen plumpen Restaurationsbemühungen mit irgendwelchen politischen oder gesellschaftlichen Alternativvorschlägen entgegenzutreten. Auch sie gefielen sich weitgehend im wahllosen Zerfleddern *aller* nationalen Traditionen des deutschen Volkes, anstatt sich an die besseren Traditionen dieses Landes zu halten oder sie gar weiterzuentwickeln. Wohl das bekannteste Beispiel dafür ist die bewußt entmythologisierende Tendenz des *Spiegels*, die von der Masse seiner gebildeten Leser durchaus gutgeheißen wurde. Das gleiche gilt für die SPD, die sich nach 1945 und dann verstärkt nach dem Godesberger Programm von 1959 ihrer revolutionären Vorgeschichte zutiefst schämte – und dadurch nichts mehr hatte, an das sie in einem progressiven Sinne anknüpfen konnte. Zugegeben, der faschistische Nationalismus wurde dadurch in Westdeutschland mehr und mehr durch einen westeuropäischen Internationalismus verdrängt. Das ist als Positivum durchaus zu begrüßen. Doch andererseits verhinderte gerade dieser Prozeß ein wirksames Anknüpfen an die Traditionen des „anderen" oder „besseren" Deutschland, das ebenso dringlich gewesen wäre.

In der Deutschen Demokratischen Republik entschied man sich dagegen von Anfang an zu einem scharfen Bruch mit den faschistischen, imperialistischen und militaristischen Traditionen des Zweiten und Dritten Reiches und unterstützte einen durchgreifenden Traditionswechsel, der vor allem an die aufklärerischen, humanistischen, jakobinischen, vormärzlichen und sozialistischen Entwicklungstendenzen in der deutschen Geschichte und Kultur anzuknüpfen versuchte. Während also der Westen – im Zeichen einer offenen, das heißt pluralistischen Gesellschaft – selbst das zutiefst Reaktionäre weiterhin tolerierte, vollzog der Osten eine klare, manchmal allzu klare Trennung in gute und schlechte Traditionen, was vor allem in der Anfangsphase dieses Staates im Hinblick auf die Darstellung deutscher Geschichte zum Teil in eine recht simplistische Schwarz-Weiß-Malerei ausartete. Doch solche klaren Kontraste waren um 1950 wahrscheinlich nötig, um sich angesichts der objektiven Schwierigkeiten ökonomischer und ideologischer Art über Wasser zu halten. Was man damals brauchte, war ein handfester

Zweckoptimismus, der auch über verzweifelte Situationen hinweg-
half.

Und so steht gerade die oft berufene Aufbauphase der DDR im
Zeichen eines ungewöhnlich starken Nationalismus. Das beweisen
schon Begriffe wie „Nationale Front", „Deutsche Demokratische
Republik" oder „Kulturbund zur demokratischen Erneuerung
Deutschlands". Dieser Nationalismus hatte zweierlei Gründe. Einerseits wollte man die Mehrheit der Bevölkerung, die noch immer
mit faschistischem Gedankengut verseucht war, nicht sofort mit
sozialistischen oder gar kommunistischen Parolen vor den Kopf
stoßen. Begriffe wie „Volksrepublik", „Kommune" oder „Räte-
sen" wurden daher von Partei und Regierung in diesen Jahren
sorgfältig gemieden. Vor allem die Kulturprogramme der SED stehen bis 1966 weitgehend im Zeichen des Nationalen oder des Demokratischen – und nicht im Zeichen des Sozialistischen. Vieles
erinnert dabei an die Volksfrontstrategie zwischen 1935 und 1939,
als sich die deutschen Kommunisten, um eine gemeinsame Front
gegen den Faschismus auf die Beine zu stellen, ebenfalls zugunsten
eines humanistischen und nationalen sowie zuungunsten eines sozialistischen Vokabulars entschieden hatten. Andererseits gehörte
es durchaus zur offiziellen marxistischen Ideologie, in jedem einzelnen sozialistischen Land nicht nur vom internationalen, sondern
auch vom nationalen Kulturerbe zu sprechen und sich selbst als
den legitimen Erben aller progressiv-humanistischen Tendenzen
dieses Landes hinzustellen.

Es ist daher nicht einfach, in den fünfziger, ja noch in den sechziger Jahren in der Kulturpolitik oder Ideologiebildung der DDR
genau zu bestimmen, wo die bewußte Weltanschauung aufhört und
die bloße Strategie aufhört – oder umgekehrt. Doch sei dem, wie es
wolle. Jedenfalls entstand durch diese nationalbezogene Erbekon-
zeption und zugleich Bündnisbereitschaft mit der eigenen Bourgeoisie ein spezifisch ostdeutsches Nationalbewußtsein, das diesem
Staat zu einer zunehmenden Konsolidierung verhalf. Damit hatte
die DDR endlich eine Staatsideologie erhalten, hatte sich aber – im
gleichen Atemzuge – in die Ahnenkette bestimmter deutscher Traditionen gestellt, die manchen Marxisten gar nicht so beerbenswert
erschienen. Um dieser Entwicklung entgegenzutreten, berief sich
eine kleine Gruppe von DDR-Ideologen und DDR-Künstlern
schon in den fünfziger Jahren auf den Topos der „deutschen Misere" und rückte damit auch gewisse Erscheinungen innerhalb ihres

eigenen Staates in einen negativ gesehenen geschichtsphilosophischen Kontext. Unter Berufung auf das Engelssche Diktum von der
allgemeinen Zurückgebliebenheit der deutschen Verhältnisse oder
auf Heines *Deutschland. Ein Wintermärchen* fanden diese Kreise in
der eigenen nationalen Vergangenheit nur weniges, was sich als Vorbild verwenden oder was sich kritisch aneignen lasse. Das hehre Bild
des „anderen" oder „besseren" Deutschland, das man offiziellerweise
immer wieder aufzurichten versuchte, war ihnen nach der mörderi-
schen Erfahrung des Faschismus und damit der Pervertierung alles
Deutschen nicht mehr akzeptabel. Der schönen Phrase von der
Herrlichkeit bestimmter deutscher Traditionen konnten diese Künstler nach dem April/Mai 1945 keinen Geschmack mehr abgewinnen.
Für sie gab es kein Deutschland, keine Germania mehr. Im Rückblick auf die dreißiger Jahre empfanden sie beim Wort „deutsch" nur
noch Furcht und Schrecken, nur noch Grauen, nur noch Horror. Je
rühmender daher die Partei von „Deutschland" sprach, desto stärker
drehte sich ihnen der Magen um. Sie wollten kein anderes Deutschland, sondern überhaupt kein Deutschland mehr.

Doch bis zu diesem Punkt stießen selbstverständlich nur wenige
vor. Sogar Brecht, der höchst Kritische, hat in dieser Frage einen
gewissen Mittelkurs zu steuern versucht und wie die Partei die
dialektische Aneignung des deutschen Kulturerbes empfohlen. Bechers übersteigerter Nationalismus erschien ihm ebenso falsch[12] wie
eine totale Negierung der gesamten deutschen Vergangenheit – was
letztlich auf eine Bejahung der Kollektivschuldthese oder schlimm-
ster völkerpsychologischer Klischees hinausgelaufen wäre. Nicht
er, der dialektische Pragmatiker, entwickelte daher in diesen Fragen
das entscheidende Gegenkonzept zu Bechers Deutschlandbild,
sondern erst einige der auf ihn folgenden DDR-Autoren. Und unter diesen war es vor allem Heiner Müller, der seit den späten sechziger Jahren ein Drama nach dem anderen zum Thema der
„deutschen Misere" schrieb und schließlich in seinem Stück *Germania Tod in Berlin* (1977) eine Totalabrechnung mit der gesamten
deutschen Geschichte vornahm.

III

Ein solcher Gegenschlag war zu erwarten – und darf nicht von
vornherein als „unmarxistisch" abgewimmelt werden. Schließlich

hat nicht nur die „Erbe"-Verpflichtung, sondern auch der Topos
der „deutschen Misere" eine spezifisch marxistische Vorgeschichte.
Und dieser Topos hat es Müller nun einmal angetan.[13] Immer wieder tauchen in seinen Dramen als belastende Traditionen der deutschen Vergangenheit das Preußentum und der Faschismus auf, deren Nachwirkungen sich bis heute, bis in das Alltagsleben der
DDR verfolgen ließen. Die Gegenwart ist ihm daher immer zugleich Vergangenheit, die Vergangenheit immer zugleich Gegenwart. „Man kann ein DDR-Bild nicht geben", sagte Müller 1975
auf dem 7. Wisconsin Workshop in Madison, „ohne die DDR im
Kontext der deutschen Geschichte zu sehen, die zum größten Teil
auch eine deutsche Misere ist."[14] Ein gutes Beispiel dafür sind seine
Bauern (1960), die in der DDR leider erst mit fünfzehnjähriger Verspätung gespielt werden konnten. Am Schluß der ersten Szene
schiebt hier der „Hauptheld" Flint sein Fahrrad durch den Schlamm,
und zwar mit einer Goethe-und-Schiller-Ausgabe, einer Fahne und
einem Transparent unterm Arm, bis ihm plötzlich Friedrich II. mit
seinem Krückstock und Hitler mit Eva-Braun-Brüsten auf den Rük-
ken springen. Es gelingt ihm zwar, diese beiden Unholde abzuschütteln, aber Bücher, Fahne und Transparent fallen dabei in den
Dreck.[15]
    Bei einer solchen Sicht der deutschen Geschichte, nach der Ver-
gangenheit stets zugleich Gegenwart ist, stellt sich notwendig die
Frage, ob in Dramen wie *Leben Gundlings Friedrich von Preußen*
Lessings Schlaf Traum Schrei (1976) oder *Die Schlacht* (1975), in denen der Horror des Preußischen und des Faschistischen scheinbar in
Reinkultur dargestellt werden, wirklich das „Historische" überwiegt
oder ob hier nicht das Erschrecken vor diesen Phänomenen noch
immer von einem unmittelbaren Betroffensein zeugt? Und das gäbe
zu denken. Wenn nämlich das Preußische und Faschistische in der
DDR so stark weiterwirken, wie Müller behauptet, wenn die Barbarei noch immer wie ein böser Alptraum auf diesem Staate lastet,
wenn alles immer nur wieder fratzenhafte Ausgeburt der „deutschen
Misere" ist: Welche Hoffnung soll dann der durchschnittliche DDR-
Bürger auf die Realisierung des Sozialismus schöpfen? Wenn man ihn
immer wieder mit der noch mächtig nachwirkenden Vorgeschichte
dieses Staates, ja der barbarischen Vorgeschichte der Menschheit
schlechthin konfrontiert, wo es à la *Philoktet* und *Macbeth* nur
Schlächter und Geschlachtete gab, wie soll da der Weg zum „realen
Sozialismus" beschritten werden?

Und so blieb Müller – wegen seiner krassen Schwarzmalereien –
lange in der Isolation, ja wurde in der DDR jahrelang überhaupt
nicht gespielt. Denn tonangebend war nun einmal in der DDR der
sechziger Jahre die Vollstrecker-These, das heißt das Bemühen, alle
positiven Vorbilder der Vergangenheit im Sinne der herrschenden
„Erbe"-Konzepte in das allgemeine staatliche Bewußtsein zu integrieren.[16] Müllers abgrundtiefes Erschrecken vor dieser Vergangenheit, das selbst da, wo andere leuchtende Vorbilder sahen, nur Barbarei erblickte, mußte notwendig schockieren. Hier war einer, der
nicht zur Ruhe kommen wollte, der sich nicht integrieren ließ und
der deshalb ein eminenter Störfaktor blieb. Müllers Neigung zum
Topos der „deutschen Misere", zu Kafkaesker Verfremdung, zu
Vorgeschichtlichem, zu preußischer Härte, zu faschistischem Sa-
dismus, zu Beispielen einer stillstehenden Dialektik, ja zu totaler
Negation blieb darum in diesem Staat ein Stachel für all jene, die im
Zeitalter der „Sozialistischen Menschengemeinschaft" vorzeitig in
den ideologischen Ruhestand treten wollten.

Wohl sein ehrgeizigster Versuch, alle diese Elemente in einem
Drama zusammenzufassen, ist seine *Germania*, deren erste Ent-
würfe bis in die fünfziger Jahre zurückreichen und deren Titel er
aus dem eher konventionellen *Germania oder Der Tod in Berlin* –
im Anklang an sein *Friedrich*-Stück – später zu *Germania Tod in
Berlin* verkürzte. Was dieses Werk von Müllers früheren Dramen
unterscheidet, ist der Revuecharakter des Ganzen, der das Farcenhafte mit dem Tragischen, das Geschichtliche mit dem Gegenwärtigen zu verbinden sucht. Zugegeben, auch in anderen Stücken
Müllers gibt es seit der Mitte der sechziger Jahre mythologische
oder historische Einblendungen, die sich jedoch in Grenzen halten
und die Hauptfabel eher unterstreichen als unterbrechen. Das gilt
etwa für die *Bauern* oder *Zement*. Auch in der *Schlacht*, die an sich
keine Fabel aufweist, sind die fünf „Szenen aus Deutschland", wie
sich das Stück im Untertitel nennt, durch eine gleichbleibende
Stimmung faschistischen Terrors zu einer geradezu erdrückenden
Einheit verbunden. Ja, selbst in seinem farcenhaften *Leben Gundlings Friedrich von Preußen Lessings Schlaf Traum Schrei* bleibt bei
allen surrealistischen Elementen und Artaudschen Aufsprengungen
das „Preußische" doch das durchgehend karikierte und damit ein-
heitstiftende Element.

In der *Germania* wird dagegen der Rahmen wesentlich weiter
gesteckt. Hier geht es nicht um eine bestimmte Phase der deutschen

Geschichte, sondern um die deutsche Geschichte schlechthin. Statt
dabei chronologisch vorzugehen, wie es ein Piscator getan hätte,
bedient sich Müller einer bewußt anachronistischen Verschachte-
lungs- und Zersprengungsmethode, deren innere Logik dennoch
höchst zwingend ist. Und zwar tut er das aus dramaturgischen und
politischen Gründen – falls man zwischen diesen beiden überhaupt
unterscheiden sollte. Warum er so verfährt, hat Müller mehrfach
selbst erläutert. So nennt er den „Anachronismus" bereits 1970 in
seinen *Sechs Punkten zur Oper* ein höchst „schöpferisches Prinzip", da er die bisherige Trennung in Geschichtsdrama und Gegenwartsdrama hinfällig mache.[17] Noch entschiedener erklärte er
1975 in dem Gespräch über *Geschichte und Drama*, daß man ohne
„Anachronismen" Geschichte heute überhaupt nicht mehr be-
schreiben könne.[18] Bei der Dringlichkeit der anstehenden Probleme
komme man auch im Drama, bemerkte Müller immer wieder, nicht
mehr ohne die Technik des „Zeitraffers" aus. In seiner *Germania*
werden daher Figuren und Ereignisse wie die Tacitus-Germanen,
die Nibelungen-Recken, Friedrich der Zweite, Hitler, die Novemberrevolution und die Geschehnisse in der DDR nicht nacheinan-
der, sondern in-, durch- und nebeneinander behandelt, um die innere Verflochtenheit all dieser Ereignisse zu betonen. Auf die
Novemberrevolution von 1918 folgt hier die Gründung der DDR
im Jahre 1949, auf eine Friedrich-Szene der Rußlandfeldzug, auf
die letzten Tage Hitlers im Berliner Führerbunker der 17. Juni 1953
in Ostberlin, auf die Begegnung des Arminius mit seinem Bruder
Flavus an der Weser noch einmal der 17. Juni in Ostberlin und
schließlich eine Szene aus den späten fünfziger oder frühen sechziger Jahren in der DDR.
   All das sind keine surrealistischen Mätzchen, wie einige der
westlichen Kritiker anläßlich der Uraufführung dieses Stückes in
den Münchner Kammerspielen behauptet haben,[19] sondern bewußte Versuche, eine dialektische Einheit von Vergangenheit und
Gegenwart herauszuarbeiten. Der Zuschauer soll bei diesem Stück
die dargestellten Ereignisse nicht in logischer Folge, sondern – wie
im wirklichen Leben – möglichst durcheinander und schwerver-
ständlich vorgeführt bekommen und sich erst im Nachhinein um
ein Entwirren der vielen Entwicklungsstränge bemühen. Anstatt
wie bei Brecht mit deutlicher Lehrabsicht „aufgeklärt" zu werden,
wird hier der Zuschauer fast ausschließlich mit Furcht und Schrek-
ken bombardiert. Müller vertraut weder auf das negative Beispiel à

la *Mutter Courage* noch auf das positive Vorbild à la *Die Mutter*.
Er hat ein ganz anderes Konzept von politischer Einsicht als die
meisten seiner marxistischen Vorgänger auf dem Theater. Bei ihm
soll man nicht durch kritische Distanz oder Reflexion lernen, sondern durch unmittelbares Betroffensein. Müller glaubt nicht an den
logischen Fortschritt, ein allmählich sich ausbreitendes Wissen, das
heißt ein aufklärerisches Stafettenprinzip innerhalb der Geschichte.
Für ihn gibt es keine historischen Etappen, kein Weiterführen einmal begonnener Tendenzen, keine fortschreitende Emanzipation.
Überhaupt ist Geschichte für ihn nichts, was sich weiterspinnen,
sondern nur, was sich überwinden läßt.[20]

Fast alle Gestalten, die in der *Germania* als Repräsentanten
deutscher Vorgeschichte auftreten, wirken daher fratzenhaft: Friedrich der Zweite erscheint als homosexueller Clown, die Nibelungen
masturbieren auf offener Bühne, weil sie vor lauter Abschlachten
vergessen haben, was „Weiber" sind, Hitler frißt Soldaten und
spült sich dann den Rachen mit Benzin aus, Goebbels ist schwanger und bringt einen Contergan-Wolf zur Welt – und ähnliches
mehr. Doch auch das Gewimmel der Gestalten aus dem „Volk"
wird nicht positiver dargestellt: die Spießer bleiben Spießer, die
Huren Huren, die Nazis Nazis. Die gesamte deutsche Geschichte
vor 1945 gleicht somit einem einzigen „Greuelmärchen", wie
Brecht seine *Rundköpfe und Spitzköpfe* in der ersten Fassung nennen wollte. Dieses Deutschland wirkt wie eine permanente Misere,
wie ein Land der Mucker, Erpresser, Dirnen, Opportunisten, Ka-
meradenmörder, Haarmann-Typen und anderer frustrierter Mon-
ster, die selbst ein George Grosz nicht hätte böser zeichnen können.

Doch im Gegensatz zu Müllers *Friedrich*-Drama und seiner
Schlacht, bei denen – durch die Beschränkung auf eine bestimmte
Phase dieser vorgeschichtlichen Misere – das eindeutig Negative
vorherrscht, ist in der *Germania* durch die Einbeziehung der DDR
zugleich eine gegenläufige Tendenz angedeutet. Dafür sprechen vor
allem einige der Arbeitergestalten in diesem Stück, die im Gegensatz zu den sado-masochistischen Kleinbürgern nicht unpositiv gesehen sind. Trotz aller nazistischen Verseuchung und Deformie-
rung, der auch diese Klasse ausgesetzt war, glüht hier zuweilen ein
Fünkchen Hoffnung. Man denke an den Aktivisten am Kalten
Büffett, an den Kommunisten in der Gefängnisszene und schließlich an den Maurer Hilse oder den „alten Hilse", wie er gegen Ende

heißt. Vor allem der Maurer Hilse beeindruckt durch „Gesinnung".
In ihm ist immer noch der Balke des *Lohndrücker* lebendig, das
heißt jener Hans Garbe, den auch Brecht in seinem *Büsching* als
Helden eines DDR-Dramas vorgesehen hatte.[21] Schon Brecht
wollte eine Szene um die Ereignisse des 17. Juni 1953 gruppieren
und zeigen, wie Garbe-Büsching, der auf der Stalin-Allee für den
neuen Staat zu agitieren versuchte, von Demonstranten gewaltsam
niedergeschlagen wird.[22] Brecht läßt darauf seinen Büsching-Garbe
an den Folgen dieser Verletzungen sterben, sorgt jedoch – im Sinne
seines historischen Stafettenprinzips – dafür, daß sich einer von
Garbes Schülern mit noch größerem Elan in den Dienst des „neuen
Wissens" stellt. All das ist auch in die Figur von Müllers Hilse eingegangen, wenn auch auf historisierte, verfremdete, ja dialektisierte
Art. Doch zugleich ist diese Figur, wie schon ihr Name sagt, auch
eine Umfunktionierung des alten Hilse in Gerhart Hauptmanns
Die Weber. Während jedoch Brechts Büsching und Hauptmanns
Hilse von der Reaktion umgebracht werden (der eine, weil er sich
aktiv, der andere, weil er sich passiv verhält), lebt Müllers Hilse
noch eine Weile weiter und stirbt erst in der allerletzten Minute des
Stücks. Und zwar hat er vorher noch die Vision „roter Fahnen
über Rhein und Ruhr" und glaubt in einer jungen Arbeiterhure eine Reinkarnation der „roten Rosa" gesehen zu haben.

Und damit kommen wir nicht nur auf Brecht, sondern auch auf
den Bereich der nationalen Allegorie zurück. In Müllers *Tod in
Berlin* gibt es nämlich nicht nur eine Rosa, sondern auch eine Germania, die zwar nur einmal, aber dafür an um so prononcierterer
Stelle auftritt, das heißt in der Szene im Führerbunker der Neuen
Reichskanzlei. In grotesker Umkehrung aller politischen und bio-
logischen Fakten ist diesmal nicht sie, sondern ausgerechnet Goebbels schwanger. Ihr bleibt daher nur die Funktion der Hebamme.
Müllers Germania fungiert also in diesem Stück weder als Allegorie
des Volkes noch als die bereits reichlich strapazierte Brautfigur.
Sowohl der religiöse Nimbus als auch der Glanz utopischer Ver-
heißung fehlen ihr. Statt dessen tritt sie als eine derbe, farcenhafte
Wehmutter auf, die Hitler an den Zähnen rüttelt, eine Ohrfeige
gibt, an die Hoden greift und schließlich mit einer riesigen Zange
aus dem schwangeren Goebbels einen „Contergan-Wolf" heraus-
zerrt. Hitler, der sie erst eingeschüchtert mit „Mama" tituliert,[23]
wird wegen dieser Mißgeburt so wütend, daß er die Germania zu
guter Letzt von einer hundsköpfigen Ehrenkompanie foltern und

dann vor ein Geschütz binden läßt, um ihr mit einer Kanonenkugel
den Rest zu geben. Und das geschieht dann auch.

All das wirkt sehr beziehungsreich, symbolisch und nach vielen
Seiten ausdeutbar. Aber eins bleibt unumstößlich: Nach 1945 gibt
es für Müller keine Germania mehr. Die ist endgültig im Führerbunker in tausend Fetzen zerschossen worden. Das wirkt einerseits
sehr pessimistisch, da mit diesem Vorgang das Ende der deutschen
Nation besiegelt wurde. Doch andererseits ist gerade durch diesen
„Tod in Berlin" der Kreislauf des ewig Deutschen an einer Stelle
durchbrochen und damit Platz für Neues geschaffen worden. Die
wiederauferstandene rote Rosa, die an die Stelle der Germania tritt,
ist zwar nur eine Illusion des alten, sterbenden Hilse, aber sie ist
zugleich ein wirklicher Mensch und nicht nur eine Geistererschei-
nung oder eine Allegorie. Während Brecht nach 1945 im Hinblick
auf die DDR von einer syphilitischen, aber schwangeren Hure gesprochen hatte, handelt es sich hierbei zwar auch um eine schwangere Hure, die aber nicht mehr syphilitisch ist und sich zudem
einem jungen Arbeiter angeschlossen hat. Und das sind – im Vergleich zu Brecht – immerhin Fortschritte.

Obwohl sich Müller über die Wirkungsmöglichkeiten des zeitgenössischen Theaters manchmal recht pessimistisch geäußert hat,[24]
entpuppt sich damit seine *Germania* letztlich doch als ein
„Instrument des Fortschritts", wie er 1970 in seinen *Sechs Punkten
zur Oper* die Funktion des Theaters umschrieben hat.[25] Selbst in
diesem Stück handelt es sich um „Anachronismen", die auf eine
„Zukunft orientiert" sind, um noch einmal aus dem Gespräch *Geschichte und Drama* zu zitieren.[26] Und damit werden der Verzweiflung, die in manchen Szenen der *Germania* zum Durchbruch
kommt, immer wieder antizipierende oder zumindest humanisie-
rende Elemente entgegengestellt. Zwar steht auch in diesem Drama
die Gegenwart der DDR noch weitgehend im Zeichen der Vergangenheit, jedoch bleibt stets eine marxistische Zielvorstellung erhalten. Bei allem Fasziniertsein mit der barbarischen Vorgeschichte
dieses Landes und den dramaturgischen Möglichkeiten, die in solchen Horrorelementen stecken, siegt hier letztlich – trotz Artaud,
trotz mancher Weltuntergangsstimmung, trotz gewisser Schocker-
züge – doch die Vernunft und nicht das Nichts. So gesehen, ist
Müllers *Germania* eine „Unvollendete Geschichte" im doppelten
Sinne des Wortes, die zwar in vielen Einzelheiten höchst deprimie-
rend stimmt, bei der man sich jedoch ideologisch in einer besseren

Zukunft „aufgehoben" fühlt. Und in einer solchen Zukunft wird sich hoffentlich auch das „Leiden an Deutschland" endlich erübrigen. Welche „Neuen Leiden" sich dann einstellen werden, läßt sich heute noch nicht absehen. Mit ihnen wird man sich auseinandersetzen müssen, wenn sie anfangen, uns wirklich zu bedrücken. Schaffen wir bis dahin erst einmal die „Alten Leiden" ab.[27]

Cement in Berkeley
(1981)

Helen Fehervary

April 1978. Kalifornien erschien mir fremd und einer anderen Welt zugehörig, als ich dort eintraf, um an der Universität in Berkeley einen Kurs über DDR-Dramen abzuhalten. Doch die Studenten waren neugierig und fanden die behandelten Fragen interessant und diskussionswürdig – von der Funktion der neuen Straße in *Katzgraben* bis zu den um Tod und Weltveränderung kreisenden Abstraktionen in *Mauser*. Ein lang gehegter Traum schien sich endlich zu erfüllen! Wir erforschten die Anfänge des dialektischen Dramas, rekonstruierten die Debatte zwischen Brecht und Wolf, gingen der *Faust*-Legende von den Bauernkriegen bis zu Heiner Müller nach und debattierten über Probleme der Technologie in ihrer Beziehung zu neuen Formen volkstümlicher Kultur. Konzepte wie Realismus und Sozialismus tauchten in allen Seminarsitzungen, Sprechstunden und bei jeder persönlichen Begegnung auf der Straße auf. Brecht und der kritische Marxismus schienen wirklich lebendig zu werden. Und so begrub ich meine Zweifel an der akademischen Relevanz solcher Probleme und gab mich voll und ganz dem Vergnügen an Theorie und Dialektik hin.

Soweit die Theorie. Doch dann kam Sue-Ellen Case, eine Studentin aus dem Drama-Department, die selbst Stücke schrieb und als Regisseurin arbeitete, und erklärte, sich an eine abendfüllende Aufführung von Müllers *Zement* heranwagen zu wollen. Natürlich, dachte ich, war das nicht logischerweise der nächste Schritt? Aber dann sah ich mich auf der Sproul Plaza um, wo in den sechziger Jahren die großen Versammlungen stattgefunden hatten – und wo heute die Studenten in der Sonne sitzen, die Hunde aus den Wasserbecken trinken und abgeschlaffte Hippies den Touristen für ein paar Cents etwas vorklimpern. Sproul Plaza. Seit der Mitte der siebziger Jahre nur noch eine museale Denkwürdigkeit, wo die Politik zur Show verkommt. Ab und zu sprechen hier Angela Davis

für die CP und Jane Fonda für Tom Hayden. Ich dachte auch an
jene vom Marxismus beeinflußten Professoren, die sich in altmodi-
schen Cafés zum Lunch treffen und ansonsten auf den Hügeln
oberhalb Berkeleys ein geruhsames Leben führen. Ich dachte an
den People's Park, wo sich heute nur noch ein paar Sonnenanbeter
herumtreiben. Ich dachte an die San Francisco Mime Troupe und
einige zusammengerollte Plakate von alten Brecht-Aufführungen
im Epic West Theater, das Bankrott anmelden mußte. – Doch zurück zur Aufführung von Müllers *Zement*. Skeptisch werdend,
überlegte ich mir: Was in aller Welt hat dieser Ort mit der Herstel-
lung von Zement zu tun?

Juni 1978. Heiner Müller, unterwegs von Mexiko nach Holland,
machte in San Francisco eine Zwischenlandung, um mit uns über
die *Zement*-Aufführung zu sprechen. Wir diskutierten fast zwölf
Stunden lang über Shakespeare, Kommunismus, Frauenfragen, Politik und Theatergeschichte. Dann ging er – und wir waren wieder
mit dem Stück allein, das wir aufführen wollten. Als wir den Text
herumschickten, bekamen wir zum Teil höchst verärgerte Antworten: „Dieser Jargon! Diese Verse! Müssen denn die Deutschen
ewig und ewig reden?" – „Ich hasse den sozialistischen Realismus.
Die Kommunisten mögen ja gute Politiker sein, aber von Theater
und Kunst verstehen sie wirklich gar nichts." – „Bei Brecht gab es
wenigstens Handlung auf der Bühne – und auch etwas Humor.
Doch an *einem* Brecht haben wir genug. Von diesen Agitprop-
Imitatoren, die uns dauernd erzählen, was wir tun sollen, gab es in
den sechziger Jahren wahrlich genug." – „Was macht es schon, daß
dieser Heine Muller im deutschen Theater seit Brecht die dollste
Nummer ist – oder gar der deutsche Beckett. Ein amerikanisches
Publikum ist für eine solche Mischung aus Realismus und Modernismus oder die Kritik von einer Art Marxismus an einer anderen
nicht zu interessieren. Das ist doch alles graue Theorie." – „Die
Deutschen können sich ein so hochgespanntes intellektuelles Theater
vielleicht leisten, da ihre Bühnen vom Staat subventioniert werden.
Diese Aufführungen, von denen ich in *Theater heute* Abbildungen
gesehen habe, müssen eine schöne Stange Geld kosten. Wir bekommen hier nur minimale Unterstützungen. Unsere Theater leben von
der Abendkasse oder von den Subskribenten aus den reicheren
Vororten. Und diese Leute wollen etwas Handlung auf der Bühne
sehen. Sie interessieren sich für psychologische Konflikte, mit denen sie auch in ihrem eigenen Leben konfrontiert werden. Was

kümmern sie die Oktoberrevolution oder gar die Aufbauprobleme
einer Fabrik? Und sind *sie* nicht das Publikum? Wird das Theater
nicht in erster Linie für diese Leute gemacht?" Damit hatten sie in
manchen Punkten sicher recht. Wir entschieden uns, das Ganze
dennoch zu wagen und die allgemein-menschlichen Konflikte in
den Vordergrund zu rücken.

Herbst und Winter 1978. Die Berkeley Stage Co. ist eins der
zwei regulären Theater in Berkeley. Es ist ein kleines Haus mit 99
Sitzen, das sich in einer renovierten Lagerhalle in jenem Teil der
Stadt befindet, wo die Schwarzen und die Chicanos wohnen. Wie
die meisten kleinen amerikanischen Theater ist es arm, wird nur ge-
ringfügig finanziell subventioniert und stützt sich auf ein Grüpp-
chen von Idealisten, von denen die meisten anderweitig berufstätig
sind und für ihre Theaterarbeit keinen blanken Heller bekommen.
Doch aufgrund dieser finanziellen Unabhängigkeit und des aufop-
ferungsbereiten Einsatzes seiner beiden Leiter, Angela Paton und
Robert Goldsby, hat dieses Theater in der Bay Area einige der besten avantgardistischen und politischen Aufführungen der letzten
Jahre herausbringen können. Berkeley Stage Co. erklärte sich bereit,
im März und April 1979 sechs Wochen lang *Cement* in seinem
Theater spielen zu lassen. Die Ankündigung lautete folgendermaßen:
„Berkeley Stage Co. presents the American Premiere of *Cement*, a
powerfully uncompromising new work about the harsh reality of revolution, written by East Germany's leading playwright Heiner
Müller. Originally commissioned for production by the Berliner
Ensemble, *Cement* uses a theatrical amalgam of realistic and non-
realistic conventions to detail the subtle struggles Russian revolu-
tionaries still had to fight even after the battles of 1917 were won."
Auf dieser Ankündigung, wie später auf dem Programm, wurde
das C in *Cement* im unteren Teil symbolisch mit Hammer und Si-
chel versehen. Die allgemein-menschlichen Probleme wurden somit, wie in der späteren Aufführung, doch untrennbar mit dem politischen Kampf verbunden und damit der Geist des Stücks letztlich
bewahrt.

Aber wie würde es dem Text ergehen? Schließlich kannten sich
die Schauspieler fast nur in der Stanislawski-Methode aus. Die
Übersetzung, die Marc Silberman und ich erarbeitet hatten, war eine ziemlich wörtliche Prosaübersetzung, die sich unter den gegebenen Umständen als unbrauchbar erwies. Sue-Ellen Case und ich
verbrachten Wochen damit, dem Ganzen eine neue, dem Amerika-

nischen angepaßte Form zu geben – und zugleich gewisse Abschnitte in Blankverse umzuschmelzen. Die neue Übersetzung bewegte sich sprachlich auf zwei Ebenen: der des Realismus und der der Abstraktion. Den historischen Abschnitten versuchten wir durch idiomatische Wendungen eine stärkere Bühnenrealität zu geben, für die stilisierten Passagen benutzten wir Verse mit bildlichen Abstraktionen und Staccato-Rhythmen. Während der ersten Proben wurden die Schauspieler aufgefordert, aus Shakespeare-Tragödien oder anderen Versdramen zu rezitieren. Da die meisten jung waren (denn wo findet man schon mit klassischen Texten vertraute Schauspieler, die umsonst spielen?), hatten sie immense Schwierigkeiten mit einem Stil, der sich bei aller Klassizität zugleich der Sprache des Marxismus-Leninismus bedient.

Februar-März 1979. Unter diesen Umständen konnte es nicht wundernehmen, daß die Hauptimpulse von der Regisseurin ausgingen. Sue-Ellen Case hatte von Anfang an eine Aufführung im Auge, die sich möglichst eng an die Tradition des epischen Theaters anschließen sollte: also an Brecht, Piscator, den Expressionismus und Proletkult. Da für die Proben nur sechs Wochen zur Verfügung standen, war die Zeit für gründliche Diskussionen des Textes und eine wirkliche Ensembleleistung zu knapp. Es war schwer genug, überhaupt mit Müllers spezifischer Form des Theaters zu Rande zu kommen, geschweige denn mit einer einheitlichen Interpretation aller im Stück aufgeworfenen Fragen. Obwohl die Gruppe während der ersten Probenwochen auch gewisse Texte der Russischen Revolution las, Bilder von Piscator-Inszenierungen und aus dem Hoffmannschen *Arbeitertheater* sah sowie einige Vorträge über bestimmte Themen hörte, bestand die Hauptarbeit in der Findung eines neuen *Stils* für dieses Stück. Das führte zu ständigen Vergleichen und Konfrontationen mit den Leitwerten des amerikanischen Theaters: der naturalistischen Präsentation, der psychologischen Motivation und der persönlichen Identifikation mit einzelnen Charakteren. Die allmähliche Infragestellung all dieser Konzepte, die hier sowohl im Theater als auch im Leben als „natürlich" gelten, wurde zum eigentlichen politischen Lernprozeß. Andere Fragen, wie die nach Ideologie und Geschichte, blieben vorerst noch aus.

Die Regie beruhte vornehmlich auf geometrischen Prinzipien. Die Dialoge wurden mit einem Minimum an Gesten gesprochen – wodurch manche der Szenen fast den Eindruck von Plakaten erweckten. Um das statische Prinzip innerhalb der einzelnen Dialoge

noch zu verstärken, wurden gewisse Zeilen von John Swackham-
mer mit atonaler, an Hanns Eisler erinnernder Musik unterlegt,
wobei allerdings die jeweiligen Schauspieler nicht wie bei Brecht
aus ihrer Rolle heraustraten, sondern lediglich ihre Kopfstellung
und ihre Stimmlage änderten. Damit sollte jeder gefühlsmäßige Cre-
scendo-Effekt vermieden werden. Das Ergebnis wurde als ein
Schritt über Brecht hinaus empfunden. Die kahle Bühne des Proszeniumtheaters, von Ron Pratt und Gene Angell entworfen, wies
nur drei Fabrikfenster auf. Requisiten gab es kaum. Im Gegensatz
zur erhöhten Bühne des Proszeniumtheaters spielte sich alles zu
ebener Erde ab. Dort, wo die Bühne aufhörte, begann die erste Zu-
schauerreihe. Da die Handlung weitgehend vor einer nackten Ze-
mentwand stattfand, entstand oft der Eindruck eines Frescos. Im
Gegensatz zur Palitzsch-Inszenierung in Frankfurt, bei der kom-
plizierte konstruktivistische Gebilde den Eindruck einer Fabrik
erwecken sollten, verfuhr man in Berkeley höchst sparsam, fast im
Sinne des älteren Proletkults. Schließlich war das Theater selbst eine alte Lagerhalle. Die blaugrauen Farbtöne und die Uniformität
der Kostüme, nach Bildern des deutschen Arbeitertheaters entworfen, paßten genau zur kargen, statischen Form der Bühne. Die
geometrischen Lichtkegel, an expressionistische Inszenierungen
gemahnend, taten ein übriges, das Konzept „Zement" zu verstärken.

   Die Aufführung als Ganzes beruhte auf einem Wechsel psy-
chologischer Konfliktszenen und episierter historischer Ereignisse.
Die verschiedenen Auftritte variierten auf diese Weise das grundsätzlich Graue und Statische der Gesamtauffassung. So wurden die
intimen Szenen zwischen Dascha und Tschumalow langsamer und
im Sinne des psychologischen Realismus gespielt; die Volksszenen
grenzten an Shakespearesche Komik; die Szenen in der Fabrik
wechselten zwischen schneller Handlung und statischer Erstar-
rung. Die drei mythologischen Passagen wurden nicht als bloße
Kommentare rezitiert, sondern höchst theatralisch vorgeführt. In der
Achilles-Szene traten Puppen auf, in der Hydra-Szene herrschte eine
Mischung von individueller und chorischer Rezitation in abstrakter
Choreographie, wobei die Schauspieler ihre Arbeiterkleidung und ihre Gewehre ablegten und sich mit den Attributen der Bourgeoisie –
also Zylindern, Perlenketten, Schlipsen usw. – ausstaffierten. So gesehen, wirkte das Ganze durchaus „perfekt". Wegen der Kleinheit
des Hauses und der mangelnden Distanz zwischen Publikum und

Bühne erwies sich jedoch diese Stilisierung, die an sich Distanz und kritische Reflexion voraussetzt, als ein Problem. Die theatralische „Ballung" überwältigte nicht nur die Schauspieler, sondern auch das Publikum. Aber auch das hatte positive Aspekte, da somit jeder – geradezu am eigenen Leibe – neue Formen der Aufnahme und der Kommunikation lernte.

Als der Premierenabend näherrückte, hatte das Ganze durchaus einen einheitlichen Charakter. Aber Freunde, die zu den letzten Proben kamen, erzählten uns, daß dadurch der Erzählcharakter, die „Fabel", zu verschwinden drohe. Während in der Ostberliner Inszenierung sich gerade die Infragestellung der Fabel und des Historischen als kreatives Element erwiesen hatte, wurden in der Berkeley-Aufführung die dialektischen Widersprüche zu stark abgeschwächt. Für kurze Zeit erwogen wir Projektionen mit historischen Fakten oder erzählenden Kommentaren, um diesem Mangel abzuhelfen; aber sie wurden – als von außen herangetragen – wieder verworfen. Schließlich enthält bereits das Stück eine Überfülle an Neuem und Unbekanntem. Aus diesem Grunde waren die intimen (psychologischen) Szenen zwischen Dascha und Tschumalow die einzigen, denen die Zuschauer voll und ganz zu folgen vermochten. Im Hinblick auf die anderen Szenen bestand unsere einzige Hoffnung darin, dem Publikum seinen Respekt vor einer bloß linearen Dialog- und Fabelführung auszutreiben, es also daran zu hindern, sich mit einer Gestalt oder einem Konzept gegen alle übrigen zu identifizieren – kurz: das Vorgeführte weiterhin eindimensional zu sehen.

März-April 1979. Das Stück lief sechs Wochen lang und war fast jeden Abend ausverkauft. Dem Ganzen war eine wirksame Reklame vorausgegangen, und Zeitungen wie der *Examiner* sowie die *San Francisco Chronicle* hatten lange Interviews mit Heiner Müller gebracht, der noch einmal zur Premiere gekommen war. Auch die Namen der Hauptdarsteller trugen zum Erfolg des Ganzen bei. Angela Paton (Dascha) ist eine der bekanntesten Schauspielerinnen der gesamten Gegend. John Vickery (Iwagin) gilt als einer der meistversprechenden Schauspieler in Berkeley. Robert MacDougall (Tschumalow) bekam ebenso hervorragende Besprechungen wie José Carrillo (Badjin). Überhaupt lobten die meisten Kritiker die Aufführung. Die *Chronicle* nannte das Ganze „engagingly presented and ingeniously staged", der *Examiner* bezeichnete es als „ambitious, brave and, for the most part, excellent". Auch die

Aufnahme beim Publikum während der ersten beiden Wochen war
einhellig positiv; und die enthusiastische Diskussion mit Müller
nach der Premiere gab den Schauspielern das Gefühl, daß sich das
Ganze gelohnt habe.

Aber danach blieben die Intellektuellen, die Linken, die an
Avantgarde Interessierten allmählich weg. Jetzt kamen die bürgerlichen Theaterbesucher aus den bessergestellten Vorstädten – und
von denen fuhr ein Drittel nach dem ersten Teil nach Hause. Während sie das Theater verließen, beschwerten sie sich über die
Handlungsarmut und den Wortreichtum sowie die Länge des Ganzen. Einem Stück wie diesem aufmerksam zu folgen, hieß es, erfor-
dere einfach zuviel Mühe. Außerdem schliefen von der dritten Wo-
che an fast jeden Abend zwei oder drei Zuschauer ein. In einem
kleinen Theater, wo man jedes noch so leise Kichern oder Schnar-
chen sofort hört, wirkt sich das auf das Publikum und die Schauspieler selbstverständlich demoralisierend aus. Einige Schauspieler
griffen daher auf alte Bühnentricks zurück, um die Aufführung
etwas zu „beleben" – und zerstörten damit die ästhetische und politische Einheit des Regiekonzepts. Daraus ergaben sich viele Auseinandersetzungen und auch ein Verlust an Selbstbewußtsein innerhalb der Gruppe. Je heftiger die Regisseurin den Stil und die
Ideologie des Stückes verteidigte, desto schärfer wurde ihr entge-
gengehalten: „Wie kann das eine gute Politik sein, wenn die Leute
nach Hause gehen!" In der Unmittelbarkeit der Situation gab es
darauf natürlich keine Antwort. In den letzten beiden Wochen
wurde die Gruppe schließlich müde, gab ihren Kampf auf und hielt
tapfer bis zum bitteren Ende durch. Die Argumente und die Ner-
ven hatten sich einfach verbraucht. Ein Kritiker schrieb treffend:
Cement verlief sich im Sande.

Das Nachspiel. Heiner Müller sagte einmal in Berkeley öffentlich, daß sich Kalifornien jenseits der Geschichte befinde. In einem
Zeitungsinterview behauptete er dagegen: „I like the way the American actors are dealing with the material. They have no idological
approach. It was done in Frankfurt by dedicated leftist actors who
concentrated on transporting The Message; hence, there was no
message, since the audience saw only the vehicles of transport. I
much prefer the American way." Die Aufführung des Berliner Ensembles erschien ihm ästhetisch, intellektuell und politisch durchaus perfekt – und daher langweiliger. Die Inszenierung in Berkeley
habe auf das Publikum einen wesentlich stärkeren Eindruck ge-

macht. Kurz darauf sagte er bei einem Treffen der Internationalen Brecht-Gesellschaft in Maryland: „Die Blindheit von Kafkas Erfahrung ist der Ausweis ihrer Authentizität. Brecht ist ein Autor ohne Gegenwart."

Es ist hier nicht der Ort, über die ungelösten theoretischen Widersprüche im Stück selbst, in der Aufführung oder in der gegenwärtigen Theatersituation schlechthin zu spekulieren. Dennoch war mir die Aufführung in Berkeley ein Anlaß, mich grundsätzlich mit dem Problem der „Wirkung" auseinanderzusetzen. An den Absichten Piscators oder Brechts gemessen, hatte die Aufführung in Berkeley keinen nachweisbaren politischen Effekt. Sie war bestenfalls eine Konfrontation, schlimmstenfalls ein gesellschaftliches Ereignis. Statt zu einem kollektiven Bewußtsein beizutragen, setzte sich auch in ihr wieder einmal das Individuelle durch: zum einen im Anpassungsprozeß an die pragmatischen Aspekte der gegebenen Situation, zum anderen in der Aufführungspraxis, wo sich die Schauspieler einem Publikum gegenüber sahen, das zwar irritiert, aber nicht wirklich aggressiv reagierte – wodurch ein durchgreifender Solidarisierungsprozeß auf der Bühne ausblieb. Im Gegensatz zum herkömmlichen Tendenztheater, das eine Fülle von Problemen anschneidet und dann mit einer bestimmten Lösung aufwartet, die auch vom Publikum angenommen wird, begann unsere Inszenierung mit einem recht einheitlichen theoretischen Konzept und nahm dann immer komplexere Formen an. Es wurden mehr und mehr Fragen gestellt, aber die Antworten blieben – im Publikum und auf der Bühne – meist rein individuelle. Dieser Prozeß der Aufsplitterung und Individualisierung war wohl bei der Fülle der angeschnittenen Probleme – ob nun ästhetischer, politischer oder philosophischer Natur – kaum zu vermeiden. Schließlich ist jedes Individuum nur fähig, sich mit jenen Aspekten auseinanderzusetzen, die es am stärksten selbst betreffen. Daher waren die Reaktionen der Schauspieler und der Zuschauer oft recht verschiedene und widersprüchliche. Aus diesen Erwägungen möchte ich folgende – vorläufige – Folgerungen ziehen:

1) Für die Schauspieler war das Hauptproblem, wie gesagt, der Stil des Ganzen. Die Frage des Kommunismus, die anfänglich manche verschreckte, erwies sich bei der Probenarbeit als unproblematisch. Für viele Schauspieler ist ein Stück in erster Linie ein Stück, eine Revolution ein Plot und ein Kommunist eine Rolle. Als jedoch ihre eigene „Existenzweise" im Theater sowie herkömmliche Arten

des Spielens und Sprechens in Frage gestellt wurden, kam es zu
scharfen Reaktionen von seiten der Schauspieler. Dadurch wurde
ein zuerst als unpolitisch empfundener Prozeß zu einem politischen, der sozusagen an den eigenen Leib ging und zugleich die bestehende Hierarchie im Theater einer Prüfung unterwarf.

2) Die Publikumsreaktion (von einigen Intellektuellen einmal
abgesehen, welche die Widersprüchlichkeiten und Stilbrüche durchaus begrüßten) war dagegen völlig anders. Für die meisten waren in
diesem Stück nur folgende Dinge von Interesse: die totalitäre Seite
jeder Revolution, die sexuelle Befreiung der Ehefrau, die drohende
„Kastration" des Ehemannes sowie die Metapher der Fabrikarbeit,
welche für sie allerdings jenseits des „wirklichen" Lebens zu liegen
schien. Falls ihnen jedoch eins dieser Themen – im Rahmen der be-
absichtigten Abendunterhaltung – zu sehr an die Nieren ging, verließen sie entweder während der Pause das Theater oder prote-
stierten passiv, indem sie abschalteten oder gar einschliefen. Die
frustrierende Stille der offenkundige Feindseligkeit auf seiten des
Publikums bestärkte mich in der Meinung, daß wirklich politische
Stücke nicht unbedingt für eine spezifische Gegenwartssituation
zurechtgeschnitten werden müssen, um effektiv zu sein – wie man
im Hinblick auf die Brechtschen Stücke oft behauptet hat. Obwohl
die *Cement*-Aufführung in Berkeley auf einer recht „neutralen"
Interpretation der historischen Fakten beruhte, ja diese noch reduzierte, statt sie theatralisch aufzuputzen, war sie immer noch explo-
siv genug. Mögen auch im herkömmlichen Theater der BRD und
DDR die in diesem Stück aufgeworfenen Fragen oft korrumpiert
oder ins Modische verflüchtig werden – in den USA sind sie nie radikal genug gestellt worden. So gesehen, hat diese Aufführung meinen Glauben an den „altgewohnten" Brecht und die „altgewohnte"
Tradition des politischen Theaters bekräftigt. Der dialektische Mate-
rialismus und das dialektische Theater sind noch längst kein alter
Hut.

3) Das, was dem Ensemble und dem Publikum sofort unter die
Haut ging, war die sexuelle Frage. Fast jeden Abend erwiesen sich
die aufwühlenden Schlafzimmerszenen zwischen Dascha und
Tschumalow als die Höhepunkte des Ganzen. Hier war die Spannung im Raum geradezu hörbar. (Manche sagten sogar, diese beiden Szenen wären für sie bereits genug gewesen. Den Rest hätte
man sich schenken können.) Der starke Eindruck, der von diesen
Szenen ausging, beruhte nicht unbedingt auf dem Text oder der

Regie. Er ging von den Schauspielern aus, deren Betroffenheit in diesem Punkte deutlich zutage trat. Hier durchbrach das Inhaltliche massiv den sorgfältig eingeübten „Stil". Angela Paton als Dascha zum Beispiel bemühte sich Abend für Abend, ihre anklägerische Feindseligkeit gegen Tschumalow in eine beherrschte, selbstgewisse Wut zu verwandeln. Dabei machte ihre Stimme manchmal erregende Sprünge von den schrillen Tönen einer hysterisch gewordenen Ehefrau zu der tieferen, sonoren Stimmlage einer unabhängig gewordenen Frau. Hier konnte man in den sechs Wochen wirklich von der „Verwandlung" einer Schauspielerin und einer Rolle sprechen. Auf ähnliche Weise änderte sich Tschumalow aus einem Schauspieler, der sich mit einem geharnischten homerischen Helden identifizierte, in jemandem, der die Brüchigkeit seiner bisherigen Haltung durchschaut und seiner Rolle eine neue Würde verleiht, indem er – wie der Tschumalow des Stückes – zum politischen Funktionär wird, um das „Spiel" zu überleben.

Das Stück als Ganzes beruht letztlich auf einem männlichen Ehrenkodex – ob nun im revolutionären Prozeß, dem Bau der Fabrik, der Tötung von Freunden und Feinden oder der Verleugnung des Kommunismus zugunsten einer bürokratischen Struktur zur Rettung des Staates. Dieser Kodex verstrickte sowohl die Regisseurin als auch die Schauspielerinnen in unleugbare Widersprüche – nicht nur auf ideologischer, sondern auch auf menschlicher Ebene, da nun einmal die Bühne ständig mit Massen von Männern bevölkert war. (In den Fabrikszenen hing im Hintergrund ein großes Schwarz-Weiß-Foto von Lenin. Aber auch in den anderen Szenen verfolgten seine intelligenten, listigen Augen den Gang der Handlung.) Daher tauchten auf allen Ebenen – im Umgang mit dem Text, in der Institution „Theater" wie auch auf der Bühne des Lebens – unentwegt Fragen der Autorität, der Hierarchie und des Besitzens auf, mit denen man sich auseinandersetzen mußte. Und ich bezweifle, ob dieser Prozeß nach den Proben oder auch nach der letzten Aufführung aufhörte. In diesem Sinne war „Geschichte" (auch in Kalifornien) keine abstrakte Idee mehr. Was mich selbst betrifft, so lernte ich aus dieser Erfahrung – als Lehrerin, als Kritikerin wie auch als zeitweilige Dramaturgin –, wie stark ich selbst in den Prozeß der akademischen Inbesitznahme von Ideen verstrickt bin. Wie schwer und widersprüchlich jene Prozesse sind, die sich aus der Konfrontation des Ideellen mit dem Praktischen ergeben, erfuhr ich erst in jener Situation, wo Drama zum Theater und

Theater zur konkreten Geschichte wurde. Aufgrund dieser Erfahrung fällt es mir heute nicht mehr so leicht, einfach mit Hölderlin
zu fragen: „Leben die Bücher bald?"

Aus dem Amerikanischen von Jost Hermand

Regisseure unter sich

Ein Gespräch über Müllers *Lohndrücker*
(1989)

Jost Hermand

A: Intendant eines mittleren DDR-Theaters, Ende Sechzig, bemüht, sich trotz preußischer Haltung bewußt „locker" zu geben, häufig ins Dozierende verfallend.

B: Gastspielleiter aus dem Sächsischen, Anfang Dreißig, Jeans-
Jacke, anfangs gelangweilt, später freundlich-hartnäckig.

Ort: Am Rande eines DDR-Theatertreffens zu Ehren der Berliner
Siebenhundertfünfzigjahrfeiern.

Zeit: April 1987.

A: Wie wichtig die Jahre 1956/57 für uns waren, können Sie sich
heute gar nicht mehr vorstellen. Besonders für uns Berliner Thea-
terleute. Während es bis dato nur die Klassiker und einige Exil-
dramatiker wie Brecht gegeben hatte, traten plötzlich ganz neue
Talente auf den Plan, erst Peter Hacks und dann Heiner Müller.
Vor allem der Mai 1957 wird für mich immer eine „Sternstunde"
unserer Theatergeschichte bleiben – um mal ein „großes Wort"
zu gebrauchen. In ihm erschien nämlich in der „Neuen deutschen
Literatur" Müllers „Lohndrücker", das heißt das erste Stück der
DDR-Dramatik, das wirklich zählt. Hier wurde plötzlich alles
plastisch, sage ich Ihnen, was vorher lediglich These, Transparent
oder Sprechblase war. Hier sahen wir unsere Arbeiter zum er-
stenmal aus den Randzonen ihrer gesellschaftlichen Existenz her-
austreten und literarische Gestalt annehmen. Hier gab es keine
„Masse Mensch" mehr wie bei Toller oder irgendwelche „Blau-
figuren" wie bei Kaiser, sondern echte Werktätige.

B: Was Sie nicht sagen!

A: Aber ehrlich. Ich weiß, inzwischen ist viel Wasser die Spree
hinuntergeflossen. Aber damals hat uns das alle stark bewegt:

endlich Arbeiter, endlich ein richtiges Fabrikmilieu, endlich un-
geschminkte Basis-Konflikte. Und das alles vor dem „Bitterfelder Weg". Einfach so.

B: Ein solcher Voluntarismus hat mir als Haltung immer gefallen.

A: Aber lassen Sie mich doch erst einmal erzählen. Jedenfalls war
ich so begeistert, daß ich das Ganze sofort in Szene setzen wollte. Und zwar richtig „naturalistisch": mit viel Krach und Ma-
schinengeräusch, mit Bergen von Dreck, Schamott und Backsteinen auf der Bühne. Doch als ich näher hinsah, war davon im
Text relativ wenig zu finden. Letztlich ist dieses Drama ein Ge-
sprächs- oder Thesenstück, bei dem es genügte, einen einzelnen
Backstein auf die leere Bühne zu legen und darüber zu diskutieren. Doch solche Spielweisen gab es damals natürlich noch
nicht. Es gab zwar Brecht, ja. Aber die Mehrheit der anderen
machte noch immer in „klassischer Realität", das heißt spielte
Staatstheater mit Windmaschinen, garantierter Milieuechtheit
und Sauerkrautgeruch.

B: Gut daß es das heute nicht mehr gibt!

A: Wie recht Sie haben. Doch dann kamen die ersten Proben. Ich
war damals innerlich und äußerlich noch gewaltig stramm – und
konnte mir deshalb einiges leisten. Eins war mir gleich klar: ein
solches Stück ließ sich nur als Konflikt zwischen Sein und Bewußtsein inszenieren, das heißt aus seiner innersten, autochtho-
nen Dialektik heraus. Die Parteileute, also die Vertreter des höheren Bewußtseins, sollten als Einzelne auf der linken Seite der
Bühne stehen – allen voran der Parteisekretär Schorn, der sich
unter Hitler als Saboteur betätigt hatte, aber auch der Direktor
und der Gewerkschaftler Schurek. Diesen Teil der Bühne wollte
ich voll ausleuchten lassen, um schon durch die Klarheit der
Konturen herauszustreichen, daß dies die Männer der Leitung,
der Aufklärung sind, die begriffen haben, worum es geht, die
„im Lichte stehen" usw. Und zwar nannte ich diese Männer
Bewußtseins- oder B-Figuren. Ihren Bewegungen versuchte ich
irgendwelche kybernetischen Gesetzmäßigkeiten zu unterlegen.
Oder kamen solche Konzepte erst später? Doch sei's drum.
Diese Figuren sollten den einen Pol der Dialektik bilden, also die
Männer des Anfangs sein, welche die Wandlung vom Faschis-
mus zum Sozialismus einzuleiten und als erste vorbildlich in die
Tat umzusetzen suchen.

B: Also wie im Legenden- oder Mysterientheater?

A: Was sollen denn solche Zynismen? Hören Sie doch erst einmal zu. Alles hat seinen Ort und seine Zeit, auch im Theater. Auf der anderen Seite, auf dem rechten Spielfeld, sollten die Arbeiter stehen, und zwar ohne viel Beleuchtung, das heißt als dunkle, schattenhafte Wesen, um so ihre Rückständigkeit, ihr Verhaftetsein im Faschismus zu akzentuieren. Sie, von denen man heroische Aufbauleistungen verlangt, die sie als diktatorisch und damit unzumutbar ablehnen, nannte ich die Männer des gesellschaftlichen Seins oder S-Figuren. An ihnen wollte ich zeigen, wie schwer es für solche Menschen ist, neben den Basis-Prozessen auch die Überbau-Prozesse im Auge zu behalten. Und das war ja auch nicht leicht für sie. Vor allem in einer großen Fabrik, wo weitgehend die gleiche Misere weiterbestand: der gleiche kaputte Maschinenpark, die gleiche miese Ernährung, die gleiche kümmerliche Entlohnung. Und dazu noch eine „Partei", die all diesen Ungebildeten als logische Fortsetzung jener Nationalsozialistischen Arbeiterpartei erscheinen mußte, mit der sie vor 1945 sympathisiert hatten und von der sie sich jetzt betrogen fühlten. Welch eine Situation! Kein Wunder also, daß diese S-Figuren auf jeden, der ihnen erneut mit Parolen wie „Gemeinnutz geht vor Eigennutz" oder anderen hochtrabenden Phrasen entgegentrat und zugleich Normerhöhungen von ihnen verlangte, äußerst allergisch reagierten. Ich wäre auch sauer gewesen, wenn ich in ihren Schuhen gesteckt hätte. Während viele unserer Kleinbauern und Umsiedler die Forderungen des Sozialismus relativ schnell begriffen, weil sie in kleinen, überschaubaren Verhältnissen lebten, wo Phänomene wie Teilhabe oder Mitbestimmung etwas ganz Konkretes hatten (weshalb die besten unserer Aufbaustücke aus diesen Jahren sogenannte Agro-Dramen wie Müllers „Die Umsiedlerin" sind), konnten die Arbeitermassen in einer Riesenfabrik, wo sie sich weiterhin als Objekte sie übergreifender anonymer Mechanismen fühlten, keineswegs von einem Tag auf den anderen verstehen, daß ihnen alle Fabrikhallen und Maschinen plötzlich selber gehörten. Diese Geschke, Zehm und Küstriner, wie sie im „Lohndrücker" heißen, können daher nur aufmotzen und krakeelen, aber nicht kapieren, was wirklich vor sich geht. Den gleichen Widerspruch hat übrigens Braun später in seinen „Kippern" dargestellt.

B: Finde ich nicht. Ich glaube, da geht es um ganz andere Probleme.

A: Mag sein. Aber lassen Sie mich erst einmal mein Konzept zu
Ende entwickeln. Zwischen diesen beiden Gruppen sollte Balke,
der Aktivist, der Held des Ganzen agieren. Mit ihm wollte ich
jene Dialektik in Gang setzen, von der ich bereits sprach. Er
sollte der „Balken im Auge" sein, der den anderen den ideologischen Star sticht. Also ganz Brechtisch. Mit seiner über alle
Normen hinausgehenden Arbeit an dem gerissenen Ringofen
sollte er den anderen Arbeitern das Vorbild eines wahren Hennecke liefern, wie man solche Stachanow-Typen damals bei uns
nannte, das heißt ihnen vor Augen führen, daß das Malochen
für den Sozialismus etwas ganz anderes ist als das Malochen für
eins der früheren Ausbeutersysteme. Ja, nicht nur das. Er sollte
zugleich durch den Widerstand, auf den er bei den Arbeitern
stößt, den Funktionären klarmachen, wie weit das gesellschaftliche Sein, nämlich die Arbeiterschaft, hinter dem gesellschaftlichen Bewußtsein, nämlich der Partei, zurückgeblieben ist. Diesen Balke rein als Lohndrücker darzustellen, fand ich daher
etwas einseitig. Ich schlug Müller demzufolge Titel wie „Der
Balken im Auge" oder „Sein – Norm – Bewußtsein" vor, die mir
dialektischer erschienen. Doch die lehnte er ab. Selbst ein Titel
wie „Die Ringofenparabel", der so schön an den „Nathan" erinnert hätte, gefiel ihm nicht. Und vielleicht hatte er recht. Denn
Christentum, Mohammedanismus und Judentum, die sich weniger in der Idee als in der Praxis unterscheiden, sind letztlich
etwas anderes als Kapitalismus, Faschismus und Sozialismus,
die bereits in der Idee verschieden sind. Da wäre, wie er sagte,
eine ungute Parallele beschworen worden.
B: Und wie ging es nun weiter?
A: Ich weiß, es langweilt Sie, wenn ich ein wenig ins Epische aus-
schweife. Meine Freunde nennen das immer meinen „Schwall".
Doch wortkarge Menschen haben beim Theater eigentlich nichts
zu suchen. Finden Sie nicht auch?
B: Durchaus.
A: Also weiter im Text. Als die ersten Proben gelaufen waren, kam
es plötzlich zu Schwierigkeiten. Großer ideologischer Rahmen,
Wandlungstheater, dialektische Durchleuchtung, Synthese: all
das stieß zusehends auf Widerstand, und zwar weniger bei den
Traditionalisten, den ewigen Weimaranern, als bei den radikalen
Neophyten, die gerade ihren ersten ML-Kurs hinter sich hatten.
Jedenfalls entdeckten einige in diesem Stück nicht nur *einen*

Widerspruch, sondern *viele* Widersprüche, was die Generallinie
meiner Interpretation eher verwirrte als bereicherte. Da waren
erst einmal jene, welche das Urbild des Müllerschen Balke, den
inzwischen fast legendär gewordenen Maurer Hans Garbe, auf-
stöberten und uns plötzlich mit der Story konfrontierten, daß
dieser Mann bereits unterm Faschismus ein Aktivist gewesen
sei, daß man also bei der Interpretation dieses Stücks auch das
Psychologische, die seelische Disposition, den „subjektiven Faktor" mitberücksichtigen müsse, statt ewig nur auf dem Ideologischen herumzuhacken. Diese Leute fanden mein Seins- und
Bewußtseinsschema mit seinen deutlich markierten Hell-Dunkel-
Effekten plötzlich höchst problematisch, ja stellten sogar mein
Konzept der Parteilichkeit in Frage. Doch mit dieser Gruppe
konnte ich damals noch leicht fertig werden. Etwas schwieriger
gestaltete sich hingegen der Umgang mit jenen Überschlauen,
die zwar an mein System von Sein und Bewußtsein anknüpften,
aber es reichlich billig fanden, in Balke nur den perfekten Ka-
talysator einer möglichen Synthese von Theorie und Praxis zu
sehen. Sie entwickelten daher ein Modell, das auf dem Prinzip
des „Aufdotzens" beruhte, wie sie es nannten. Und zwar verstanden sie darunter einen Bewegungsverlauf, der seine Kraft
daraus gewinnt, daß er sich einem willenlosen Sog nach unten
anvertraut, um aus dem Aufprall auf dem tiefsten Grund die
Kraft zu einem neuen Aufstieg zu gewinnen. Unter Berufung
auf den Goethe-Text „Der Mensch muß wieder ruiniert werden" wollten sie das vor allem an der Figur des Karras durchexerzieren.

B: Hochinteressant. Was waren denn das für Leute?

A: Das weiß ich nicht mehr genau. Schließlich ist das alles schon
über dreißig Jahre her. Doch sei dem, wie es wolle. Auch gegen
die konnte ich mich durchsetzen. Wesentlich schwerer hatte ich
es dagegen mit Kritikern aus meinem eigenen Team, die den
Zuschauern überhaupt keine Möglichkeit zur Identifikation
einräumen wollten und von mir verlangten, daß ich beide Haltungen – nicht nur die widerspenstige der Arbeiter, sondern
auch die autoritär-präskribierende der Partei – als rückständig
anprangern sollte. Mit solchen Konzepten wären wir selbstverständlich in Teufels Küche gekommen. Doch bevor ich diese
gegensätzlichen Anschauungen in einer neuen Synthese „aufheben" konnte, entzog uns die Partei mit ihrem Bitterfelder Pro-

gramm ohnehin den ideologischen Boden – und wir brachen die
Proben einfach ab. Vielleicht war das ganz gut so. Wer weiß, ob
man mich damals überhaupt verstanden hätte. Heute bin ich ganz
froh, nicht mit dieser Inszenierung in die Annalen der Theatergeschichte eingegangen zu sein, sondern an diesem Stück lediglich
gelernt zu haben. Denn lernen kann man von Müller allemal –
wie ich finde. Wollen Sie nicht auch mal eins seiner Stücke inszenieren? Schließlich steht in fast zwei Jahren sein 60. Geburtstag
ins Haus.

B: Wenn ich boshaft wäre (was ich jedoch nicht bin), würde ich
jetzt sagen: darum sitze ich ja hier und höre Ihnen seit einer
Viertelstunde geduldig zu. Ich überlege mir nämlich seit Wochen, wie man ebendiesen „Lohndrücker", in dem ich noch immer eins seiner besten Stücke sehe, heutzutage in Szene setzen
könnte – und habe bereits mehrere Interpretationsansätze dazu
entwickelt.

A: Na, dann schießen Sie mal los. Wie wollen Sie denn das überhaupt in den Griff kriegen? Ist nicht gerade dieses Stück inzwischen verdammt historisch geworden? Die Nachkriegszeit, die
Arbeiterprobleme, der Aufbau des Sozialismus: das wirkt doch
heute wie von Anno dunnemals. Vor allem unseren jungen Menschen müßte diese Zeit erst einmal auf eine dokumentarische
Weise vermittelt werden – und das kann leicht danebengehen.
Schließlich bewegen diese Generation ganz andere Dinge: Rock,
Sinnlichkeit, subjektiver Faktor, Mythos, Postmoderne und was
weiß ich. Doch wem sage ich das? Das kennen Sie sicher besser
als ich.

B: Besser? Solche Worte behagen mir nicht recht. Das klingt so, als
ob jedes Problem lediglich zwei Seiten habe. Es gab schon damals nicht nur B- und S-Figuren, nur Alte und Junge, nur
Westler und Ostler, nur alte Nazis und überzeugte Sozialisten.
Und das gleiche gilt auch heute noch. Ich glaube, gerade an einer Neuinszenierung des „Lohndrücker" ließe sich das in aller
Deutlichkeit zeigen.

A: Da bin ich aber gespannt. „Let's have the details", wie man
heutzutage sagt. Ich habe mit meinen Ideen ja auch nicht hin-
term Berg gehalten.

B: Gut denn. Um mit dem Vordergründigsten zu beginnen: der
Nachkriegsmisere. Die sollte man keineswegs in den Vordergrund rücken. Damit würden die Leute nur abgeschreckt. Die

Zeit nach 1945 ist nicht mehr aktuell, aber auch noch nicht historisch geworden. Genau besehen, ist sie das leidige „Vorgestern". Und das wirkt auf dem Theater immer tödlich. Wenn also überhaupt historische Begleitumstände, dann so wenig wie möglich. Was Sie da über den *einen* Backstein gesagt haben, den man mitten auf die vollausgeleuchtete Bühne legen sollte, um über ihn diskutieren zu können, fand ich ganz überzeugend. Könnte als Idee fast von Müller selber stammen. Überhaupt sollte man heute die Bühne nicht mehr mit Maschinen, alten Öfen, Eisengestänge und Backsteinen vollstopfen, wie das noch vor einigen Jahren die „Schaubühne" getan hat.

A: Sehr richtig. Das war mir schon 1957 aufgegangen. Aber ich sagte Ihnen ja schon, wie schwer es damals war, solche Ideen an den Mann zu bringen.

B: Alles klar. Verzichten wir also auf die Backsteine, die Maschinen und andere Requisiten dieser Art. Machen wir Tabula rasa, wie man früher zu sagen pflegte. Was wir heute brauchen, sind möglichst große, leere Spielräume, in denen sich die ideellen Prozesse, die in einem Stück angelegt sind, frei entfalten können. Wir brauchen also beim „Lohndrücker" keine Trümmerkulisse. Und das, obwohl dieses Stück im Jahr 1948/49 in einer Fabrik der sowjetischen Besatzungszone, und zwar nur dort und nirgendwo sonst zu spielen scheint. Konkret betrachtet, also von den historischen und sozio-ökonomischen Voraussetzungen her, scheint dieses Stück überhaupt nicht übertragbar zu sein. Doch, was heißt „konkret"? Wirklich konkret ist letztlich nur jene Geschichte, die nie anhält, sondern sich in einem steten Fluß befindet, die sich also nirgends festmachen läßt. Und gerade das sollte eine Inszenierung dieses Stücks herausbringen. Man müßte ein Gefühl für die reißende Zeit bekommen, die uns allen ständig neue Entscheidungen abverlangt, ob nun damals oder heute. Man müßte bei der Aufführung dieses Stücks erleben, daß es geschichtliche Momente gibt, in denen uns zwischen Tür und Angel – mitten im Sturm der Ereignisse – nur wenig Zeit zu wohlüberlegten Handlungen bleibt und wir trotzdem das Richtige tun müssen, um überhaupt weiterexistieren zu können.

A: Wunderbar. Aber was hat das mit dem „Lohndrücker" zu tun? Das klingt ja fast noch abstrakter als mein schönes Diagramm aus Sein und Bewußtsein, in dem Balke als auslösender Kataly-

sator die besagte Dialektik in Gang setzt, aus der sich geradezu
zwangsläufig ein höheres, sagen wir ruhig: sozialistisches Bewußtsein ergibt. Mir schwebte damals vor, das „pure Gehirn"
(den Parteisekretär) und die „pure Maloche" (die Arbeiter) ant-
agonistisch gegeneinander zu stellen – und erst durch das Handeln Balkes in ein sinnvolles Wechselverhältnis zu bringen. Ich
weiß, das kommt im Stück nicht ganz so deutlich heraus, wie
ich es hier entfalte, ist aber auch dort umrißhaft angedeutet. So
gespielt, könnte wenigstens in den Köpfen des Publikums eine
Vermittlung zwischen diesen beiden Polen eintreten (selbst wenn
diese im Drama selbst oder in der gesellschaftlichen Praxis dahinter weitgehend ausbleibt). Auf diese Weise würden zumindest die Zuschauer begreifen, daß beide Seiten noch viel zu lernen haben, bevor sich bei allen jenes solidarische Bewußtsein
einstellt, welches die entscheidende Voraussetzung zu einer
wirklichen Brigade oder gar „Freien Assoziation der freien Produzenten" wäre, wie Marx das genannt hat. Im Rahmen einer
solchen Interpretation wäre also der Lohndrücker Balke der
einzige, der den Weg zu einer solchen Synthese freizuschaufeln
versucht. Doch verzeihen Sie, daß ich Sie nochmals mit einer
solchen Suada unterbrochen habe. Aber das sind einfach Dinge,
zu denen ich nicht schweigen kann.

B: Aber bitte. Ich bin da nicht kleinlich. Doch selbst in dieser Version erscheint mir Ihr Interpretationsmodell immer noch zu abstrakt. Hie pures Gehirn, hie pure Maloche – und dann hebt sich
dieser Widerspruch via Balke einfach in einem unentfremdeten
Sozialismus auf. So kühne Sprünge sollte man weder den Schauspielern noch den Zuschauern zumuten.

A: Na, dann lassen Sie die Katze mal aus dem Sack, damit auch ich
etwas habe, wo ich einhaken kann.

B: Wie Sie wollen. Am wenigsten aktualisierbar ist an diesem Stück
die historisch-konkrete Situation: also der Umbau des Ofens bei
weiterlaufender Produktion, die postfaschistische Renitenz der
Arbeiter, der Mangel an Fressalien usw. Schon eher übertragbar
sind die verschiedenen Haltungen, welche Ihre B-Figuren einnehmen, also Haltungen der Solidarität, des Aufbauwillens, der
Zukunftsorientiertheit usw., die mir noch heute vorbildlich erscheinen. Ich habe nichts gegen „positive Helden", sofern sie
keine geleckten Abziehbilder sind. Vor allem dieser Schorn, der
vor 1945 sein Leben als Saboteur aufs Spiel gesetzt hat, und dieser

Balke, der hinzuzulernen versucht und sich für einen Sozialismus
entscheidet, der allen zugute kommt: das sind Menschen, die
Haltungen vertreten, die damals viel zu selten waren. Und weil sie
so selten waren, sind diese Menschen zum Teil an der Widerspen-
stigkeit der anderen zugrunde gegangen, die ihnen nur Steine in
den Weg geschmissen haben, statt sich ihnen anzuschließen.

A: Gut, gut. Aber all das könnte ich in meinem Interpretationsmodell auch unterbringen.

B: Dessen bin ich mir nicht so sicher. Schließlich läuft Ihr Modell
immer wieder auf einen zwar wohlgemeinten, aber unaktuellen
Geschichtsunterricht heraus. Und da würden die Leute entweder einschlafen oder fluchtartig das Haus verlassen. Man muß
doch die Zuschauer da „abholen", wo sie wirklich sind. Und
das geht bloß, wenn man ihnen Haltungen und Entscheidungen
vorführt, die es nicht nur damals gegeben hat, sondern die uns
noch immer auf den Nägeln brennen.

A: Soll das heißen, Sie wollen das Ganze einfach platt aktualisieren? Also Arbeiter auf die Bühne stellen, die sich gegen die
Einführung von Computern sträuben, die stolz auf ihre altmo-
dischen Muskelpakete sind, statt sich zu „Wächtern und Hü-
tern" aufzuschwingen – und ähnliches mehr?

B: Nein, das nicht. Geschichte wiederholt sich nicht – oder jedenfalls nicht auf der gleichen Ebene. Was sich an diesem Stück
zeigen ließe, wäre etwas anderes. Nämlich nicht nur die Dialektik zwischen Sein und Bewußtsein, sondern auch die Dialektik
zwischen damals und heute, der Zeit nach 1945 und unserer
Zeit. Man müßte also aktualisieren und zugleich den inneren
Abstand zu den hier dargestellten Vorgängen betonen. Nur
dann wäre der „Lohndrücker" noch immer jener „Balken im
Auge", wie Sie ihn nennen, der uns politisch und gesellschaft-
lich herausfordert. Erinnern Sie sich an die letzten Zeilen dieses
Stücks? Der Arbeiter Karras, der plötzlich erkennt, worum es
wirklich geht, fragt hier den erstaunten Balke: „Wann fangen
wir an?" Und dieser antwortet erleichtert und zugleich dringlich: „Am besten gleich. Wir haben nicht viel Zeit." Besser kann
man die damalige Situation eigentlich gar nicht umschreiben.
Und auch heute haben diese Worte nichts von ihrer damaligen
Dringlichkeit eingebüßt.

A: Übertreiben Sie da nicht ein bißchen? Schließlich sind wir inzwischen doch erheblich vorangekommen.

B: Materiell ja. Aber im Hinblick auf die machtpolitischen, ökologischen und nuklearen Fragen, mit denen wir konfrontiert sind,
nicht. Diese Probleme sind eher noch größer, noch erschrecken-
der, noch brisanter geworden. Der Satz „Wir haben nicht viel
Zeit" ist auf eine damals noch ungeahnte Weise relevant geblieben. In diesem Punkt hat dieses Stück, wie alle großen Kunstwerke (Sie sehen, auch ich scheue manchmal nicht vor großen Worten zurück), einen merklichen Bedeutungszuwachs erfahren, der
es als ein geradezu „klassisches" ausweist. Schließlich steht in
ihm nicht allein die möglichst schnelle Reparatur eines Ringofens zur Debatte (so wie es im „Prinzen von Homburg" nicht
nur um die Schlacht von Fehrbellin und in „Zement" nicht nur
um die Produktion von Zement geht), sondern die Gesamtheit
aller gegenwärtigen politischen und technologischen Entwicklungsprozesse, die uns allen immer schnellere und zugleich kon-
kretere Entscheidungen abverlangen. Ohne solche Entscheidungen würde die gesamte Menschheit in den reißenden Strom
der Barbarei und des allgemeinen Untergangs geraten.

A: Jetzt merke ich langsam, worauf Ihre Argumentation hinaus-
laufen soll. Sie sehen in Müller vornehmlich einen Apokalypti-
ker, einen Katastrophendramatiker. Also *der* Müller kann mir
gestohlen bleiben. Mit Stücken wie „Hamletufer" oder „Medea-
maschine" kann ich wenig anfangen. Schon mit „Warten auf
Godot" hatte ich meine Schwierigkeiten. Und das war ja noch
Gold dagegen. Also bitte keine „Panik auf der Titanik", wie es
neuerdings heißt. Der frühe Müller ist das eine – und der späte
Müller ist das andere.

B: Tut mir leid. So wie es keine zwei Brecht gegeben hat, gibt es
auch keine zwei Müller. Schon der Müller des „Lohndrücker"
ist ein Mann der Härte und der unerbittlichen Wahrheitssuche,
der seinen Zuschauern nichts erspart. Schon er weiß, daß wir in
einer reißenden Zeit leben und daß auch sein Staat in einer reißenden Zeit entstanden ist, in der allen Menschen geradezu
übermenschliche Anstrengungen und Entscheidungen abverlangt
wurden. Dieser alte, desolate Ringofen, der da unter Hochdruck
repariert werden muß, ist ja nicht nur ein Ringofen, sondern zugleich ein Symbol der frühen DDR. In diesem Stück erfährt man,
daß in diesem Staat der Sozialismus nicht mit der gebotenen
Ruhe und Gründlichkeit aufgebaut werden konnte, sondern
mitten im Strom der Geschichte, mit vielen unwilligen und we-

nigen willigen Menschen. Und das zudem in einer Welt, in der die antisozialistischen Kräfte einen gewaltigen ökonomischen Vorsprung hatten. Kurz: der Umbau des Ringofens bei brennendem Feuer unter Einsatz des eigenen Lebens, das ist in der Literatur der fünfziger Jahre wohl die überzeugenste Handlungsanleitung für den Aufbau der DDR, bei dem es nicht nur um das im sozialistischen Sinne Andere, sondern auch ganz konkret ums nackte Überleben ging.

A: Das leuchtet ein. Aber wann kommt nun das „Neue" Ihrer Interpretation?

B: Verzeihen Sie, aber für die, die immer nur darauf warten, kommt es höchstwahrscheinlich nie. Eine wirklich neue Haltung entstände nur dann, wenn wir uns alle wie Karras verhielten, das heißt uns einen Mann wie Balke zum Vorbild nähmen. Schließlich ist heute die gesamte Welt eine riesige Fabrik geworden, in der wir ständig – bei brennendem Feuer – unsere verschiedenen Ringöfen reparieren müssen, damit das Ganze nicht einfach in die Luft geht. Angesichts einer solchen Situation geben mir nur noch zweierlei Menschen Mut: jene, die sich wie Schorn, Balke oder Karras zu einem gesamtgesellschaftlichen Gewissen bekennen und dieser Gesinnung auch in der Praxis Ausdruck verleihen, die also ihre positive Aktivität aus einem sozialistisch verstandenen kategorischen Imperativ ableiten, sowie jene, die aufgrund ihrer antikategorischen, das heißt zutiefst pessimistischen Anschauungen auf dem untersten Grund der Dinge „aufgedotzt" sind, wie Sie das nennen, jedoch aus diesem Aufprall die nötige Kraft gewonnen haben, um wieder nach oben zu kommen und wieder etwas zu tun, also deren positive Aktivität aus ihrer negativen Erfahrung stammt.

A: Ich glaube, wir kommen uns allmählich näher – und ich bin froh darüber. Schließlich ist ein bloßes Kritikastergehabe immer unfruchtbar. Wenn ich es recht verstehe, könnte man also den „Lohndrücker" – wie Sie ihn sehen – auf zweierlei Weise in Szene setzen: als aufreizendes Warnstück oder als Brechtisches Lehrstück. Das eine Mal könnte man mit einer „Ästhetik des Schreckens" operieren, das andere Mal mit einem Grundgestus, der weiterhin auf das aufklärerische Stafettenprinzip in der Geschichte vertraut.

B: Genau. Der von einer radikalen Negation ausgehenden Deutung würde ich jene Haltung zugrunde legen, die mein Freund

Schwarz vor kurzem in den Satz zusammengefaßt hat: „Wen
nicht der Zorn überkommt, wenn er unsere gegenwärtige Situation bedenkt, sondern wer weiter schön daherredet, als wäre
nichts geschehen, wer also nicht genug Widerwillen, nicht genug Ekel verspürt, wenn er sich die politische, ökologische und
nukleare Bedrohung der Welt vor Augen führt, der wird auch
keinen Widerstand üben." Besser kann ich es selber gar nicht
formulieren. Im Sinne solcher Thesen müßte man den Zuschauern klarmachen, daß wir noch immer mit den alten, stinkigen,
desolaten Ringöfen leben, daß man uns keine Zeit gelassen hat,
von Grund auf anders zu werden, und daß wir – inmitten der
Dialektik der reißenden Zeit – in die Nähe des Abgrunds geraten sind, nur daß es die einen schon gemerkt haben und die anderen noch nicht. Nur dann würden die Leute begreifen, daß
auch Gestalten wie Kassandra, Thersites und Müller eine gesellschaftliche Funktion haben.

A: Kühn, was Sie da anvisieren. Hoffentlich verstehen das die Zuschauer auch.

B: Leider meist nur jene, für die das bekannte „Gespräch über Bäu-
me" kein Verbrechen ist, deren Widerstand also aus der unmittelbaren Widerlichkeit der eigenen Situation erwächst, in der das
Wasser dauernd dreckiger wird und man die Luft kaum noch zu
atmen wagt.

A: Verzeihen Sie, aber das ist mir zu radikal gedacht. Was mir näher liegt, ist Ihre zweite Variante. An einer solchen Inszenierung könnte ich mich schon eher beteiligen, wenn Ihnen mein
Rat überhaupt etwas wert ist. Ich finde, daß auf dieser Ebene
unsere beiden Modelle durchaus vereinbar sind, ja daß sich
meins in Ihrem ohne weiteres aufheben ließe. Man bräuchte nur
den historisch-konkreten Aufbau in den fünfziger Jahren als einen ständigen Auf- und Umbau der Gesamtgesellschaft zu verstehen, bei dem es ganz an uns selber liegt, wie es im „Lohndrücker" heißt, „ob wir zu einem besseren Leben kommen"
oder nicht.

B: Aber klar, machen Sie ruhig mit, wenn Sie das nicht unter Ihrer
Würde empfinden. Vielleicht sollte man bei der letzteren Variante von zwei Haltungen ausgehen. Zum einen von einer besseren Durchleuchtung der dialektischen Grundsituationen, das
heißt der Dialektik zwischen Oben und Unten, Bewußtsein und
Sein, Mensch und Arbeit, Gefühl und Verstand, Einzelmensch

und Kollektiv sowie auch der Dialektik der sogenannten zwischenmenschlichen Beziehungen. Auf dieser Ebene müßte darum alles aktiviert werden, was heute mit Begriffen wie Kritik an der Vergangenheit, schöpferisches Umdenken, Glasnost, sozialistische Initiative, lebendige Diskussionen, größeres Können, Umschwung im gesellschaftlichen Bewußtsein, Perestroika, usw. umschrieben wird, um so endlich jene Gleichgültigkeit, jenen Skeptizismus und jene materielle Bereicherung um jeden Preis zu überwinden, die uns immer wieder auf den Status quo zurückzuwerfen drohen. Das wäre das eine. Zum anderen müßte man bei einer solchen Inszenierung davon ausgehen, was heute als Umbau, Umgestaltung oder Umstrukturierung, also als kreativer Eingriff in die materiellen und ideologischen Entwicklungsprozesse propagiert wird. Meiner Meinung nach bietet gerade der „Lohndrücker" dafür eine ausgezeichnete textliche Grundlage. Wo, wenn nicht hier, ist soviel von Durchschauen und Umbauen, von Erkennen und Umgestalten die Rede, und zwar im Sinne einer weit in die Zukunft greifenden Dialektik, um so jene „Fähre" in Gang zu setzen, die uns „aus der Eiszeit in die Kommune" befördern soll, wie es Müller selbst formuliert hat?

A: Damit bringen Sie das Ganze endlich auf den entscheidenden Punkt. Hinter diesem Stück steht zwar keine ausgeformte Utopie, aber es deutet mit seinem Versuch einer dialektischen Umstrukturierung der ökonomischen und sozialen Basis zumindest die Richtung auf eine sinnvollere Gesellschaftsordnung an. Und darin besteht, finde ich, seine weiterwirkende Funktion. Oder, um einen meiner Freunde zu paraphrasieren: „Dieses Stück bietet einen entscheidenden Ansatz zur Lösung der immer noch unaufgehobenen Antinomie zwischen Beharrung und Fortschritt, Ichverhaftetsein und sozialem Gewissen. Daher ist es brauchbar. Unbrauchbar sind nur jene Stücke, deren Autoren es bereits aufgegeben haben, sich überhaupt noch um solche Lösungsansätze zu bemühen." In diesem Sinne: Wann fangen wir an, B?

B: Am besten gleich.

A: Wir haben nicht viel Zeit.[1]

Diskursive Widersprüche

Fragen an Heiner Müllers „Autobiographie"
(1993)

Jost Hermand

Wer hätte von Heiner Müller, einem Dramatiker, dessen Werke seit den frühen achtziger Jahren immer kürzer, immer „geballter" wurden und der schließlich ganz verstummte, eine Autobiographie von 373 Seiten erwartet? Doch im gleichen Zeitraum sind viele Dinge geschehen, die fast niemand erwartet hätte: nicht nur die unaufhaltsame Kanzlerschaft Helmut Kohls, sondern auch das Wiedererstarken des deutschen Nationalismus, die Ausländerfeindlichkeit, der Zusammenbruch der DDR, die rapide Ausdünnung der Ozonschicht, der Rückgang der Artenvielfalt und die daraus resultierende Lähmung der früher so aktiven, auf Sozialisierung oder zumindest verstärkte Demokratisierung drängenden linken bis linksliberalen Intelligenz. Angesichts dieser Situation, in der alles – trotz der immer noch glänzenden Wohlstandsfassade der Bundesrepublik – aus den Fugen zu geraten drohte, kam es in dieser Intelligenz, wie wir wissen, zu verbreiteten Posthistoire-Stimmungen und allen damit verbundenen Rückzügen ins Private, Eigene, Autobiographische. Zugegeben, Formen des Überindividuellen, Engagierten, Solidarischen, die innerhalb dieser Schicht in den sechziger und frühen siebziger Jahren propagiert wurden, waren schon damals schwach und gingen häufig genug auf persönliche Frustrierungen zurück. Aber es gab sie wenigstens – und sie übten auch eine gewisse Wirkung aus. Dagegen galten jetzt, aufgrund der jüngsten Entwicklungen, fast alle bisherigen Formen des Engagements als „out". An ihre Stelle trat bei vielen eine Ideologie-, Staats- und Systemverdrossenheit, die im Zuge des allgemeinen Werteverlusts nur noch das Unengagierte – meist das betont Egoistische, Materialistische, Karrierebetonte oder bestenfalls Psychologische, Geschlechtsspezifische, Biologische – als einzige Möglichkeit eines authentischen Verhaltens anerkannte. Während dieser fortschreitende Sinnverfall von manchen Vertretern sogenannter Postmoderne-Konzepte als endlich erreichte „Mündigkeit" ausgegeben wurde, sahen andere, noch immer halbwegs Engagierte, in dieser Reduzierung auf das Selbst lediglich Formen einer betont unsolidarischen Haltung, die auf jeden politischen Aktivismus verzichtet und damit den Herrschenden geradewegs in die Hände spielt.

Auch Heiner Müller blieb von diesem Trend nicht unbeeinflußt. Selbst in seinen Werken, in denen lange Zeit die sozialistischen Elemente vorherrschend waren, traten seit Mitte der siebziger Jahre in zunehmendem Maße subjektiv-surrealistische, biologisch-geschlechtsspezifische, mythologisch-literarische, gegenaufklärerisch-poststrukturalistische Gesichtspunkte in den Vordergrund, die sich nicht mehr an einer überindividuellen Fortschrittsidee orientierten. Und damit mußte es auch bei ihm, der ursprünglich – in der Brecht-Nachfolge – auf jede private, weil als „bürgerlich" verdächtige Selbstäußerung weitgehend verzichtet hatte, notwendig zur Verstärkung einer im subjektiven Sinne verstandenen Selbstbetrachtung kommen, die sich schließlich 1992 in einer weit ausholenden Autobiographie niederschlug.

Doch das ist nur ein Aspekt dieses Werks, das sich „Krieg ohne Schlacht. Leben in zwei Diktaturen" nennt und damit – über das Subjektive hinaus – das Eigene nachdrücklich mit den sich gleichzeitig abspielenden historischen Ereignissen, vor allem Müllers Leben in der Sowjetischen Besatzungszone und späteren Deutschen Demokratischen Republik, zu verbinden sucht. Doch auch hierin ist dieser Band – im Gegensatz zu vielen seiner bisherigen Werke, die gerade durch ihre Besonderheit, ja Einmaligkeit auffielen – durchaus zeittypisch. Er gehört in die Gruppe jener Rechtfertigungsbücher desillusionierter DDR-Autoren, die nicht wie viele westdeutsche Linke schon in den späten siebziger Jahren der von ihnen erwarteten politischen Resignation anheimfielen, sondern sich bemühten, ihre durch die DDR geprägte Identität auch unter den widrigsten Verhältnissen der Unterdrückung und Zensur weiterhin beizubehalten.

Worin sich Müller allerdings in seiner Autobiographie von den Verfassern solcher Werke unterscheidet, ist die Tendenz, diese Desillusionierung bewußt abzustreiten und sich von vornherein als unengagiert hinzustellen, um so seinem Leben – jenseits aller politischen Umbrüche – wenigstens im Bereich des Ideologischen oder

der menschlichen Haltung eine gewisse Kohärenz zu verleihen.
Allerdings tut er das auf eine höchst provokante Weise, die viele
andere Autoren sicher als „unmoralisch" verwerfen werden, indem
er sich als einen Schriftsteller charakterisiert, der sich nie wirklich
engagiert habe, sondern von Anfang an ein kühl beobachtender,
sich auf die Haltung des Betrachtens beschränkender Autor gewesen sei. Bereits durch seine Kindheitserfahrungen unterm Nationalsozialismus, wie die Verhaftung seines Vaters als SAP-Mitglied,
sowie das brutale Vorgehen der Roten Armee in der Sowjetischen
Besatzungszone, habe er alle „bürgerlich"-idealistischen Illusionen
verloren bzw. nie in sich aufkommen lassen – und sich lediglich auf
sich selbst und seine Lust am Schreiben konzentriert.

Müllers Autobiographie ist daher voller Äußerungen, in denen
er seinen Eintritt in die SED im Jahr 1948 sowie die sozialistische
Thematik seiner frühen Werke bewußt herunterspielt. „Ich konnte
nie sagen", heißt es an einer Stelle, „ich bin Kommunist. Es war ein
Rollenspiel. Es ging mich im Kern nie etwas an. Ich habe oft gesagt
und behauptet, daß ich mich mit dieser Gewalt, mit diesem Terror
identifizieren konnte, weil es eine Gegengewalt war, ein Gegenter-
ror gegen den vorigen. Im Grunde bin ich da unberührt durchge-
gangen" (61). Ebenso eindeutig klingen die Sätze: „Ich weiß nicht,
ob mir das so wichtig war, diese SED-Mitgliedschaft, politisches
Engagement überhaupt. Natürlich hat es mich beschäftigt, aber es
gibt da einen Kern, der von allem unberührt war bei mir. Der war
von der Nazizeit unberührt und von der Zeit danach auch" (64).
Müller gibt zwar zu, daß es in seinem Leben auch Situationen gab,
wo er „politisch und nicht als Künstler" aufgetreten sei, wie er
überhaupt zwischen Kunst und Politik sowie „Kunst und Leben"
stets einen deutlichen Unterschied gemacht habe (290). „Meine eigentliche Existenz" in der DDR, erklärt er, „war die als Autor, und
zwar als Autor von Theaterstücken" (181). Ja, an einer Stelle
schreibt er noch lapidarer: „Mir war das Schreiben wichtiger als die
Moral" (180).

Letztlich wollte er in seinem Leben, wie uns Müller immer wieder versichert, lediglich dem „Luxus des Schreibens frönen" (287).
Die „Auseinandersetzungen innerhalb der SED" hätten ihn „nur in
bezug auf Kunst und Literatur interessiert" (115) und nicht als
Fragen der politischen Gesinnung. Deshalb habe er 1954 seine
Parteimitgliedschaft einfach nicht erneuert und auch 1961 den Ausschluß aus dem Schriftstellerverband der DDR nicht besonders tra-

gisch genommen. „Für mich war das nie ein Problem, ungerecht behandelt zu werden", erklärt er in diesem Zusammenhang, „ich wußte, es gibt keine Gerechtigkeit, weder von der einen noch von der anderen Seite, also konnte ich mich nie wirklich dagegen empören" (76). Von Anfang an sei es ihm nur um die zu schreibenden Stücke gegangen, wobei er sich in der aufgegriffenen Thematik nie auf bestimmte Leitideen, sondern stets auf ein in der gesellschaftlichen Wirklichkeit „erfahrenes" Material gestützt habe, während ihm Weltanschauungen, Theoreme oder Ideologien – ob nun der proletarische Sozialismus oder der bürgerliche Liberalismus – relativ gleichgültig gewesen seien. Er, Müller, habe nur „Autor" sein wollen, nichts weiter. Daher sei er auch politisch nie enttäuscht worden, weder durch den Ausgang des 17. Juni, den Bau der Mauer oder die sogenannte „Wende" von 1989. All dies habe ihn gar nicht berührt, sondern letztlich kaltgelassen.

Ein Autor wie Peter Weiss, für den die DDR eine „Hoffnung" gewesen sei, wird darum als verblendet hingestellt. Dieser Mann habe selbst nach der Niederschrift der *Ästhetik des Widerstands*, wie er in Gesprächen mit ihm erfahren habe, noch immer „eine mönchische Haltung zur Utopie" gehabt (224). Auch andere linke Autoren, die sich im Bunde mit dem Weltgeist gefühlt hätten, werden zwar nicht lächerlich gemacht, aber doch als naiv charakterisiert. Überhaupt wendet sich Müller immer wieder gegen Werke, die ins Philosophische, Ideologische, Utopische ausschweifen, statt in aller Härte von der eigenen Erfahrung der konkreten Situation auszugehen. All das sind für ihn nutzlose Überbauphantasien. „Ich will nicht wissen", erklärt er, „was die Welt im Innersten zusammenhält. Ich will wissen, wie sie abläuft. Es geht eher um Erfahrung als um Erkenntnis" (271). Das im Bereich der Linken vielzitierte Hegelsche Diktum, daß nur die begriffene Wirklichkeit wirklich „wirklich" sei, wird demzufolge einfach mit Schweigen übergangen.

Soviel zu dem halb existentiell gefärbten, halb ideologisch abwiegelnden Diskurs, nie ein engagierter Autor gewesen zu sein. Dieser Diskurs wird jedoch, ob nun auf bewußt irritierende Weise oder nicht, von zwei anderen Textstrategien unterlaufen, die diese Argumentationsebene wieder aufheben oder zumindest in Frage stellen. Die eine ist die fortlaufende Interpretation seiner Werke, die andere Müllers geradezu manische Fixierung auf das Phänomen „DDR-Sozialismus", das fast allen seiner Dramen wie auch dieser

Autobiographie zugrunde liegt. Beginnen wir mit den Werken
Müllers, die er zwar in diesem Buch höchst ausführlich behandelt,
jedoch stets in der Perspektive der Unengagiertheit zu deuten versucht. Das mag für manche seiner Werke nach 1975 durchaus zu-
treffen, gilt jedoch keineswegs für seine frühen Texte, in denen eine
eindeutig sozialistische Perspektive vorherrscht, die sich selbst mit
noch so viel echter oder vorgetäuschter Schnoddrigkeit nicht hin-
auseskamotieren läßt. „Meine Werke sind meine Wächter", notierte
sich Brecht während des Zweiten Weltkriegs, als er wegen der deutschen Siege vorübergehend von resignierten Stimmungen heimge-
sucht wurde. Müller, der sonst den gesamten Brecht auswendig
kennt, hätte diesen Satz nicht vergessen dürfen. Schließlich gibt er
in dieser Autobiographie – wenn auch arg verquält und mit „ge-
sträubten Haaren" – zu, daß er in den späten vierziger und frühen
fünfziger Jahren nicht nur ein Hörspiel verfaßt habe, in dem es um
„die Entlarvung eines bösen Buchhalters, der für den Klassenfeind
sabotiert" (56), gegangen sei, sondern auch seinen *Klettwitzer Bericht* für die Parteizeitschrift *Einheit* (144), ein „proletarisches Fest-
und Weihespiel mit Arbeiterchören und Tanzgruppen zur Eröffnung
der Werner-Seelenbinder-Halle" (85), Nachdichtungen ausländischer
„Stalin-Hymnen" für den Zentralrat der FDJ (117), einen „Text auf
Lenin" für das *Neue Deutschland* und schließlich sein Aufbaustück
Der Lohndrücker für das Sonderheft *Arbeiterklasse und Arbeiterbewegung in der deutschen Literatur* der Zeitschrift *Neue deutsche
Literatur*, das als Werk des „Sozialistischen Realismus" mit dem
Heinrich-Mann-Preis der DDR ausgezeichnet wurde.

Ein zentrales Beispiel für dieses frühe Engagement, das Müller
bei dieser Aufzählung nur am Rande erwähnt, ist das mit Hagen
Stahl verfaßte Drama *Zehn Tage, die die Welt erschütterten*, das er
1957 zur vierzigsten Wiederkehr der Sowjetischen Oktoberrevolution schrieb und das an der Ostberliner Volksbühne aufgeführt wurde.
Es gibt wohl kaum ein DDR-Drama dieser Jahre, das sich so eindeutig zum Kommunismus bekennt wie dieses, sowohl inhaltlich
als auch sprachlich zu den besten Werken des jungen Müller zählt
und an Komplexität der Fragestellungen selbst den *Lohndrücker*
streckenweise übertrifft. Dieses Stück schließt mit einer Ansprache,
in der sich Lenin, ohne ein Blatt vor den Mund zu nehmen, nachdrücklich für eine Parteiliteratur und Parteipresse ausspricht, sowie
im Hinblick auf die noch zu leistende Revolution jede falsche Toleranz liberalen Abweichlern gegenüber schärfstens ablehnt. „Wir

denken nicht daran", erklärt Lenin im letzten Satz dieses Stücks, „uns dem Ultimatum kleiner Intellektuellengruppen zu unterwerfen, hinter denen keine Massen stehen."[2]

Die gleiche Parteilichkeit wie auch der gleiche Realismus, die beiden Hauptforderungen einer marxistischen Ästhetik, zeichnen Müllers Stücke *Die Korrektur, Die Umsiedlerin, Der Bau* und *Zement* aus, die sich zwar in äußerst provozierender Form mit den Schwierigkeiten beim Aufbau des Sozialismus auseinandersetzen, aber dabei keineswegs auf jene Utopie verzichten, der Müller in der Zeile „Ich bin die Fähre zwischen Eiszeit und Kommune" seine prägnanteste Formulierung gab.[3]

Aber es sind nicht nur Müllers frühe Werke, die gegen die These seiner absoluten Unengagiertheit sprechen. Auch seine Art der Auseinandersetzung mit dem Phänomen „DDR-Sozialismus" steckt voller versteckter und offener Widersprüche. Man braucht kein geschulter Diskursanalytiker zu sein, um zu sehen, daß auch auf diesem Gebiet die kritisch-distanzierenden Argumente immer wieder von Argumenten der Teilnahme, ja der Teilhabe unterlaufen werden, wodurch die Müllersche These der bewußten Unengagiertheit selbst in dieser Hinsicht viel von ihrer forcierten Überzeugungskraft verliert. So geht er zwar mit der Anfangs- und Aufbauphase der DDR, in der Müller als junger Autor noch schwer um Existenz und Anerkennung zu ringen hatte, zum Teil recht scharf ins Gericht und äußert sich erbittert über die vielen Brotarbeiten, die ihn damals von eigenen Arbeiten abgehalten hätten. Allerdings betrifft diese Kritik meist nur die Beschränktheit der unteren Chargen, während Müller die Parteigrößen eher verschont. Vor allem Ulbricht erscheint in diesen Abschnitten nicht nur negativ, sondern auch als eine geradezu tragisch umwitterte Figur, die über ein Volk von „Feinden" regieren mußte. Als die DDR-Autoren, mit der Ausnahme von Peter Hacks, 1961 für seinen Ausschluß aus dem Schriftstellerverband gestimmt hätten, soll Ulbricht, wie Müller berichtet, nachträglich gesagt haben, daß er in einem solchen Fall eher für „Erziehung" als für „Ausschluß" gewesen wäre (182).

Daß er überhaupt über diese schwierigen Jahre hinweggekommen sei, führt Müller vor allem auf den Einfluß Brechts zurück. „Mein Parteiergreifen für die DDR", heißt es in diesem Zusammenhang, „hing mit Brecht zusammen. Brecht war die Legitimation, warum man in der DDR sein konnte. Das war ganz wichtig. Weil Brecht da war, mußte man bleiben. Damit gab es einen Grund,

das System grundsätzlich zu akzeptieren. Brecht war das Beispiel,
daß man Kommunist und Künstler sein konnte" (112). Ebenso positive Worte findet er für Helene Weigel, die ihn vor allem darin
bestärkt habe, nach der scharfen Verurteilung des Dramas *Die Umsiedlerin* zur Beschwichtigung der SED eine „Selbstkritik" zu schreiben.

Fast noch einsichtsvoller äußert sich Müller über die letzte Phase der DDR, in der er – aufgrund der repressiven Toleranz des
Staates – zu einem geachteten Autor aufstieg und schließlich 1987
sogar den Nationalpreis erhielt. Wie viele andere DDR-Kommu-
nisten sah er in diesen Jahren in Gorbatschows Reformprogramm
ein „Hoffnungssignal für das scheiternde Unternehmen ‚Sozialismus'" (348). Dafür sprechen die ersten Teile seiner Szenenfolge
Wolokolamsker Chaussee, die er 1987 sogar Honecker zur Prüfung
vorlegte (349). In Abwandlung der bekannten Marxschen Devise,
„Sozialismus oder Barbarei", bekannte er sich jetzt zu der Maxime
„Untergang oder Barbarei" (348), bis er mitansehen mußte, wie
sich die DDR immer stärker in ein „Mausoleum" verwandelte, in
dem die Toten ihre Toten bestatteten. Dennoch hätte es Müller
unwürdig gefunden, diesen Staat zu verlassen oder offen gegen ihn
zu agitieren. Selbst als das Ende des Kalten Krieges im Spätherbst
1989 endgültig zur Auflösung der DDR führte, deren einzige
Identität der zwanghaft eingeführte Sozialismus war, ohne den sie
sang- und klanglos in der ökonomisch allmächtigen Bundesrepublik aufgehen mußte, wurde er nicht zum Thersites seines Staates,
sondern beharrte auf provozierend linken Standpunkten. So rief er
am 4. November 1989 auf der großen Alexanderplatz-Demonstra-
tion nicht zum Sturz des Regimes, sondern zur „Gründung unab-
hängiger Gewerkschaften" auf, welche die „Interessen der Arbeiter
gegen Staat und Partei" vertreten sollten, und stellte sich selbst als
einen jener Privilegierten hin (355), den die Partei bewußt von den
Werktätigen ferngehalten habe.

Das soll nicht heißen, daß sich Müller in solchen Passagen als
hartnäckiger „Betonkopf" ausgibt. Trotz aller Verständnisbereit-
schaft für die objektiven Schwierigkeiten, denen sich dieser Staat
von Anfang an ausgesetzt sah, dessen Sozialismus nicht aus einer
revolutionären Volksbewegung hervorgegangen sei, sondern der
seine Existenz allein den Bajonetten der Roten Armee verdankte
und dann eine Weile funktionierte, weil die Mehrheit der Bevölkerung aufgrund ihrer protestantischen, preußischen oder faschisti-

schen Obrigkeitsvorstellungen auch das sozialistische Regime als
Obrigkeit anerkannt habe, weist er immer wieder in aller Schärfe
auf die eklatanten Fehler der SED hin. Allerdings sind dies nicht
jene Fehler, die dem SED-Regime von seiten der Liberalen in Ost-
und Westdeutschland angekreidet wurden, nämlich die unzurei-
chende Erfüllung der Konsumwünsche der Bevölkerung, die mangelnde touristische Freizügigkeit, die Unterdrückung aller gegen
das Regime gerichteten Meinungen usw. Im Gegenteil, Müller
wirft dem SED-Regime vor, sich viel zu sklavisch an die Wertvorstellungen des bisherigen Bürgertums gehalten zu haben. Nach seiner Meinung sei es der gravierendste Fehler dieses Regimes gewesen, mit einer wohlgemeinten, aber unwirksamen Volksfrontpolitik
die Überredung jener Bevölkerungsschichten angestrebt zu haben,
die durch den Sozialismus nichts zu gewinnen, sondern nur zu verlieren hatten. Statt dessen hätte sich die SED eindeutig auf die Seite
der bisher Unterdrückten, der Arbeiter und Bauern, stellen sollen.
Vor allem in den unteren Rängen der Partei, also im Bereich der
kleinbürgerlich verspießerten Bürokraten, habe man nicht in den
Bürgern, sondern im „Proletariat und der Jugend" die Hauptfeinde
des Staats gesehen (89) und demzufolge allen sich tatsächlich für
die Ideen des Kommunismus Einsetzenden fortwährend Knüppel
zwischen die Beine geworfen. Daher seien die „Marxisten" in der
DDR, was Müller hauptsächlich an Künstlern und Literaturwissen-
schaftlern illustriert, nicht die Gewinner, sondern die „Verlierer"
gewesen (122). Alles Antibürgerliche, selbst die große sowjetische
Avantgarte eines Meyerhold oder Majakowski oder die Werke
Brechts, hätten diese Apparatschiks abgelehnt. Diesen Leuten sei es
lediglich um eine aus konservativem Geist inspirierte Politik der
Nationalen Front gegangen, als deren Endziel ihnen keine wahrhaft
befreite, klassenlose Gesellschaft, sondern eine die bestehenden Gegensätze lediglich zukleisternde „Volksgemeinschaft" vorgeschwebt
habe (123).

Deshalb sei auch er aufgrund seiner radikalen, schon durch sein
Herkommen aus einer Arbeiterfamilie bedingten proletarischen
Gesinnung von der Partei von Anfang an als ein Störenfried auf
dem Weg zu der „einen großen gebildeten Nation" angesehen
worden. Bereits mit seinem *Lohndrücker* habe er gegen eine Kulturpolitik verstoßen, die glücklich gewesen wäre, wenn das Volk
auf den Straßen von Leipzig den *Zauberberg* von Thomas Mann als
Volkslied gepfiffen hätte, wie sich Becher – laut Hans Mayer –

einmal witzelnd und zugleich tiefernst geäußert haben soll. Aus diesem Grunde sei man auch ihm, wie Müller höchst detailliert nachweist, von seiten der Partei mit geradezu unvorstellbarer Borniertheit immer wieder mit Behinderungen, Zensurmaßnahmen, Verboten usw. entgegengetreten, um ihn kleinzukriegen und somit auf den offiziellen Kurs zu verpflichten. Doch all das habe ihn nicht davon abhalten können, erklärt er ebenso oft, weiterhin an dem von ihm als richtig erkannten Weg, nämlich dem der Irritation, der Infragestellung der staatlichen und seiner Meinung nach unmarxistischen Kulturpolitik, festzuhalten.

Wer von diesem Buch Bekenntnisse zur endlich errungenen westlichen Freiheit, zu Demokratie, Selbstrealisierung oder Konsumerfüllung erwartet, wird also notwendig enttäuscht sein. Hier spricht nicht einer, der sich dem kapitalistischen Westen anbiedert oder gar andienet, sondern einer, der nach wie vor auf einer extremen Außenseiterposition beharrt, die er mit einem besseren Marxismus als dem unter Stalin, Breschnew, Ulbricht und Honekker gleichsetzt. Der Westen, obwohl er in Müllers Autobiographie eine zwar ständig präsente, aber marginale Rolle spielt, kommt deshalb in vielem nicht besser weg als der Osten, und zwar auf allen Ebenen: der politischen, sozialen und kulturellen. So findet Müller einen Politiker wie Adenauer keineswegs besser als Ulbricht, sondern letztlich ebenso „finster" (136). Den 17. Juni 1953 glorifiziert er nicht als Volksaufstand, sondern hebt nachdrücklich die Beteiligung von „Jugendlichen aus Westberlin" an diesen Unruhen hervor (132). Außerdem schreibt er, daß Ulbricht der DDR-Polizei an diesem Tag ein eindeutiges „Schießverbot" erteilt habe und auch die Russen „nicht gern" in das Ganze eingegriffen hätten (134). Wahrscheinlich habe sogar die CIA „mitgemischt", die schon vorher in der DDR „Sabotageakte" veranlaßt und im Sinne einer psychologischen Kriegsführung eine „riesige Propagandamaschine" gegen die DDR in Gang gesetzt habe (66). Noch eindeutiger stellt Müller die Beseitigung Allendes in Chile als einen „CIA-Putsch" hin (323). Und auch für viele der heutigen Kriege, die als Kriege „zur Bekämpfung der Arbeitslosigkeit durch Schaffung von Arbeitsplätzen und Vernichtung von Arbeitsplätzen" geführt würden (347), macht Müller eindeutig den Westen verantwortlich.

Ein Leben im Westen, erklärt er, habe ihn daher nie besonders gereizt. Schon in jungen Jahren, als es die Mauer noch nicht gab, sei er lediglich nach Westberlin gefahren, um dort „ins Kino zu gehen oder Zigaretten zu kaufen" (62). Überhaupt habe er in der Bundesrepublik nie etwas Besseres als in der DDR gesehen. Schließlich sei „der Terror in einer schwäbischen Kleinstadt nur anders schlimm als der Terror in Strausberg" im Brandenburgischen (360). Ja, noch heute neige er, wenn er durch die Kölner Fußgängerzone mit all ihren Kauf-Kauf-Läden gehe, zu wahren „Wutanfällen gegen das Geschmeiß, das seine Scheiße in die Dritte Welt karrt im Tausch gegen ihre Produkte" (322). Und auch die USA hätten ihn nur im Hinblick auf die noch zum Teil unzerstörten Landschaften fasziniert, während er durch die dortigen Städte, also die „kapitalistischen USA", lediglich in seinem „Marxismus" bestärkt worden sei (300). In all diesen Ländern, wo die Großindustrie, das heißt der Dollar und die „Deutschmark", regierten, werde das Individuum immer stärker zum „Verschwinden" gebracht (347). Daher habe er im Spätherbst 1989, während der Wende-Zeit, bei einer *Hamlet*-Inszenierung im Deutschen Theater in Berlin dafür gesorgt, daß aus „Stalins Geist, der in der ersten Stunde auftrat", in „der letzten Stunde die Deutsche Bank" wurde (353).

Nicht viel besser kommt die westliche Kulturpolitik bei ihm weg. Schon in den frühen achtziger Jahren hat Müller in Gesprächen wiederholt erklärt, daß es in der DDR wegen ihrer marxistisch geweckten Erwartungen, aber falschen, frustrierenden Kulturpolitik notwendigerweise eine Fülle vielversprechender junger Künstler gebe, also dieser Staat – gegen seinen Willen – eine wahre Talentfabrik sei, während im Westen aufgrund der Tendenz ins Konsumistisch-Verflachende die ernst zu nehmende Literatur bereits ausgestorben sei – und man dort lange Zeit nur von östlichen Dissidenten gezehrt habe. Auch die im Westen seit Jahrzenten grassierende Pop- und Rockwelle findet vor Müllers Augen keine Gnade, vor allem nicht in ihrer in die DDR importierten Form, die er in ihrem „Second-Hand-Charakter" als eine „verspätete Kopie von Moden" charakterisiert (288). Genau besehen, gebe es auch im Westen nur eine „repressive Kulturpolitik", wenn auch nicht durch eine bestimmte Partei, sondern durch den „Druck des Kommerzes" erzeugt (160). Die Kultur sei dort so flach, das heißt so arm an weltbewegenden Themen, daß man beispielsweise in Westdeutschland für die politische Tragik eines *Philoktet*, wie überhaupt für die „tragische Dimension der Geschichte", keinen Blick habe (190). Daher hätten ihn selbst die kulturpolitischen Forderungen der Achtundsechziger weitgehend kaltgelassen, deren praktische Fol-

gen letztlich darin bestanden hätten, wie ihm später Foucault bestätigt habe, „die Struktur der Universitäten für die Bedürfnisse der
modernen Industrie zu verändern" (212).

Im Hinblick auf all diese Äußerungen, die sich beliebig vermehren ließen, läßt sich schwerlich sagen, daß Heiner Müller in den
politischen, sozialen und kulturellen Verhältnissen des Westens eine bedenkenswerte Alternative zu dem von ihm abgelehnten stalinistischen Sozialismus sieht. Doch was ist dann seine Alternative,
werden jene Kalten Krieger in beiden Lagern sagen, die nie über ihre Schwarz-Weiß-Klischees hinausdenken konnten? Bei genauerer
Lektüre dieses Buchs wie auch aller ihm vorausgegangenen Dramen, Statements und Interviews ist es letzten Endes – höchst verknappt gesagt – eine andere, bessere, radikalere Form des Sozialismus, in der Müller die einzige Alternative zu den in Ost und West
versteinerten Verhältnissen sieht. Es ist seine Absicht gewesen und
seine Absicht geblieben, und zwar sowohl politisch als auch kulturell, diese versteinerten Verhältnisse zum Tanzen zu bringen.

Im Politischen äußert sich dieser Wunsch, ja diese Utopie, von
der letztlich kein Marxist freikommen kann, in einer ständigen Akzentuierung der spezifisch proletarischen Elemente innerhalb des
Kommunismus, um so all jenen entgegenzuwirken, die sich – in einem anti-utopischen Sinn – zu früh der Illusion hingegeben hätten,
daß es möglich sei, sich in einem bereits „real-existierenden" Sozialismus häuslich einzurichten, ohne dafür die sozialen, ökonomischen und kulturellen Voraussetzungen zu schaffen. Müller betont
daher immer wieder, daß er „von unten" komme und auch in seinem späteren Leben nie seine proletarische Perspektive aufgegeben
habe. Er teilt deshalb mit Brecht, wie überhaupt mit allen Vertretern der alten Einheitsfrontpolitik, durchaus die Forderung nach
einer „Diktatur des Proletariats". Nichts erscheint ihm verfehlter,
als im Zuge einer verlogenen Volksfrontpolitik den Klassenkampf
einfach abzuschaffen und zu erklären, bereits in einer „sozialistischen Menschengemeinschaft" zu leben, in der es „keine Klassen
und keinen Klassenkampf" mehr gebe (124). Ja, noch empörter ist
Müller darüber, daß man auf seiten der SED – vor allem in der
Frühzeit der DDR – immer wieder Zugeständnisse an die deutschnationalen Traditionen gemacht und sich beispielsweise in den
Uniformen der Nationalen Volksarmee bewußt an die „Nazi-Uniformen der Wehrmacht" gehalten habe (126). Als Brecht dagegen
bei Stoph protestiert habe, soll ihm dieser geantwortet haben, „man

müsse alle Schichten gewinnen, gerade die bürgerlichen, und deswegen werde das nationale Element betont" (127).

Die gleiche Kritik übt Müller an den Kulturkonzepten der SED. Statt an die Traditionen der linken Avantgarde der zwanziger Jahre, also an Meyerhold, Eisenstein, Majakowski, Serafimowitsch, Gladkow, Fadejew, Brecht, Eisler, Heartfield sowie die Autoren des Bundes proletarisch-revolutionärer Schriftsteller anzuknüpfen, statt den mit der Devise „Greif zur Feder, Kumpel!" eingeschlagenen Bitterfelder Weg, der in manchem „ganz einsichtig" gewesen sei, weiterzuverfolgen (153), statt die von Ruth Berghaus praktizierte Linie am Berliner Ensemble zu fördern, statt die engagierten Autoren um die FDJ-Zeitschrift *Junge Kunst* zu unterstützen – hätten es die Führungskräfte der SED und ihre kleinbürgerlichen Handlanger als wesentlich wichtiger empfunden, mit kulturkonservativen Gesten auch die „bürgerlichen Schichten" für den neuen Staat zu gewinnen und die sozialistischen Elemente bewußt herunterzuspielen. Im Gegensatz zu jenen, denen es um betont avantgardistische Ziele gegangen sei, habe man auf seiten der Partei fast nur die „Tradition", die „bürgerliche Ethik" und den „bürgerlichen Kunstbegriff" propagiert (124).

Allerdings ist dies nur eine Seite von Müllers „besserem" Sozialismus. Seine proletarisch gefärbte Einheitsfrontperspektive wird streckenweise mit einer ebenso betont asozialen, anarchistischen, linksradikalen Perspektive verbunden, in der sich das Ausscheren Müllers aus dem Proletariat in eine Künstlerexistenz manifestiert, welche aufgrund ihrer Besitzlosigkeit sowie ihrer Bevorzugung eines unbürgerlichen Milieus zwar ebenfalls deutlich antibürgerliche Elemente enthält, jedoch in ihrer Privilegiertheit als Künstler allmählich ihren Bezug zum spezifisch Proletarischen verliert. Um das sich dabei einstellende schlechte Gewissen zu beschwichtigen, versäumt es Müller nicht, uns sehr ausführlich über seinen betont asozialen Lebensstil zu berichten. „Ich bin ein Höhlenbewohner oder Nomade", schreibt er, „jedenfalls werde ich das Gefühl nicht los, daß ich nirgends hingehöre. Es gibt keine Wohnung für mich, nur Aufenthaltsorte. Meine Neubauwohnung in Berlin-Friedrichsfelde, DDR-Plattenbauweise mit Löchern in der Decke, sieben Jahre hat es durchgeregnet, ist mir eher angenehm, weil sie den Begriff Wohnung aufhebt, Wohnung als Domizil" (308). Was er brauche, sei lediglich ein „Bett" und einen „Tisch zum Arbeiten" (ebd.). Was er dagegen, wie fast alle Asozialen, nicht entbehren könne, seien

„Kneipen" (88). „Die Kneipen sind die Paradiese", heißt es an einer
Stelle, „aus denen man die Zeit vertreiben kann" (91) und wo die literarischen Stoffe geradezu auf den Tischen liegen. Eine reguläre
Arbeit oder gar „Brotarbeit" erscheint ihm dagegen verächtlich
(106). Auch „Termine einzuhalten", hält Müller für philisterhaft
(161). Als guter Bohemien möchte er von den anderen, vor allem von
den Parteifunktionären, lieber als genialer Hund denn als pflichtbe-
wußter Genosse eingeschätzt werden. Überhaupt sind ihm alle
Wertvorstellungen, die aus den früheren Oberschichten kommen,
von vornherein verdächtig, wenn nicht gar verhaßt.

Ebenso deutlich äußert sich diese betonte Asozialität in seinem
Umgang mit Frauen, der zwar nicht in extenso dargestellt wird,
aber doch eine Reihe interessanter Aufschlüsse zuläßt. So heißt es
über Inge Müller, seine zweite Frau, daß sie wegen ihrer Herkunft
aus der Oberschicht mit den ärmlichen Verhältnissen der fünfziger
Jahre nur schwer zu Rande gekommen sei, während es ihm nichts
ausgemacht habe, „asozial zu sein" (159). Obendrein macht Müller
kein Hehl daraus, daß er stets eine „proletarische Gier" auf Damen
aus den oberen Klassen gehabt habe (139). Und er sei damit auch
zum Zuge gekommen, habe allerdings Zeit seines Lebens ihn bin-
dende Verhältnisse stets entschieden abgelehnt. Als eine seiner frühen Freundinnen schwanger wurde, sei ihm das als eklige „Frei-
heitsberaubung" erschienen (109). Überhaupt betont er auf diesem
Sektor – neben der Neigung zu künstlerischen Arbeitsgemeinschaf-
ten – fast ausschließlich das Unbürgerlich-Provokative und damit
letztlich Asoziale.

Wenn es nur die Vorliebe für das Nomadendasein, die Kneipen
und die Frauen wäre, in der sich Müllers asozialer Sozialismus oder
Asozialismus manifestiert, brauchte man auf diesen Aspekt kaum
einzugehen. In Wirklichkeit will er jedoch damit den grundsätzlichen „Ausstieg aus dem bürgerlichen Leben" glorifizieren (294).
Wohl am deutlichsten kommt das in seiner Faszination für bestimmte Formen des Terrorismus und der Dissidenz zum Ausdruck, die er für die wichtigsten revolutionären Antriebsimpulse
der Gegenwart hält. Neben seine proletarische Klassenperspektive
tritt daher immer wieder die Idee der „Wiedergeburt des Revolu-
tionärs aus dem Geist des Partisanen", die er zum Teil Carl Schmitt
verdankt (347). Müller schreibt, um die Konzepte des individuellen
und des kollektiven Aufstands möglichst eng miteinander zu verbinden: „Mag der Partisan in einer Industriegesellschaft ein Hund

auf der Autobahn sein. Es kommt darauf an, wie viele Hunde sich
auf der Autobahn versammeln" (ebd.). Es sind drei Themenkom-
plexe, mit denen er diese These zu erläutern sucht: Ulrike Meinhof
und die Rote Armee Fraktion, die Charles Manson Family sowie
Brechts *Fatzer*-Fragment, an dem sich Müller auch als Bearbeiter
versucht hat.

An der Roten Armee Fraktion interessierte ihn vor allem „die
Zerstörung des bürgerlichen Lebenszusammenhanges, der Ausstieg
aus dem bürgerlichen Leben und der Einstieg in die Illegalität"
(294). Um gegen die versteinerten Verhältnisse ihrer Welt zu prote-
stieren, habe die Gruppe um Baader erst einmal – gemeinsam mit
Ulrike Meinhof, die damals mit dem Chefredakteur von *Konkret*
verheiratet war – alle „Möbel aus dem Fenster geworfen" (ebd.).
Danach habe sie bei dem Versuch, auf die imperialistischen Unta-
ten in der Dritten Welt hinzuweisen, ein Warenhaus in Brand gesteckt und so den „Vietnamkrieg in den Supermarkt" verlegt (314).
In solchen Aktionen, die gerade wegen ihrer scheinbaren Wider-
sinnigkeit so schockierend wirkten, sieht Müller den „theologi-
schen Glutkern des Terrorismus", über den sich nur „Heuchler"
erregen könnten (316). Ja, selbst jene Momente in der Geschichte
der RAF, „in denen ein Abweichler exekutiert wurde", gehören für
ihn zur notwendigen „Tragik von militanten Gruppen", die wegen
der Übermacht ihrer Gegner „nicht zum Zug kommen", wodurch
sich ihr Gewaltpotential zwangsläufig „nach innen kehre" (311).
Und so habe er es nicht unterlassen können, sich bei der Verlei-
hung des Büchner-Preises in Darmstadt in seinem Redetext auf Ulrike Meinhof zu beziehen, und damit eine „eisige Stille" im Saal
hervorgerufen (358). Noch indignierter sei Unseld gewesen, als er
ihm vorgeschlagen habe, in den geplanten Band *Shakespeare Factory*
ein „Ulrike-Meinhof-Foto nach der Strickabnahme" aufzunehmen,
und habe das Ganze einfach abgeblasen (295).

Aus Interesse an Charles Manson besuchte Müller nicht nur
Death Valley, wo dessen „Family" angefangen habe, „ihre Feldzü-
ge zu planen", sondern wohnte sogar eine Zeitlang in Beverly Hills
gegenüber jenem Haus, in dem der „Mord an Sharon Tate" stattfand (283). Manson hätte mit seinen Mordtaten, behauptet Müller,
den Amerikanern nur klarmachen wollen, „daß Nixon viel mehr
Leute umgebracht habe als er", und sich damit – auf bewußt pro-
vozierende Weise – zum „Sündenbock" eines inhumanen Systems
gemacht (ebd.). Ebenso imponierend findet er Susan Atkins, eine

der für ihre „scaring phonecalls" bekannten Mörderinnen von Sha-
ron Tate, die bei dem Manson-Prozeß im Gerichtssaal erklärt habe:
„Wenn sie mit Fleischmessern durch eure Schlafzimmer geht, wer-
det ihr die Wahrheit wissen" (294). Von diesem Satz sei er lange
Zeit nicht losgekommen und habe ihn später der Ophelia seiner
Hamletmaschine in den Mund gelegt.

In die gleiche produktive Erregung habe ihn Brechts *Fatzer*-
Material versetzt, wohl der „beste Text von Brecht überhaupt"
(226), wenn nicht gar ein „Jahrhunderttext", von der „sprachlichen
Qualität" und „Dichte" her (309). In diesem Stück sei ursprünglich
Koch der „Terrorist" und Fatzer der „Anarchist" gewesen. In den
späteren Fassungen werde jedoch Koch immer stärker zum Keuner, also einer Lenin-Figur, einem „Pragmatiker, der das Mögliche
versucht" (310). In der Verschmelzung von „Koch/Keuner" sei
dieses Werk für ihn auch ein Stück über die RAF, ja stehe in der
Aufspaltung in zwei Protagonisten in einer viel älteren deutschen
Tradition, zu der auch das *Nibelungenlied*, *Die Räuber*, *Faust*,
Dantons Tod und Grabbes *Gotland* gehörten (ebd.). Außerdem
finde sich das Problem, daß sich Leute aus terroristisch-revolutio-
nären Absichten „zum Töten zwingen" müssen, auch in Brechts
Maßnahme und in seinem *Mauser* wieder (312).

Sowohl die Abschnitte über die RAF, die Manson Family als
auch das Brechtsche Fatzer-Fragment zeigen, daß Müllers „besse-
rer" Sozialismus – angesichts der versteinerten Verhältnisse der von
Bürokraten und Apparatschiks „verwalteten" Welt, in der man
kalter Unmenschlichkeit nur mit glühender Unmenschlichkeit entgegentreten könne – immer stärker auf einen attentatistischen An-
archismus hinausläuft. Trotz aller ernst gemeinten Berufungen auf
„Proletarisches" geht es Müller in diesem Buch nicht um geplante
Klassenaktionen, sondern um surrealistisch-aufsprengende Akte
zum Letzten entschlossener Einzelner, die nicht nur die kapitalistischen oder sozialistischen Herrensysteme, sondern *alle* Machtstruk-
turen zu beseitigen suchten. In diesem Punkt stimmte er 1992 völlig
mit Foucault überein, der ihm „im Jahr von Stammheim" in Paris
gesagt habe, daß ihn in Ostdeutschland nur die „Dissidenten" und
in Westdeutschland nur die „Terroristen" interessierten (306).

Kommen wir zu Folgerungen. Eine Sicht der politischen, gesellschaftlichen und kulturellen Situation, wie sie Müller in seiner
Autobiographie entwickelt, versucht zwar – im Gegensatz zu der
weitverbreiteten Resignation innerhalb der deutschen Linken – im

Hinblick auf Vergangenes wie auch weiterhin Bestehendes eine
Alternative anzubieten, indem sie jene Terroristen in den Vordergrund rückt, die sich in einer Welt der Unmenschlichkeit, das heißt
der Ausbeutung, der Grausamkeit, des Tötens und Vergewaltigens,
notwendig zu ebenso grausamen, unmenschlichen Akten gezwungen sahen, um im Rauschen der alles überflutenden Massenmedien
überhaupt noch gehört zu werden, verzichtet jedoch auf jedes ältere aufklärerische, vom Gedanken der fortschreitenden Emanzipation des Menschengeschlechts ausgehende Programm. Dennoch
bleibt Müller – trotz mancher zynisch-kokettierender Bemerkungen,
wie Ernst Jünger ein ausgesprochener „Katastrophenliebhaber" zu
sein (182) – weiterhin ein „Partisan", wenn auch meist im Sinne jenes
Carl Schmitt, den er in diesem Buch siebenmal erwähnt. Durch die
Lektüre der Schmittschen Werke, vor allem der „Theorie des Parti-
sans", habe er begriffen, daß durch „totale Weltverbesserungspro-
gramme" nicht nur die Hoffnung auf eine bessere Zukunft, sondern
auch ein „totales Feindbild" entstehe (314), welches in seinem fun-
damentalistischen Charakter ebenso unmenschlich sei wie jene Unmenschlichkeit, die es im Namen des Fortschritts abzuschaffen su-
che.

Ebenso einleuchtend findet er die Ansicht Foucaults, daß selbst
die „humanistischen" Reformbestrebungen der Aufklärung letztlich
auf „Kontrolle, Organisation, Disziplinierung" und damit „Aus-
schließung" hinausgelaufen seien. Auch für jene, denen es um die
„Emanzipation der Menschheit" gehe, werde jeder „Feind" zu einem „Feind der Menschheit" und sei dadurch „kein Mensch"
mehr, sondern eine quantité négligeable, die es mit jakobinischem
Eifer zu beseitigen gelte. Darin sehe er die „Grundfrage" aller politischen Auseinandersetzungen (315). Allerdings sei eine Haltung,
die überhaupt kein „Feindbild" mehr habe und die „Ausbeutung
als ein Phänomen des Lebendigen" einfach akzeptiere, ebenso ab-
lehnenswert (314). Darum tue sich auf dieser Ebene immer wieder
ein „Paradox" auf, lesen wir, für das es letztlich keine „Lösung"
gebe (316). Wer dies nicht begriffen habe, werde nie einen Sinn für
„menschliche Tragik", ja die „Unerträglichkeit des Seins" schlechthin entwickeln. Und so erkläre sich, gerade in Europa, die „Anfäl-
ligkeit der Intellektuellen für Ideologie", also das Bemühen, das
nur „schwer zu ertragende Paradox der menschlichen Existenz"
durch ein Weltverbesserungsprogramm und damit ein klares Feindbild aus der Welt zu schaffen (ebd.).

Wegen dieser zwar radikal klingenden, aber von „Tragik" ge-
brochenen und damit zu keiner Handlung verpflichtenden Haltung
sei er nicht zu einem Baader, Manson oder Fatzer geworden, sondern habe seine „Aggressionen" nur auf dem Theater, im Medium
der Kunst ausgelebt (335), was Müller in anderen Zusammenhängen als seine „Nichtengagiertheit" hinstellt. Dennoch sieht er auch
darin eine wichtige Funktion. „Ich glaube", schreibt er an zentraler
Stelle, „Kunst ist ein Angriff auf dieses Paradox, auf jeden Fall eine
Provokation, die auf dieses Paradox hinweist. Das ist die Funktion
von Kunst, eine vielleicht asoziale oder zumindest antisoziale, aber
moralische Funktion von Kunst" (315). Wenn also Müller seit den
siebziger Jahren in seinen Dramen in zunehmendem Maße Szenen
aneinanderreiht, in denen es von schockartig präsentierten Bruder-
kämpfen, Vergewaltigungen, Herzschlägen, Morden und anderen
Schreckenstaten nur so wimmelt, so hat das nicht nur einen sensa-
tionalistischen Charakter, sondern soll in Artaudscher Manier seine
Zuschauer gewaltsam mit der barbarischen Vorgeschichte der
Menschheit sowie der blutigen Gegenwart und den herannahenden
Katastrophen konfrontieren, um sie aus jenen versteinerten Verhältnissen aufzuschrecken, in denen jede glatte Fassade weiterhin
für ein Zeichen des unaufhaltsamen Fortschritts zu größerem
Wohlstand oder steigender Demokratisierung gilt.

Und zwar benutzt er dabei, wie er in seiner „Autobiographie",
aber auch schon früher häufig durchblicken läßt, in seinen späten
Dramen nicht nur die Furcht und Schrecken einflößenden Mittel
der griechischen Tragödie, Shakespeares, Kleists, Grabbes und
Hebbels, sondern auch die „Gewaltsamkeit" Dostojewskis, die Ver-
fremdungstechniken Kafkas, die Kälte Jüngers, die ins Traumhaft-
Wilde ausschweifenden Elemente des französischen Surrealismus, die
Konzeptkunstvorstellungen eines Beuys, die Aufhebung der „Kau-
salität" durch Robert Wilson (331) sowie die dezentrierende Seh-
weise des Poststrukturalismus. Kunst, heißt es apodiktisch, brauche
heute mehr denn je eine „blutige Wurzel", einen Sinn für „Schrek-
ken" und „Terror" (290), um überhaupt noch verstörend zu wirken.
Ihre zentrale Aufgabe könne weder eine genau festgelegte Parteilichkeit noch eine „platte Aktualität" sein (323). Daher müsse sie sowohl auf die „aufklärerischen" Mittel der freundlichen Überredung
als auch auf jene Techniken der „Negation" und „Polemik" verzichten (289), durch die sich der Künstler zwangsläufig auf eine
höhere Warte als die der politischen und gesellschaftlichen Wirk-

lichkeit begebe. Ebenso unwirksam sei jede Kunst, die sich aus der
Realität ins total Unwirkliche zurückzuziehen versuche, was für
viele Autoren der Prenzlauer-Berg-Gruppe gelte, deren Kunst eine
bloße „Scheinkunst" sei (288).

Müller insistiert deshalb immer wieder darauf, daß sich eine be-
langvolle Kunst möglichst intensiv auf *ihre* Verhältnisse einlassen
müsse, da man im Bereich des Theoretisch-Ideologischen notwendigerweise weltfremd werde oder im ästhetischen Vakuum jedwede
Orientierung verliere und plötzlich nur noch „sich selbst als Gegner" gegenüberstehe (351). Sie dürfe die bestehenden Machtver-
hältnisse weder hochmütig negieren noch einfach von ihnen absehen, sondern müsse sich ständig an ihnen „reiben" (113). Auch sein
mit Haß und Liebe betrachteter Brecht habe das manchmal begriffen. Nicht die „freundlichen" Stellen seien daher bei ihm die wichtigsten, erklärt Müller, sondern die, in denen es um „Schrecken"
und „Terrorismus" gehe (227). Schon er habe gewußt, daß nur „die
Schönheit der Formulierung eines barbarischen Tatbestandes Hoffnung auf die Utopie" enthalte (291). Und so kommt Müller unab-
lässig auf die als verstörend hingestellte These zurück, daß Kunst
heute nur noch im Beharren auf dem Schrecklichen den Blochschen
„Vorschein einer besseren Welt" gewähre (290).

Doch die Frage, inwieweit eine solche Kunst noch tatsächlich
wirksam sein könne, erfährt auch in den letzten, ins Grundsätzliche
tendierenden Abschnitten von Müllers „Autobiographie" keine Antwort. Schließlich lebt ihr Autor nicht mehr in einem Land, in dem
die Literatur – im Guten wie im Schlimmen – „so ernst genommen"
wurde wie in der DDR (175), sondern in der immer eindimensio-
naler werdenden Welt einer Massenmedienkultur, vor der schon
Adorno die Waffen gestreckt hat. Und so kann Müller am Schluß
seines Buchs, bei aller Betonung der letztlich unaufhebbaren Tragik
der menschlichen Existenz, seine Hoffnungen nur auf jene „sozialen Widersprüche" setzen, die aufs engste mit der fortbestehenden
kapitalistischen Produktionsweise zusammenhängen. Jetzt, nach
dem Zusammenbruch der DDR, heißt es provokant, gebe es auch
in Deutschland „wieder eine Basis für Klassenkampf" (360). Demzufolge hofft Müller weiter auf eine Welt, in der die immer wieder
eingelullten Massen endlich ihre eigenen Interessen erkennen und
sich gegen das Prinzip der Ausbeutung auflehnen. Ja, er hofft sogar, daß es wieder Künstler geben werde, die sich voller Haß auf
eine Welt, in der selbst das Theater eine Anstalt der „Freiheitsbe-

raubung", wenn nicht gar ein „Theater von Polizisten für Polizisten" geworden sei (331), um eine Wiedergeburt des Revolutionären aus dem Geiste des Partisanentums bemühen werden. Denn
jetzt, wo es keinen Sozialismus mehr gebe und der Kapitalismus
nur noch einen Gegner habe, „nämlich sich selbst", werde der
Kalte Krieg zwangsläufig in seine eigenen Breiten verlagert und
damit das Territorium der von ökonomischen Krisen geschüttelten
Industrieländer des Westens zum Schlachtfeld der kommenden
Auseinandersetzungen.

„Die gotische Linie"

Altdeutsche Landschaften und Physiognomien bei Seghers and Müller
(1995/98)

Helen Fehervary

> Giotto war am Anfang der Renaissance
> nicht der erste und nicht der einzige
> Maler, der die Heiligenscheine um die
> Köpfe der heimischen Bäuerinnen gelegt
> hat. Er gab dem neuen Inhalt der Zeit
> einen gültigen Ausdruck.
> – Anna Seghers, Rede auf dem Fünften
> Deutschen Schriftstellerkongreß (1961)[1]

> Das Feld ging übern Bauern und der Pflug
> Seit sich die Erde umdreht in der Welt.
> Jetzt geht der Bauer über Pflug und Feld.
> Die Erde deckt uns alle bald genug.
> – Heiner Müller, *Die Bauern* (1964)[2]

In seinem Nachruf auf Seghers schrieb Hans Mayer 1983: „Die Welt der Erzählerin Anna Seghers ist stets auch eine *tragische* Welt. Sie kennt sowohl die noch unerfüllte wie auch die gescheiterte Hoffnung. [...] Die menschliche Existenz zwischen der Wärme und der Kälte. Die Kraft der Schwachen. Das Eingedenk der Toten."[3] Daß die Toten und die Lebenden in Seghers' Werk oft auch Märtyrer sind, hatte bereits Siegfried Kracauer erkannt, als er 1932 ihren Roman *Die Gefährten* (1932) als „eine Märtyrer-Chronik von heute" beschrieb.[4] Auch Walter Benjamin lobte Seghers im Jahre 1938 als „Chronistin" und nannte die Figuren in ihrem Roman *Die Rettung* „Märtyrer im genauen Wortsinn (martyr, griechisch: der Zeuge)".[5]

Den Roman *Die Rettung*, der von der Arbeitslosigkeit schlesischer Bergarbeiter am Vorabend des Faschismus handelt, verglich

Benjamin mit der „echten Volkskunst" des Mittelalters, „auf die
sich einst der ‚Blaue Reiter' berufen hat": „Es unterscheidet die
Chronik von der Geschichtsdarstellung im neueren Sinne, daß ihr
die zeitliche Perspektive fehlt. Ihre Schilderungen rücken in nächste Nähe derjenigen Formen der Malerei, die vor der Entdeckung
der Perspektive liegen. Wenn die Gestalten der Miniaturen oder der
frühen Tafelbilder dem Betrachter auf Goldgrund entgegentreten,
so prägen sich ihm ihre Züge nicht weniger ein, als hätte der Maler
sie in die Natur oder in ein Gehäuse hineingestellt. Sie grenzen an
einen verklärten Raum, ohne an Genauigkeit einzubüßen. So grenzen dem Chronisten des Mittelalters seine Charaktere an eine ver-
klärte Zeit, die ihr Wirken jäh unterbrechen kann. Das Reich Got-
tes ereilt sie als Katastrophe. Es ist gewiß diese Katastrophe nicht,
die die Arbeitslosen erwartet, deren Chronik ‚Die Rettung' ist.
Aber sie ist etwas wie deren Gegenbild, das Heraufkommen des
Antichrist. Dieser äfft bekanntlich den Segen nach, der als messia-
nischer verheißen wurde. So äfft das dritte Reich den Sozialismus
nach. Die Arbeitslosigkeit hat ein Ende, weil die Zwangsarbeit
rechtens geworden ist."[6] „Werden sich diese Menschen *befreien*?",
fragte sich Benjamin am Ende seiner Rezension und gab darauf die
Antwort: „Man ertappt sich auf dem Gefühl, daß es für sie, wie für
arme Seelen, nur noch eine *Erlösung* gibt."[7]

Was Kracauer, Benjamin und Mayer innerhalb einer Zeitspanne
von fünfzig Jahren als das tragische bzw. „erlösende" Moment in
Seghers' Prosa verstanden, stand zweifellos auch im Mittelpunkt
von Heiner Müllers intensiver Beschäftigung mit Seghers' Werk.
Drückt sich dieses Verhältnis in Müllers späteren Stücken (*Der
Auftrag, Verkommenes Ufer*) in starren manierierten Bildern aus,
die Seghers' bewegte epische Landschaften nur schwach widerhallen lassen, so enthalten seine frühen Stücke, vor allem *Die Umsiedlerin oder Das Leben auf dem Lande* (Neufassung *Die Bauern*,
1964), gerade das Episch-Chronikhafte, das ihrerzeit Kracauer und
Benjamin an Seghers' Prosa zu schätzten wußten. In der Tat weist
Seghers' Prosa nicht nur den Erzählstil der alten Chroniken, sondern
auch die ikonographischen Muster der mittelalterlichen Gotik, der
nördlichen Renaissance und der holländischen Landschaftsmalerei
auf. Man vergleiche ihre markanten Figurenporträts mit den Physiognomien der gotischen Apostel und Madonnen, ihre Landschaften
mit denen der deutschen und niederländischen Meister des 15., 16.
und 17. Jahrhunderts. So schrieb einmal Carl Zuckmayer in Bezug

auf das erste Kapitel ihres Romans *Das siebte Kreuz*: „Da steht der
Schäfer am Taunushang, wie von Dürer gezeichnet."[8]

In seiner Autobiographie bezeichnete Müller die „gotische Linie,
das Deutsche" als ein Erbe, das bis zu Brechts „Antigone-Vorspiel"
und dessen „,deutschen' Knittelversen, die eine ungeheure Gewalt
haben", reiche: „Das ist so wie ein Anschluß an einen Blutstrom,
der durch die deutsche Literatur geht, seit dem Mittelalter, und das
Mittelalter war die eigentlich große deutsche Zeit. Im Mittelalter
gab es eine deutsche Kultur, als etwas Einheitliches. Danach zerfiel
das in Regionen, dann in private Provinzen. Aber es gab nie mehr
diese kulturelle Einheit, die deutlich in der bildenden Kunst erkennbar ist. [...] Dann kam der Dreißigjährige Krieg, und danach gab es
diese Gesichter nicht mehr in Deutschland, Gesichter wie bei Cranach, wie bei Dürer, so etwas wie einen Volkscharakter. Nur im
Sturm und Drang kam das noch mal hoch, bei Büchner sowieso,
bei Lenz ganz extrem."[9]

Auf dieselbe „Linie", allerdings mit Einbezug der Kunsttradition ihrer linksrheinischen Heimat, wies Seghers 1961 hin, als sie
Müllers altdeutsch-„gotisches" Stück *Die Umsiedlerin oder Das
Leben auf dem Lande* vor ihren Schriftstellerkollegen und -kolle-
ginnen verteidigte. Seghers unterbrach am 17. Oktober 1961 die
Sitzung der Dramatiksektion des Schriftstellerverbandes nach der
Rede des Kulturvorsitzenden des Zentralkomitees Siegfried Wagner, der Müllers Stück als „schändlich", „ganz negativ" und „kon-
terrevolutionär" verurteilte.[10] Seghers trug ihre extemporierte Rede
in schweikischer Manier vor und meinte, sie sei mit den vorhergehenden Rednern einverstanden, Müllers Stück sei „wirr", „ästhe-
tisch-künstlerisch nicht gelungen" und hätte in seiner gegenwärtigen Form keine „günstige" Wirkung auf das unter dem Eindruck
der Mauerbau-Ereignisse stehende DDR-Publikum.[11] Dann fuhr sie
mit etwas geänderter Stimme fort, indem sie die Verdienste künstlerischer „Negativität" im Allgemeinen pries und zum Entsetzen
vieler ihrer Kollegen und Kolleginnen den jungen Müller mit dem
seinerzeit ebenso jungen Verfasser des *Urfaust* und *Götz von Ber-
lichingen* verglich: „Ich habe eben gebeten, um mir selbst ein Bild
zu machen, diese Sache zu lesen. Alles was man nun im Einzelnen
darüber sagt, könnte man widerlegen. Man kann's auch nicht, um
Zeit zu ersparen, man kann zum Beispiel sagen, daß die negativen
Dinge immer, seit dem Straßburger Münster den Künstlern aus
irgendeinem ästhetischen Grund, den die Ästhetiker untersuchen

Lucas Cranach d. Ä., Bauernkopf, um 1515 (Basel)

sollen, besser gelungen sind wie die positiven. Natürlich gibt es auch Gegenbeispiele in sehr einigen Fällen, aber auch die törichten Jungfrauen am Straßburger Münster sind attraktiver als die klugen Jungfrauen. Also so fängt die Kunst schon an, und man kann ungeheuer viele Beispiele dafür geben. Auch erinnert ja überhaupt der

Heiner Müller und diese mehr oder weniger brauchbaren Stücke und
Sachen, die er geschrieben hat in aller Begabung, in aller Unreife, in
allem Sexualquatsch, in aller Hysterie – ein wenig hysterisch ist's ja
auch – erinnert ja alles ein bißchen an die uns so wohl bekannten
Sturm- und Drangbeispiele, überhaupt an viele Beispiele [Unmuts-
äußerungen] an viele Beispiele in unserer Literaturgeschichte, wo
immer offenbar für eine junge Generation ein Grund war, kribblig
und hysterisch zu werden."[12]

Im Rückblick auf die Literaturgeschichte der DDR wirkt Müllers
Umsiedlerin-Fragment tatsächlich wie ein Höhepunkt und zugleich
Endpunkt einer Kunsttradition, die bis ins Mittelalter zurückreicht.
Seghers' Verweis auf die „attraktiveren" törichten Jungfrauen am
Straßburger Münster sowie Müllers spätere Bezugnahme auf die „gotische Linie" beschwören jedoch nicht nur den altdeutschen Geist
diese Erbes, sondern auch seine Nachwirkung im zwanzigsten Jahr-
hundert, nämlich im radikal-marxistischen Flügel der Avantgarde,
der infolge zweier Weltkriege die Erinnerung an die zum ersten
Mal 1525 gescheiterte „plebeische" deutsche Revolution wiederholt
wachzurufen versuchte. Bekanntlich äußerte sich diese „Linie" im
chiliastischen Streben der Expressionisten, im revolutionären Geist
Karl Liebknechts und Rosa Luxemburgs, in Ernst Blochs *Geist der
Utopie* und *Thomas Müntzer als Theologe der Revolution* sowie in
Georg Lukács' *Geschichte und Klassenbewußtsein*. Im Sinne der gleichen Tradition promovierte Seghers' Ehemann László Radványi,
alias Johann-Lorenz Schmidt, der von 1925 bis 1933 Leiter der Marxistischen Arbeiterschule (MASCH) war, 1923 in Heidelberg bei
Karl Jaspers zum Thema *Der Chiliasmus. Ein Versuch zur Erkenntnis der chiliastischen Idee und des chiliastischen Handelns*. Am Ende
seiner Dissertation kam Radványi zu dem Schluß: „Die bisherigen
chiliastischen Versuche sind zwar alle gescheitert, und seit der Reformation sind nicht einmal Versuche vorgekommen." Seine weiteren Überlegungen galten der Hoffnung, in welcher „der Mensch das
ganze Werk der Erlösung selbst vollbringen zu können glaubt, und
von Gott nichts mehr erwartet", nämlich der des Bolschewismus,
die er und viele andere Sozialisten und Kommunisten trotz der
Umwege und des Versagens des „realen Sozialismus" bis zu ihrem
Lebensende hegten.[13]

Und auch die expressionistisch-chiliastische Metaphorik blieb
weiter bestehen. Im antifaschistischen Exil schrieb bekanntlich Benjamin von dem „Heraufkommen des Antichrist".[14] 1947, zu Anfang

des Kalten Krieges, beschrieb Seghers in einem Gespräch mit
Brecht Berlin als „Hexensabatt, wo es auch noch an Besenstielen
fehlt".[15] Im selben Jahr griff sie geschichtlich noch weiter zurück
und verglich die antifaschistische Haltung der „anständigen" Deutschen mit der Haltung christlich-jüdischer Sekten im römischen
Reich: „Der Faschismus hat das Land entsetzlich verwüstet, innen
und außen, vor allem innen. [...] Die paar anständigen Menschen,
die ich lebend traf (manche, die ich suchte, fand ich gar nicht oder
auf einem Todesurteil), stechen von den übrigen ab, wie vielleicht
einmal die ersten Christen von den Zuschauern in einer römischen
Arena."[16] Im Jahre 1952 versuchten in der DDR Brecht mit seiner
kurzlebigen *Urfaust*-Inszenierung und Hanns Eisler mit einem
„ketzerischen" *Faust*-Libretto an das progressive altdeutsche Erbe
anzuknüpfen. In seinem *Arbeitsjournal* beschrieb Brecht ganz begeistert das Rezept für seinen szenischen „Hexenkessel": „Cas hatte für
Kostüm usw die Wertherzeit vorgeschlagen, aber ich plädiere für
Dürersches Mittelalter, damit der Teufel, die Magie und das ganze
Brimborium des alten Puppenspiels naiv vorkommen können, [...]
also Erdgeist als quakendes hockendes Vieh à la Bosch und der Teufel als Volksteufel mit Hörnern und Klumpfuß."[17]
    Das zwischen 1956 und 1961 entstandene, am Ende jedoch ge-
scheiterte *Umsiedlerin*-Projekt Müllers war ein letzter Versuch, das
radikale Erbe des sechzehnten Jahrhunderts im zeitgenössischen
DDR-Theater wiederzuerwecken. Der lockere szenische Aufbau, die
thematische Vielfalt, die schnell wechselnden Schauplätze, die pak-
kenden unregelmäßigen Jamben, das Episch-Chronikhafte und die
starke Bildlichkeit der Sprache, die vom volksliedhaft Lyrischen bis
zum Grobianischen reicht, verliehen dem Stück einen geradezu
plebeischen Charakter, der zugleich die publikumsnahe Spielart des
elisabethanischen Theaters und das revolutionäre Erbe der frühen
Reformationszeit in Deutschland weiterführen sollte. Theoretisch-
kulturpolitisch gesehen, entstand das Stück unter dem Einfluß von
Brechts und Eislers Experimenten zu Anfang der fünziger Jahre im
Hinblick auf die Umfunktionierung des Faust-Stoffes. Daß das Fau-
stische in Müllers Stück von dem überforderten und ermatteten
DDR-Parteisekretär Flint verkörpert wird, ist ganz im Sinne von
Brechts *Urfaust*-Inszenierung zu verstehen, wo die idealistisch
strebende Faust-Figur ebenfalls relativ flach und uninteressant er-
scheint, Mephistopheles dagegen geradezu volksnah und plebeisch.
Auch in der *Umsiedlerin* vertreten das Diabolische nicht nur der

Altbauer Rammler und Konsorten, sondern auch der anarchische Anti-Held Fondrak, der mit seiner Trinksucht und seinem Sexualappetit den libidinösen Gegenpol zu Flints frustrierten Kopf- und Fußaktionen verkörpert.

Als Anregung für das *Umsiedlerin*-Stück diente Müller Anna Seghers' kurze Erzählung *Die Umsiedlerin*, welche die Autorin 1950 als Beitrag für die Bodenreformkampagne geschrieben hatte, sowie das Chronikhafte in ihrem Prosawerk überhaupt. Im Hinblick auf verwandte Bühnenwerke regten ihn vor allem folgende Stücke an: Erwin Strittmatters 1953 vom Berliner Ensemble aufgeführte Komödie *Katzgraben*, die unter dem Einfluß Brechts in Jamben umgesetzt wurde, damit die Bauern zum ersten Mal auf der Bühne wie die Helden Shakespeares auftreten konnten,[18] und Alfred Matusches 1955 in den Kammerspielen am Deutschen Theater inszenierte *Dorfstraße*, ein stilistisch expressionistisches Stück, das das Thema der deutschen Schuld sowie die Probleme der Umsiedlerbevölkerung und der Bodenreform im Rahmen des deutsch-polnischen Grenzabkommens behandelt.[19] Weitere sprachliche und szenische Anregungen kamen offenbar von Flugblättern, Chroniken, Volksliedern, Holzschnitten, Kupferstichen und Gemälden des 16. Jahrhunderts. Im Sinne dieses historischen Panoramas wurde alles idealistisch Positive in den Hintergrund gedrängt (nur das leise, zögernde Hin- und Hergehen der Umsiedlerin, das an die Figur der Kattrin in Brechts *Mutter Courage und ihre Kinder* erinnert, bietet ein kleines utopisches Zeichen). Hingegen wurden die diabolischen Momente der starken Sprachbilder und der unregelmäßigen Metrik stets gesteigert und in den Vordergrund gerückt.

Bekanntlich war Brechts Lieblingsmaler der ältere Pieter Breughel, von dem er schrieb: „Kaum ein anderer Maler hat die Welt als so schön gemalt wie der Breughel, welcher das Treiben der Menschen als so verkehrt darstellte."[20] Vor allem war es das „Erzählerische" auf Breughels Bildern (mit diesem Begriff beschrieb Müller später die Bilder Tintorettos und der Surrealisten),[21] das Brecht im Hinblick auf sein episches Theater besonders nützlich erschien: „Der ältere Breughel ist einer der größten Erzähler unter den bedeutenden Malern. Er malt in seine Gemälde hinein Meinungen und kleine Kommentare und vermeidet es, alles von *einem* Standpunkt aus zu berichten oder darzustellen. [...] Die entscheidenden Inhaltselemente werden durch eine Verfremdung gehend zur Verständigkeit gebracht. [...] Die unvergleichliche Lebendigkeit seiner erzählenden

Bilder beruht darauf, daß die Gegensätze, die er vorführt, nicht
ausgeglichen, sondern nur ins Gleichgewicht gebracht sind."[22]
Breughels „erzählende Bilder" hatten daher seit den dreißiger Jahren einen bedeutenden Einfluß auf Brechts Stücke und Inszenierungen. Man denke vor allem an *Mutter Courage* und *Der kaukasi-
che Kreidekreis*, in denen dieser Einfluß besonders wirksam war,
wie auch an Brechts Inszenierung von Seghers' *Der Prozeß der
Jeanne d'Arc zu Rouen 1431* im Jahre 1952.[23]

Während der Probe einer Volksszene in *Der Prozeß der Jeanne
d'Arc* bemerkte Brecht: „Die Menge ist gekommen wie zu einem
Volksfest – Breughel stellt so die Kreuzigung Jesu dar."[24] Brecht
empfand solche Volksbilder auf dem Theater als „großzügige Fresken", die „zügig und großflächig hinzuwerfen" seien.[25] Vergleicht
man diese Art von „großzügigen Fresken" mit dem metaphorisch
stilisierten und zum Teil höchst lyrischen Gestus der dicht anein-
ander gereihten Szenen in Müllers *Die Umsiedlerin*, so spürt man,
daß für Müller nicht Breughels, sondern Cranachs „erzählende Bilder" maßgebend waren. Die Gemeinsamkeiten wie auch die Unterschiede liegen auf der Hand. Sowohl Breughels wie auch Cranachs
Bilder, die im Unterschied zu denen Albrecht Dürers stets *Geschichten erzählen*, waren für das plebeisch-realistische Streben des
epischen Theaters besonders geeignet. Allerdings ist die Beziehung
zwischen Figur und Landschaft, zwischen Mensch und Natur, bei
beiden Malern verschieden. Im Gegensatz zu Breughel, in dessen
freskenartigen Bildern die Menschen oft als nur kleine Striche innerhalb eines viel größeren Naturpanoramas erscheinen, rückt Cranach seine Figuren meist in den Vordergrund. Dagegen wirkt der
Hintergrund, der sozusagen aus lauter „Requisiten" besteht, fast
wie eine Theaterszenerie. Müllers Interesse an Cranach entwickelte
sich gleichzeitig mit seiner frühen Beschäftigung mit dem elisabethanischen Theater Shakespeares, in dessen Stücken die einzelnen
Figuren ebenfalls einen viel wichtigeren Platz einnehmen als in dem
epischen Theater Brechts.

Im Gegensatz zu Breughel, auf dessen „erzählenden Bildern"
Brecht jene Gegensätze schätzte, die „nicht ausgeglichen, sondern
nur ins Gleichgewicht gebracht sind,"[26] interessierte sich Cranach
eher für die Groteske, die Skurrilität, die Clownerie. Die Hetero-
geneität des Werkes, die für Breughel eher thematisch kennzeich-
nend ist, ist bei Cranach auch stilistisch vorhanden. Das rückt ihn
natürlich Müller um so näher. Und zwar findet sich diese Viel-

Lucas Cranach d. Ä., Ein ungleiches Paar, um 1530 (Prag)

schichtigkeit sowohl auf Cranachs frühen, eher „primitiv" angelegten Darstellungen der Kreuzigung als auch auf den späteren manierierten Landschaften und sinnlichen Frauen-Gestalten. Außerdem gibt es bei ihm eine breite Skala komödienhafter Versuche, zum
Beispiel die Clownerie in den Darstellungen von Herakles und
Omphale oder David und Bathseba, wie auch eine Reihe „ungleicher Paare" – meist verlegen grinsende Männer mit wenigen Zähnen
und dürftigem Haarschopf, welche die eine Hand um die Taille eines saftigen jungen Mädchens legen, während die andere Hand
(oder die des Mädchens) in die Tasche nach Geldmünzen greift.
Bekanntermaßen beschäftigte sich auch Picasso mit diesem Motiv
in seinen Cranach-Variationen aus den vierziger und fünfziger Jahren.[27] Vermutlich kannte Müller diese Variationen, als er an seinem
Umsiedlerin-Fragment arbeitete.[28]

Abgesehen von einzelnen Sprachbildern, die in diesem Stück vorkommen, spürt man das Zeitalter Cranachs zunächst in der zweiten
Szene mit dem Neubauern Ketzer. Der historische Betrug an den
deutschen Bauern seit den gescheiterten Aufständen im sechzehnten
Jahrhundert wird schon am Anfang der Szene thematisiert: An einem
„trüben Morgen" steht der Neubauer Ketzer vor seiner „verkom-
menen Landarbeiterkate" und „blickt in den Himmel", als das ad-
ministrative Personal (Solleintreiber, Mittelbauer Treiber und Bürgermeister Beutler) erscheint, um Ketzers Sollrückstände „einzu-
treiben". „Wirds regnen heute, Treiber?", fragt Ketzer, als die drei
an ihn herantreten, worauf der Bürgermeister schnell Antwort gibt:
„Auf dich."[29] Am Ende der Szene ersticht der verzweifelte Ketzer
sein Pferd und nimmt den Strick. Seine letzten Worte beschwören
ein Erbe, das Cranach in seinen frühen Darstellungen der Leiden
Christi,[30] wie auch in den Skizzen gekreuzigter Schächer höchst
realistisch darstellte: „Halt aus, Strick, Kumpel. Meinem Alten hast
du / Aus der Not geholfen, seinem Alten vorher. / [...] Ein Sprung
ins Schwarze und ich kann der Welt / Die Zunge zeigen, wenn der
Haken hält."[31]

Das von Cranach mehrfach porträtierte Paar Adam und Eva findet sich in dem bewußt „primitiv"-naiv dargestellten Verhältnis
Fondrak-Niet wieder. Ist die Fondrak-Figur einerseits ein diaboli-
scher Entwurf im Sinne des Volksteufels in Brechts *Urfaust*-Insze-
nierung, so stellt diese Figur andererseits den neuzeitlichen Adam
dar, der wegen seiner anarchischen Süchte und Sünden bald aus dem
Paradies des im Entstehen begriffenen Staates in den Westen flüchtet

Lucas Cranach d. Ä., Adam und Eva, um 1510 (Warschau)

bzw. ausgetrieben wird, allerdings ohne seine Eva, die in diesem
Fall – nach Kosten des „Apfels" der Bodenreform – im Osten zu-
rückbleibt, um als Neubäuerin den eigenen, ehemals Ketzer zuge-
sprochenen Acker zu bearbeiten. Der Monolog Fondraks in der

Liebesszene auf der Wiese gibt das perspektivisch und thematisch
grotesk-skurrile, apokalyptische Weltbild des Spätmittelalters wieder, das in vielen Bildern Cranachs nachzuspüren ist: „Kann sein,
mich trifft der Schlag eh ich hier aufsteh. Oder ein Stück von einem
Stern, der vor dreitausend Jahren geplatzt ist, dich auch. Oder der
Boden, mit Füßen getreten seit Adam, von Vieh und Fahrzeug strapaziert, mit Bomben neuerdings, reißt, warum soll er halten, nichts
hält ewig, ein Loch kommt zum andern, und wir gehn ab, dem alten
Griechen nach, der in den Krater gesprungen ist, weil ihm kein Bier
mehr geschmeckt hat, ich hab seinen Namen vergessen. Oder die
Schwerkraft setzt aus, der ganze dreckige Stern kommt ins Schleu-
dern, und wir machen die Himmelfahrt gleich, ohne den Umweg
durch die Würmer."[32]

Der Anfang des ersten Dialogs zwischen der Umsiedlerin Niet
und dem verwitweten „Bauern mit der Mütze" erinnert an Fausts
und Gretchens erste Begegnung auf der Straße. Doch hier spricht
die Faust-Figur nicht mit der Maske des Verführers, sondern mit
der Miene eines Mannes, der weiß, daß er mit seiner Mütze seine
Glatze verbirgt. Sein erster Werbungsversuch verwendet im Gegensatz zu Fondraks apokalyptisch-profaner Sprache einen einfa-
chen lyrisch-erzählenden Sprachgestus und erinnert an die vielen,
leise erotisch gefärbten Schilderungen Cranachs einer ersten Begegnung von Mann und Frau am Straßenrande unter einem Baum:

> Ich seh, ich halt Sie auf, aber zu spät
> Ist manchmal nicht zu spät, wenn ich auch keiner
> Mehr von den Schnellen bin, das ist nun so:
> Da steht vielleicht am Feldweg, den man jeden
> Tag abfährt, ein Baum, kein großer, eingestaubt
> Von den Fuhrwerken, überall nicht viel anders
> Als andere Bäume, und dann doch ganz anders
> Nämlich wenn man ein Auge drauf hat. Zwei
> Jahr lang fährt man den Weg schon, jeden Tag
> Früh auf den Acker, spät heim und nicht vorm dritten
> Merkt man den Baum, der da schon vier Jahr steht.[33]

Bedenkt man, daß die Umsiedlerin von dem bald in den Westen
abgehauenen Fondrak ein Kind erwartet und der neue Freier Wit-
wer und ein gut Teil älter ist, so erinnert diese wie auch die zweite
Werbungsszene nicht nur an Cranachs profane Bilder, sondern zugleich an seine Darstellungen der Heiligen Familie. Neben der schö-

nen Maria mit üppigem Haar entblößt der Stiefvater Joseph seine
Glatze und blickt während der Ruhepause auf der Flucht nach Ägyp-
ten erschöpft und dennoch gierig auf seine junge Frau hernieder, die
mit enthüllter Brust und von vielen nackten Engelchen umgeben
das Kind stillt. Im übrigen erinnert die meist schweigende, mit utopischen Zügen umhüllte Umsiedlerin an die vielen wunderschönen
Frauenporträts Cranachs, in denen die Kostümierung und Ausstat-
tung, die das mysteriöse Lächeln und die weibliche Physiognomik
umrahmen, in ausdrücklich deutsch-sächsischer Manier nachgezeichnet sind.

In Bezug auf sein Verhältnis zur DDR sagte Müller in seiner
Autobiographie: „Ein Beweis für die Überlegenheit des Systems
war die bessere Literatur, Brecht, Seghers, Scholochow, Majakowski. Ich habe nie daran gedacht, wegzugehen."[34] Von der „gotischen Linie", die über Brecht und auch Seghers führte, erbte Müller
eine Thematik und eine stilistische Haltung, die er selbst „weiter-
schreiben" konnte – so beschrieb er jedenfalls seine Bearbeitung von
Seghers' Erzählung *Das Duell* in *Wolokolamsker Chaussee*.[35] Dementsprechend wäre allgemein festzuhalten: Von Brecht erbte der jüngere Dramatiker Müller – ähnlich wie Sophokles von Aischylos oder
die Sturm und Drang-Dramatiker von Lessing – die Theorie und
Praxis des Epischen Theaters, während er von Seghers – so wie die
antiken Dramatiker die Mythen in der Überlieferung seit Homer
oder Shakespeare die Geschichten der Könige – die episch-chronik-
haft dargestellten Lebensgeschichten und Physiognomien der Menschen dieses Zeitalters übernahm. Wie im Falle Brechts gilt also die
Tradierung von Seghers nicht nur für einzelne von Müller selbst
angegebene Werke, sondern für das Gesamtwerk.

Für sein Drama *Die Umsiedlerin oder Das Leben auf dem Lande*
lieferte Seghers mit der am Anfang der DDR geschriebenen Erzählung *Die Umsiedlerin* einen Teil der Handlung und zwei Hauptfi-
guren: die Umsiedlerin Niet (bei Seghers Nieth) und ihren „teuflischen" Hauswirt Beutler, der in Müllers Stück zugleich Bürgermeister ist. Doch einen noch wichtigeren Einfluß auf die Sprache und
Szenerie in Müllers Stück hatte Seghers' 1933 erschienener Roman
Der Kopflohn, den die Autorin schon 1932 vor ihrem Exil zu schreiben begann. Bezüglich des Tradierens der „gotischen Linie" ist dieser frühe Roman, der die raschen Erfolge des Nationalsozialismus
und ihren fatalen Einfluß auf die Landbevölkerung im Sommer
1932 beschreibt, wohl das eindringlichste Beispiel aus Seghers' Ge-

samtwerk. Vergleicht man ihn mit ihrem fünf Jahre später geschriebenen Widerstandsroman *Das siebte Kreuz*, so wirkt er geradezu „teuflisch". *Der Kopflohn*, dem der Untertitel „Roman aus
einem deutschen Dorf im Spätsommer 1932" beigegeben ist, ist der
erste Roman in deutscher Sprache, der den Gefahren und Verbrechen der Nationalsozialisten unmittelbar ins Auge blickt. Hans-
Albert Walter schreibt über ihn: „Die Episode aus dem Spätsommer 1932 nimmt den Januar 1933 vorweg."[36] Mit anderen Worten:
Der Kopflohn ist die wichtigste dichterische Aussage über die prekäre
Lage der deutschen Bauern am *Vorabend* des deutschen Faschismus,
Müllers *Die Umsiedlerin* ist die wichtigste dichterische Aussage über
die Widersprüche auf dem Lande *infolge* des Faschismus.

Die Handlung des Romans kreist um den jungen Arbeiter Johann Schulz, der während einer Hungerdemonstration in Leipzig
im Frühjahr 1932 einen Polizisten erstach und steckbrieflich verfolgt wird. Er schlüpft in einem rhein-hessischen Dorf bei Ver-
wandten unter und hilft ihnen bei der schweren Feld- und Stall-
arbeit. Von wenigen Ausnahmen abgesehen, hat sich die übrige
Dorfbevölkerung den Nationalsozialisten angeschlossen, die infolge der Wahlen im Juli 1932, nach denen Johann von den heimi-
schen Nazis brutalisiert und der Polizei überliefert wird, zur stärksten Reichstagsfraktion aufgestiegen sind. Ähnlich wie in Müllers
Die Umsiedlerin geht es in *Der Kopflohn* um die Probleme der
ländlichen Verarmung, die krassen Unterschiede zwischen reichen
und armen Bauern, die Verzweiflung der armen sowie die zunehmende Geldsucht der reichen, die sie durch Intrigen und Denun-
ziationen zu befriedigen suchen. Zugleich bietet dieser Roman ein
gutes Bild der Verwicklung der reichen Bauern in die Ideologie des
Nationalsozialismus, eine Verwicklung, die in Müllers Stück nach
1945 weiter wirkt, während sie in Seghers' Roman erst beginnt.
Obendrein macht Seghers' Roman ganz deutlich, daß die Brutalität
des zunehmend faschistischen Verhaltens auch gegen die Frau im
eigenen Haus und Bett ausgeübt wird.

Aus dem Blickwinkel des politisch Verfolgten Johann, der nicht
zufällig den Namen des chiliastisch-radikalen Täufers aus der Zeit
Christi trägt, erfährt der Leser, wie einheimische Nazis – in einer
Atmosphäre wachsender Angst und allgemeinen Verdachts auf seiten
der Bevölkerung – die Mittel der Korruption und des Terrors anwenden, um die Loyalität (und die Wählerstimmen) der Dorfbe-
wohner zu gewinnen. Ähnlich wie in Müllers Stück, in dem Nazis

wie der Kulak und der ehemalige Ortsbauernführer Rammler den
SED-Parteisekretär in den Hintergrund drängen, sobald sie auf der
Szene erscheinen, zeigt folgender Auszug aus einer der äußerst
theatralischen Kneipenszenen des Romans, an die auch Müllers Knei-
penszenen anknüpfen, welche Energie den geradezu teuflischen
Volksmund im Jahre 1932 vorantreibt: „Jetzt hörten sie draußen das
Auto anfahren, Stimmen, Getrampel. Der Fahrer trat ein in seiner
Lederjacke, die Kunkels, sechs, acht andere aus fremden Dörfern.
[...] Der Fahrer lachte: ‚Schenk nur mal voll bis oben hin! Biste
denn'n Jud?' ‚Habt Ihr schon gehört von dem Lamprecht?' wich
der Wirt aus. ‚Daß es ihm in die Herzgegend gefahren is. Vielleicht
stirbt er.' Der Fahrer rief: ‚Sowas! Das haben wir noch nicht gehört.' Kunkel sagte: ‚Wir haben ihn im Spital abgegeben. Das hat
kein Mensch geahnt.' [...] Neugebauer fuhr fort: ‚Man sollte doch
mal diesem Rendel den Kopf zwischen die Beine stecken und dann
drauf! drauf! Und kennt Ihr seine Frau?' Die Bauern lachten: ‚'n
Hintern wie 'n Ross! So 'n Weibstück, da sind zwei beisammen.'
[...] Neugebauer fing wieder an: ‚Das ist so eine. Die macht Stunk,
wo sie hinkommt. Die macht 'ne Hetz bei all den Weibern. Die
macht keiner Kirsche 'n Kern raus, ohne 'ne Hetz zu machen'.
Großmann rief: ‚Was der Mann nicht verdient durch Rumdrücken,
das will die doppelt reinkriegen.' Neugebauer sagte: ‚Die sitzt
wahrhaftig mit auf dem Auto und schreit sich Rot Front! ab, und
ihre Brust wackelt.' Der Fahrer sagte: ‚Hat bald ausgewackelt.'"[37]
    Während das Getümmel des „Antichrist" die Erzählung zu über-
wältigen droht, ziehen sich andere Stimmen und Gesichter allmählich
in den Hintergrund. Daraus ergibt sich ein Gestus der Stille, der die
Stummheit der Kattrin und den „stummen Schrei" der Mutter
Courage beim Anblick ihres getöteten Sohnes Schweizerkas vor-
wegnimmt. Es ist, als wären diese vom Faschismus zum Schweigen
gebrachten Stimmen in den wenigen Worten und zögernden Auf-
tritten der Umsiedlerin in Seghers Nachkriegserzählung und in
Müllers Drama versuchsweise wieder ins Leben zurückgerufen
worden. Im Grunde gelten die Worte Siegfried Kracauers, der 1932
Seghers' Roman *Die Gefährten* als „stumme Erzählung" beschrieb,[38] auch für den *Kopflohn*, in dem die Sprache der Zeugen
zunehmend durch Schweigen aufgehoben wird. Auch in der Volkssprache, so will es uns Seghers sagen, siegte der Nationalsozialismus. Die äußerst theatralische Szene mit dem Bauern Schüchlin
und seiner hochschwangeren Frau beim Abendessen nimmt die be-

kannte lakonisch-rigorose Herr-Knecht-Dialektik der Müllerschen
Dramatik vorweg: „Sie hatten zwei Schüsseln vor sich, eine voll
Sauermilch, eine voll Kartoffeln. Schüchlin schimpfte fortwährend,
weil die Milch nicht abgerahmt und die Kartoffeln nicht gar waren.
Die Frau erwiderte nichts. Auf ihrem Teller lagen drei Kartoffeln.
Ihre langen Hände lagen unbewegt neben dem Teller, wie aufgena-
gelt. Sie konnte nicht ganz dicht vor dem Tisch sitzen, weil ihr Leib
schon sehr hoch war. [...] Der Mann fuhr sie an: ‚Iß!' Sie griff hastig
zu und schluckte. [...] Er sagte zu der Frau: ‚Haste Wasser geholt?'
Die Frau schluckte erschrocken. Dann lief sie erstaunlich schnell
hinaus. Der Mann aß allein weiter, gründlich, regelmäßig. Nach einer Weile hörte man draußen Eimer aufstellen. Die Frau kam zurück und setzte sich, ihr Unterkiefer hing hinunter. Der Mann fuhr
sie zum zweiten Mal an: ‚Iß!' Die Frau stopfte erschrocken eine
Kartoffel in ihren ohnedies offenen Mund. Der Mann fragte: ‚Haste
vier Eimer geholt?' Die Frau stand schnell auf und lief hinaus. Es
wiederholte sich die Reihenfolge der Geräusche: Schritte, Tür, Eimer aufstellen. Die Frau kehrte zurück, diesmal mit zugepreßten
Lippen. Der Mann bekam Lust, sein Hemd auszuziehen, das steif
von Schweiß war. Er sagte: ‚Gib 'n frisches Hemd raus.' Jetzt erschrak die Frau so, daß sie am ganzen Leib zitterte. Der Bauer schrie:
‚Du hast keins!' Er beugte sich über den Tisch und schüttelte die
Frau, indem er mit dem Daumen ihr Schlüsselbein eindrückte. [...]
Auf dem Teller der Frau lagen noch immer zwei Kartoffeln. Der
Bauer fuhr sie an: ‚Iß!' Die Frau hob den Kopf und blickte ihm
mitten auf die Stirn. Ihre reglosen Züge regten sich in einem Ausdruck von Erstaunen: Warum soll ich essen? Der Bauer rief: ‚Fertig?
– Dann räum ab.'"[39]
 Die bis auf die Knochen verbrauchte Bäuerin Susann Schüchlin
ist das schwächste Glied innerhalb der Dorfgemeinschaft. Hat die
mit ihr vergleichbare stumme Kattrin in *Mutter Courage* noch den
letzten Mut zum Widerstand, so hat Susann Schüchlin nicht einmal
mehr den Mut, weiter zu leben. Die Szene ihres Selbstmordes im
Fluß nimmt ähnliche, wenn auch stark umfunktionierte „Ophelia"-
Szenen in Müllers Stücken *Hamletmaschine* und *Die Schlacht* vorweg: „Sie seufzte und zog ihre Schuhe aus; denn die dauerten sie.
Sie zog ihre Schürze aus Wachstuch aus, und auch die aus Kattun,
denn die dauerten sie auch, und sie glaubte, das Kleid sei mehr wert
als der Leib. Sie schlug ihre Röcke nach innen, klemmte sie mit den
Knien zusammen und rutschte in die Baumröhre. Eine Sekunde lang

staute sich das Wasser auf ihrem Scheitel. Dann floß es spritzig, schon gewöhnt, seine neue Bahn über ihr Gesicht, ihre Brust. Denn sie drückte sich fest längelang ein. Um bis zum Fluß herunter zu gehen, hätte sie eine halbe Stunde gebraucht auf ihren unbrauchbaren Füßen. Um hier zu sterben, brauchte sie nur ein wenig Geduld, und das war es nicht, was ihr fehlte."[40]

Es gibt keinen Zeugen bei dieser „Taufe", kein Zeichen einer Erlösung in der stillen, einsamen Landschaft dieses Todes. Erst Jahre später wird diese Frau wieder „ins Leben geweckt" und verwandelt sich in die zögernd tappende, doch nicht mehr verzweifelte Figur der Umsiedlerin, der in Seghers' Erzählung *Die Umsiedlerin* und in Müllers Drama die Bodenreform ein Stück Acker gewährt. Daher kann in Müllers Stück diese Frau, nachdem sie vom letzten Mann ausgebeutet und schlicht verlassen wurde, einem neuen Freier ehrlich und selbstbewußt antworten, daß sie mit einer neuen Heirat lieber noch eine Weile warten möchte.[41]

Die Stille, die den Tod der Bäuerin Schüchlin begleitet, umgibt auch das Schlußbild der letzten Szenen in *Der Kopflohn*, in denen Johann Schulz, von einem Dorfknecht verraten, von den Nazis brutalisiert, der Polizei übergeben und schließlich als Gefangener zum Verhör und voraussichtlich zur Hinrichtung abgeführt wird. Ikonographisch sind das Schlußbild wie auch die vorhergehenden Bilder vor allem den Darstellungen Rembrandts des letzten Weges Christi nachgezeichnet: „Viele liefen hinter den Gendarmen her, die Johann mehr schleiften als führten, liefen dann vor ihm her und bildeten noch einmal flink am Ausgang des Dorfes drohend und schreiend eine Gasse, durch die die Drei abzogen. [...] Johann kam etwas zu sich, statt eines einzigen brennenden Körpers unterschied er vier oder fünf verschiedene scharfe Schmerzen, im Leib, im Rücken und vor der Brust. [...] Die Kinder blieben stehen, sahen sich noch einmal an Johanns Rücken satt und trotteten dann heim. Johann versuchte, seine verklebten Augen aufzubringen. Er unterschied den Waldrand, der sich in einem festen schwarzen Bogen über dem Dorf her bis zum Fluß spannte. Die Erde war gelb, und auch der Himmel über dem Wald fing an zu vergilben. In das Sausen seiner Ohren mischte sich die tropfenweise glickernde Musik des Karussels, das man hinter ihm auf der Schafswiese wieder ankurbelte. Sie liefen jetzt unterhalb der äußersten Felder vorbei, die zu Oberweilerbach gehörten. Ein Bauer kam ein Stück auf die Straße hinunter, um zu sehen, warum zwei Gendarmen mit einem Mann zwischen sich nach der Stadt gingen. Algeier hatte angefangen, Rüben auszumachen. Er erkannte Johann, er verstand alles und erschrak. Sein fahriger Bart zuckte, seine Kinnladen fingen heftig zu mahlen an. Er stieg bis an den Straßenrand hinunter, die Hacke in der Hand. Er ließ die Hacke fallen und zog hastig den Hut ab, als ob man einen Toten oder einen Täufling an ihm vorbeitrug."[42]

Die stumme Huldigung des Bauern Algeier, der den Verfolgten bzw. Märtyrer „erkannte", „auf einmal alles verstand" und daher „erschrak", ist nicht die Geste einer Veronika mit dem Schleier, aber immerhin die eines hilflosen Zeitzeugen, ohne dessen Anwesenheit das Bild des Mannes bei seinem letzten Gang verlorenginge. Ja, erst aus der Sicht dieses einzigen Zeugen, die eine tragisch-chiliastische Tragweite hat, wird der Häftling, auf dessen Kopf bisher lediglich ein Lohn gesetzt war, auf einmal einem „Toten" bzw. einem „Täufling" gleichgesetzt und damit gleichsam „erlöst". Ebenso wie die „plebeischen" Stücke Brechts und Müllers enthält Seghers' Roman alliterierende Paarungen, welche die altdeutsche Volkssprache widerhallen lassen: „Toter" und „Täufling", „Hut" und „Hacke", oder wie der Bauer Bastian an einer Stelle bemerkt: „Man hat, was einem gehört, im Bauch und auf dem Buckel."[43] Auch die Geste des gleichzeitigen Hackehinfallens und Hutabnehmens nimmt ähnliche Gesten in Müllers frühen Stücken vorweg. Man denke an das Abnehmen und Aufsetzen der Mütze des einen Bauern während der Erzählung des Traktoristen in *Traktor*, einem Stück dem Seghers' kurze Erzählung *Der Traktorist* zugrundeliegt.[44]

Als Charaktertyp für Müllers *Die Umsiedlerin* diente auch die Figur des kahlköpfigen Bauern Algeier, der seinen breiten Hut mit dem zerfransten Rande sogar in der Kirche nur ungern abnimmt, wo er, „wie immer wenn er ohne Hut dasaß, sich vor Ärger und Verlegenheit krümmte".[45] Dieser gleichsam archaisch-mythischen Gestalt entspricht in Müllers *Die Umsiedlerin* die altdeutsche Figur des freienden Witwers, dem die Namen „Bauer mit der Mütze", „Mütze" oder „Glatze" beigegeben werden. Das alliterierende Namenspaar „Mütze" / „Glatze" wie auch die plebeische Formalität des Mützeziehens dieser Figur greifen auf das abschließende Bild „Toter" / „Täufling" in *Der Kopflohn* zurück. Ist 1932 der Bauer Algeier ein stummer Zeuge eines ersten Sieges des deutschen Nationalsozialismus auf dem Lande, so wirbt fünfzehn Jahre später auf dem unsicheren Boden der Landreform der Umsiedler Kupka aus Ostpreußen mit klaren, wenn auch unbeholfenen Worten um

die Umsiedlerin Niet aus Polen, die von einem anderen Mann ein
Kind erwartet:

MÜTZE: Frau Niet, wolln Sie Frau Kupka heißen? Kupka
    Bin ich. Der Acker hinterm Roten Busch
    Ist meiner, seit ich aus Ostpreußen weg bin.
    Alt vierundvierzig, Witwer seit der Evakuierung
    Mit einem Kind, es ist ein Junge, vierzehn
    Der Hof braucht eine Frau, am Herd besonders
    Und das Bett ist auch kalt. Was ich hab
    Ist mir zu wenig, wenn ichs bloß allein hab.
NIET: Drei Mäuler schlingen mehr als zwei, und ich
    Brächt noch eins mit, und eins zu viel vielleicht.
MÜTZE: Was die Frau mitbringt, soll mir recht sein, wenn sie
    Zwei Hände mitbringt und was eine Frau für den Mann hat.
NIET: Ich hab gesagt, daß ich den Hof nehm, und
    Es sagen war mir schwer, ihn kriegen auch.
    Weil einer mich will, soll ichs nicht mehr wolln jetzt?
MÜTZE: Zwei Händen wird das kleinste Feld zu groß.
    Sie wissen vielleicht nicht, was Sie sich da
    Aufladen. Das Feld, wenn Krieg war, hat viel Steine.
    Wenns aber ums Brot ist: was ich hab, ist Ihrs.
    Und bin ich Ihnen nicht der Richtige, bin ich
    Nicht der, der krummnimmt. Und was Bier angeht
    Wenn Sie vielleicht da Mißtraun haben aus
    Schlimmer Erfahrung, Bier trink ich so viel
    Wie mein Kopf Haare hat, und der hat so viel.
    (Nimmt die Mütze ab, zeigt seine Glatze.)
NIET: (lacht)
    Kein andrer wärs wohl, wenn ich einen Mann wollt
    Und einen Vater für mein Kind. Ich wills nicht.
    Grad von den Knien aufgestanden und
    Hervorgekrochen unter einem Mann
    Der nicht der beste war, der schlimmste auch nicht
    Soll ich mich auf den Rücken legen wieder
    In Eile unter einen andern Mann
    Wärs auch der beste, und Sie sinds vielleicht
    Als wär kein andrer Platz, für den die Frau paßt.
BAUER MIT DER GLATZE:
    Ich sag auch, warum solls der Mann sein immer
    Der oben liegt. Ich denk da anders.
    Die Zeit muß ja auch kommen, wo der Bauer
    Ein Mensch ist, wie im Kino jetzt schon und

Kein Pferd mehr, und die Frau auch nicht mehr zum
Bespringen bloß und Kinderkriegen und
Altwerden in der Arbeit, und vielleicht
Erleben wirs oder die Kinder, die wir
Vielleicht erleben werden, wenn die Frau will.
(Zeigt auf das Katendach:)
Das Dach ist hin. Hilfe werden Sie brauchen.
Wenns nicht fürs Leben ist, ists in der Arbeit.
Und vielleicht kommt man sich da näher und
Hilft sich in andern Sachen gegenseitig
Dann auch, und nicht tagsüber bloß.
NIET: Vielleicht.[46]

Als Vorlage für diesen Dialog diente die Heiratsantragszene in
Seghers' Nachkriegsroman *Die Toten bleiben jung*, die von der
Sprache her den gleichen altdeutsch-proletarischen Charakter hat.
Schon der Titel des Romans weist auf die tragisch-chiliastische
Konzeption hin, die ihm zugrundeliegt. Auch hier befindet sich das
von Cranach, Dürer und anderen oft dargestellte „ungleiche Paar".
Doch bei Seghers geht es um einen Heiratsantrag, der von der Frau
ausgeht und sich eher auf die jüdisch-christlichen Maria-Joseph-
Legenden stützt. Die junge Kellnerin Marie, die 1919 von einem ermordeten Spartakisten ein Kind erwartet, fährt allein in die Groß-
stadt Berlin und lernt dort den verwitweten Proletarier Geschke
kennen, der mit der schweren Lohnarbeit und seinen drei mutter-
losen Kindern kaum zurechtkommt. Die Figur dieses mürrisch-arbeit-
samen Geschke, der bis zuletzt seiner alten sozialdemokratischen
Partei treu bleibt, findet sich in dem gleichnamigen, ebenso un-
glücklichen und ausgebeuteten Geschke in Müllers *Der Lohndrücker*
wieder.

Im Jahre 1919 braucht die junge Marie noch unbedingt einen Vater für ihr ungeborenes Kind. Dreißig Jahre später kann die Umsiedlerin, der die Bodenreform einen Acker gewährt, die Sache offen lassen und gibt deshalb dem älteren Mann die Antwort „vielleicht", die
schon in Seghers' Roman von Marie ausgesprochen wird, wenn
auch als Antwort auf eine andere Frage. Sowohl Seghers' als auch
Müllers Darstellung der Heiratsantragszene betonen bei aller Ver-
schiedenheit der sich Gegenüberstehenden die Würde des Augen-
blicks, in dem die bescheidene Gesprächigkeit des älteren Mannes
und die wortkarge Beharrlichkeit der jungen Frau gleichgewichtig
erscheinen: „Da sagte Marie, sie möchte wissen, wie denn der Mann

über eine zweite Heirat dächte. Geschke sah sie verwundert an. [...]
Er sagte: ‚Liebes Kind, das wäre ja glatt gelogen, wenn ich behaupten wollte, daß mir so ein Angebot wie deins nicht zupaß käme, und wenn meine tote Frau Flügel hätte und sie könnte auf uns herunterschweben und durch die Decke von meiner Küche auf uns heruntersehen, da wäre sie sicher goldfroh, wenn ich für ihren Haushalt und ihre drei Kinder jemand gefunden hätte, denn ein eigener Mensch ist besser als alle Fürsorge. Ich möchte dich aber, Kleine, was anderes fragen. Da mußt du die Wahrheit antworten. Ich kann mir vorstellen, daß du dich nicht blind in mich verliebt hast. Ich leide mal nicht an falscher Einbildung. Da kann ich mir aber gar nicht vorstellen, daß ein so junges Ding wie du hier einheiraten will, wo es nichts gibt als Lasten mit einem Haufen Bälger, die schon gleich da sind, und kein fester Verdienst, sondern man muß die Kaffeebohnen zählen und gleich welche absparen, falls im nächsten Monat das Geld nicht mehr langt. Ich will dir mal was sagen: Ich lasse mich nicht gern für dumm verkaufen. Wenn es irgendeinen Grund gibt, dann sag ihn.‘ [...] Sie sagte: ‚Ich habe nichts Böses getan, ich habe nichts auf dem Kerbholz.‘ ‚Nun gut‘, sagte Geschke nachdenklich, ohne den Blick von ihr abzuziehen. ‚Es gibt ja schließlich noch andere Gründe, zum Beispiel du hast vielleicht einen solchen Liebeskummer gehabt, daß dir jetzt alles egal ist. Da denkst du: Mir ist schon egal, was noch nachkommt, der Geschke oder sonst was.‘ Sie zog die Augenbrauen zusammen. Und Geschke dachte: Da hab ich das Rechte getroffen. Schade. Ich hätte ja auch mal gern Glück gehabt in dieser dreckigen Welt. Und abends heimkommen und das junge Ding ist da. Das hätt mir gefallen können. Marie sagte schroff: ‚Ich bekomme ein Kind.‘ Sie sah ihn fest an. Wennschon – dennschon. Er sah ruhig zu ihr herunter, nicht gut und nicht böse. ‚Warum hast du denn das nicht schon längst in Ordnung gebracht?‘ – ‚Ich will nicht.‘ – Er hielt ihren Blick fest, er sagte: ‚Ach so, da hättest du also gar nichts gesagt, wenn ich nicht danach gefragt hätte. Du hättest später probiert, mich anzuschwindeln, das fremde Kind sei richtig von mir.‘ Marie sagte leise: ‚Vielleicht.‘ [...] Er sagte sanfter: ‚Man sagt ja gewöhnlich, wo drei satt werden, werden auch vier satt. Man kann freilich genau so gut sagen: Wo drei beinah verhungern, da verhungern vier bestimmt. Du hast dir da nichts Einfaches eingebrockt, und wenn du schon angefangen hast, mir klaren Wein einzuschenken, behalte keinen Rest zurück. Man muß sauber anfangen. Ich bin nicht neugierig auf Einzelhei-

ten; ich möchte bloß wissen, was das für ein Mensch war, der dir
das Kind gemacht hat. Von unsereins jemand oder ein Herrchen
vielleicht, da wo du in Stellung warst?' Marie rief: ‚Nein.' Sie sagte
dann rasch, um ein für allemal Schluß mit dem Fragen zu machen:
‚Er ist tot.' Das fiel ihr aufs Herz. Sie erschrak. Ihr war es zumute,
sie hätte selbst sein Leben verwirkt, als hätte sie es für immer unmöglich gemacht, einen Schimmer von ihm wiederzusehen."[47]
    Das Kind von Marie und dem ermordeten Spartakisten Erwin
wächst in der Familie des sozialdemokratischen Proletariers Geschke auf, beteiligt sich während des Nationalsozialismus am antifaschistischen Widerstand, ist während des Krieges deutscher Soldat
an der Ostfront, schließt sich auch dort dem Widerstand an und
erleidet letzten Endes das gleiche Schicksal wie einst sein Vater.
Unterdessen erwartet in einem zerbombten Arbeiterviertel Berlins
seine Freundin Emmi in Anwesenheit seiner Mutter Marie die Geburt seines Kindes. Das für Seghers typische Stafettenprinzip, das
hier angewandt wird, damit die Toten weiter „jung" bleiben, wird
auch in Müllers Gestaltung der schwangeren Umsiedlerin Niet
wieder aufgenommen, die mehr oder weniger alleinstehend auf ihrem Acker ihrem neuen Leben entgegensieht.
    Jedoch gilt das Prinzip der Wiederkehr nicht nur für die Toten
und noch Ungeborenen, sondern auch für die Revolutionäre, Widerstandskämpfer und Kommunisten, die in den Romanen und Erzählungen der Seghers reichlich vorhanden sind. Man denke bloß
an *Die Wellblech-Hütte, Die Bauern von Hruschowo, Die Gefährten, Das siebte Kreuz, Transit, Die Saboteure, Die Rückkehr, Friedensgeschichten, Der Mann und sein Name, Die Entscheidung* und
Die Kraft der Schwachen. Gerade unter den Haupt- oder Nebenfigu-
ren in diesen Werken finden sich jene, die in Heiner Müllers Stücken,
freilich in neuer Gestalt und angesichts neuer Konflikte und Widersprüche, wieder auftauchen. Es sind meistens Männer, deren Jugend
während der antifaschistischen Kämpfe aufgebraucht wurde. In
Müllers Stücken erscheinen sie als SED-Funktionäre mittleren Alters, die nach den großen Kämpfen der dreißiger und vierziger Jahre meistens nur noch mit bürokratischen Ärgernissen zu kämpfen
haben: Schorn in *Der Lohndrücker,* der Parteisekretär in *Die Korrektur,* Flint und der Landrat in *Die Bauern* oder Besucher 2 in
Traktor. Ähnlich gestaltet sind manche Figuren in *Der Bau* und
Zement. Den Defätismus Jasons in *Verkommenes Ufer* konnte Müller dagegen unmittelbar aus Seghers' Nachkriegserzählung *Das Ar-*

gonautenschiff übernehmen, welche in mythischer Verkleidung die Niederlage der internationalen Arbeiterbewegung am Anfang des Kalten Krieges thematisiert.

Die Auseinandersetzung mit Müllers Werk in der Sekundärliteratur betont vor allem die deformierten Aspekte dieser Gestalten, das heißt nähert sich dem Werk hauptsächlich von dem Endpunkt der künstlerischen und biographischen Entwicklung des Autors her. Dabei gehen wichtige subjektive wie auch objektive Momente innerhalb dieser höchst komplizierten und kaum widerspruchslosen Entwicklung verloren. Wenn man jedoch jede Phase dieser Entwicklung einzeln und für sich in Betracht zieht, so wird deutlich, daß Müller gar nicht willkürlich vorging, als er sich gewisser Segherscher Werke als Vorlagen für seine Stücke bediente. Im Gegenteil, mit der Autorin Seghers und ihrem Werk fühlte er sich offensichtlich bis zuletzt tief verbunden.[48] Darum müßte man sich letzten Endes nicht nur fragen, welche Motive, Handlungen und Figuren er aus Seghers' Texten übernahm, sondern *warum* er sich eigentlich vierzig Jahre lang immer wieder auf ihr erzählerisches Werk stützte. Die Antwort darauf liegt nicht allein in ihrer gemeinsamen Thematik und noch weniger in einer eindimensionalen Auffassung des Begriffs Umfunktionierung. Vielmehr war es meines Erachtens die in Seghers' Gesamtwerk durchkomponierte tragisch-chiliastische Grundkonzeption, die Müller als zwingend erschien, mit der er sich immer wieder auseinanderzusetzen versuchte und von der er sich trotz allem „Geschichtspessimismus" und „Geschichtsverlust" nie richtig losreißen konnte oder auch losreißen wollte.

Was diese zwei Autoren grundlegend verband, läßt sich am Ende dieser Studie vielleicht am besten anhand einer der geschichtsphilosophischen Thesen Walter Benjamins andeuten, die er im Frühjahr 1940 in Paris nur wenige Monate vor seinem Tod folgendermaßen formulierte:[49] „Der Messias kommt ja nicht nur als der Erlöser; er kommt als der Überwinder des Antichrist. Nur *dem* Geschichtsschreiber wohnt die Gabe bei, im Vergangenen den Funken der Hoffnung anzufachen, der davon durchdrungen ist: auch die Toten werden vor dem Feind, wenn er siegt, nicht sicher sein. Und dieser Feind hat zu siegen nicht aufgehört."[50]

Aus dem Amerikanischen von Helen Fehervary und Agnes Risko

Mit den Toten reden

Hommage à Heiner Müller
(1996)

Helen Fehervary

Da ich mich zu spät gemeldet hatte, bekamen andere Teilnehmer des Seminars „Post-Brechtian Drama" an der University of Wisconsin die Themen über Frisch, Dürrenmatt, Weiss, Kipphardt und Handke zugeteilt. Ich mußte mich im Herbst 1969 mit den Brigadenstücken bzw. Produktionsstücken eines mir völlig unbekannten Autors begnügen. „Don't worry", sagte am Ende der Sitzung der mir freundlich zunickende Seminarleiter Jost Hermand. „Dieser Müller ist ganz hervorragend als Dramatiker. Seine Stücke habe ich schon in den fünfziger Jahren im Theater erlebt." So hörte ich staunend zu, während er die Ausdrucksstärke dieses Autors hochlobte und die an Pisacator erinnernde Volksbühnen-Inszenierung im Jahre 1957 von John Reeds *Zehn Tage, die die Welt erschütterten* beschrieb. Als er dann schnell seine Bücher zusammenpackte, sagte er plötzlich lächelnd: „Sie haben es gut. Stellen Sie sich vor, zu Heiner Müller brauchen Sie keine Sekundärliteratur zu lesen – denn die gibt es noch gar nicht!"

Die Proteste gegen den Vietnam-Krieg verstärkten sich im ganzen Land. Auf unserem Campus in Madison streikten wir. Wenn ich von einer Streiksitzung oder einer Demonstration nach Hause kam, suchte ich oft nach Lösungen in den Texten Heiner Müllers. Ich hatte sie mir aus *Neue deutsche Literatur* und aus *Sinn und Form* kopiert: *Der Lohndrücker, Die Korrektur*, das Gespräch in Schwarze Pumpe mit Heiner und Inge Müller, die zweite Fassung der *Korrektur, Der Bau*, das Gespräch mit Girnus über den *Bau, Das Laken* und *Philoktet*. Die Worte des fremden DDR-Schriftstellers wurden allmählich weniger kryptisch, immer freundlicher. In seiner Sprache war etwas Glaubhaftes, Haltbares, ja Dauerhaftes. Es ging um Produktion und Politik, aber auch um viel mehr.

Man konnte sich in und zwischen den Worten ausruhen. Ich hatte
Gelegenheit, mich vertraut zu machen mit den Menschen, deren
Stimmen ich nun unentwegt im Ohr hatte, deren Sprachrhythmus
ich langsam auch im eigenen Körper spürte. Aus den Bildern, aus
dem Rhythmus der Sprache kam eine Gewißheit und Ruhe, die ich
noch nicht kannte. Die Sprache wurde eine neue Sprache, sie machte
mir Mut. Über Dialektik las ich nun mehr bei Müller als bei anderen.
Die Lektüre nährte auch den ästhetischen Sinn. Nach vielen gebro-
chenen Welten fand ich allmählich die Bausteine einer anderen Art
Hoffnung auf Totalität. Was man unter dem Begriff „konkrete Utopie" zu verstehen glaubte, ahnte nach vielen Jahren jetzt auch ich.

Anfangs fand ich in den Stücken keine Spur einer Ähnlichkeit mit
meinem Leben, mit meiner Geschichte. Doch weckten die Dialoge
starke Erinnerungen an meine frühe Verbundenheit mit der deutschen Sprache und an die Gefahren und Wunden der Kriegs- und
Nachkriegszeit. Gegen Ende des Krieges, als meine Eltern mit mir
aus Ungarn in den Westen gingen, war ich erst zwei bis drei Jahre
alt. Aus dieser Zeit kannte ich das Verhältnis von Macht und
Ohnmacht, die nächtlichen Bedrohungen des Revolvers, das Heu-
len der Sirenen, den täglichen Gang zum Bunker, das verzweifelte
Gefühl der Angst und Hilflosigkeit, das mir seit der Kindheit in
den Knochen steckte.

Im Laufe der Jahre wurde die Angst vertrauter. Die Gebärde
des Duckens gebar die Sklavenhaltung, das zweite Gesicht die
Maske. So wurde jede Erfahrung des Terrors auch die Erinnerung
an eine Entscheidung, wie in der ersten Szene des *Lohndrückers*,
wo schon beim Überqueren der Straße statt Revolution und Emanzipation das Herr-Knecht-Verhältnis siegt. „Komm her", sagt Stettiner, eine Zigarette in der ausgestreckten Hand. Darauf, auf der anderen Straßenseite, Geschke: „Für eine Zigarette den ganzen Weg?
Nein." Pause. Stettiner steckt sich eine andere Zigarette an und
raucht. Darauf Geschke: „Halben Weg. In Ordnung?" Nach den drei
Schritten, während Stettiner weiter raucht: „Zwei Schritte geb ich
zu." Geschke tut es, sagt nach einer Pause: „Sei kein Unmensch,
Stettiner." So bleibt am Ende des Dialogs das Bild der Kapitulation,
das zugleich den Anfang eines fortdauernden Scheiterns signalisiert:
„Stettiner schmeißt Geschke eine Zigarette hin und geht. Geschke
hebt die Zigarette auf, steckt sie ein und geht auch."

Mein Lieblingsstück wurde *Die Umsiedlerin oder Das Leben
auf dem Lande*. In seiner plebejisch-bäuerlichen Sprache, seinen ar-

chaischen Figuren, seinen herzzerreißenden Jamben, seiner utopischen Sicht glaubte ich die Nachkriegslandschaft meiner frühesten Erinnerungen zu erkennen. Im April 1946 hatte meine Reise in den Westen auf einer grünen Wiese in Niederbayern geendet. Dort stand unter anderen Hopfenbauern der alte Josef Renner aus Sünzhausen und gab der Kleinen aus Ungarn einen Becher Milch. Fünf Jahre blieb ich in dem winzigen niederbayrischen Dorf, wo ich auch ein Jahr zur Schule ging und in einem Zimmer mit anderen Dorfkindern verschiedenen Alters das Lesen, Schreiben, Rechnen und Häkeln erlernte. Nachdem abends die Kühe gemolken waren, das Vieh gefüttert und die Stalltür zugemacht wurde, kam Vater Renner über den Gang in die Küche, ging zum alten Sofa neben dem Küchentisch, holte Tabak aus dem weißgetünchten Blechkasten, der über dem Sofa an der Wand hing, und stopfte seine Pfeife. Dann zündete er sie an und rauchte befriedigt. Während dieser gesegneten Abendstunde durfte ich auf dem Sofa neben ihm sitzen. Seine Augen lächelten in die Leere hinein, seine rosigen Wangen glänzen, und die Pfeife war voller Rauch und Glut. Ich versuchte, still zu sein, hielt die Hände auf den Knien, blickte umher und überlegte mir, was ihn in diesem Zimmer so sehr befriedigen mochte. Als eines Abends der Ritus sehr lang wurde und ich mich ungeduldig nach hinten drehte, erblickte ich oben auf dem Tabakkasten einen schwarzen Kamm. Ich stieg auf die hintere Sofalehne, holte den Kamm herunter, und von nun an durfte ich während des abendlichen Rauchens die wenigen, aber noch dunklen Haarsträhnen auf Vater Renners Kopf in jede mir beliebige Richtung kämmen und frisieren.

Noch lange danach, als ich schon erwachsen war, träumte ich von dem Wirrwarr meiner Kindheit, in deren heller Mitte die niederbayrische Nachkriegsdorflandschaft lag. Immer war es Ende April 1946. Auf mehrere öde Winterlandschaften folgte der klare Morgenhimmel mit feuchter Luft. Draußen auf dem Hof wartete ich auf den Bauern und die Bäuerin, die im warmen, dampfigen Stall die Früharbeit erledigten. Neben dem Stall waren die grünen Fensterläden, dahinter das trübe Zimmer, in dem ich mit meinen Eltern wohnte. Die Spuren der Wehrmacht und der Minenleger, die auf ihrem Rückzug hier haltgemacht hatten, waren kaum noch sichtbar. Heute würden wir weiterpflanzen.

Es folgte eine neue Szene. Oben auf dem schweren Feldwagen saß ich zwischen Vater und Mutter Renner. Gekleidet war ich in

eine dicke Strickjacke, die mir meine Mutter aus ihrer Jacke ge-
schnitten und umgenäht hatte. An den Füßen trug ich kitzelige
Wollstrümpfe aus spärlichem Nachkriegsgarn, und auf dem Kopf
hatte ich ein blaues Tuch. Vater Renner ließ die Zügel locker und
brüllte: „Wiah, Fani ... Wiah, Moah." Die Räder knarrten, die Pfer-
dehufe sanken einer nach dem anderen in die noch vereisten, bald
matschigen Pfützen und Rinnen der gestrigen Panzerspuren. Langsam zogen die Pferde ihre schwere Last über den Hof. Als wir auf
die Dorfstraße kamen, hörte ich Frau Renner leise den Rosenkranz
beten. Es erhob sich ein jäher Wind und blies millionenfach die Namen der Toten an unseren Ohren vorbei. Als wir das erste Feld er-
reichten, sprang ich schnell ab. Unter meinen Füßen spürte ich den
schwarzen Lehmboden, der seit Jahrhunderten grollte und stöhnte.

Die Sprache des DDR-Schriftstellers bedeutete also für mich sowohl eine Flucht nach vorn als auch eine Reise in die Vergangenheit.
Doch letztere war mir noch unbewußt in den Jahren, in denen ich
mein kritisch-theoretisches Verständnis vertiefte und zu den ersten
Jüngern aus dem Westen gehörte, die immer häufiger bei ihm zu
Besuch erschienen. Der Stückeschreiber wußte es jedoch besser.
Bestätigt wurde das schon bei unserer ersten Begegnung im Herbst
1971, als *Die Weiberkomödie* auf dem Programm der Volksbühne
stand. Ich fuhr zum ersten Mal in meinem Leben in den östlichen
Teil Berlins, betrat die Volksbühne gerade, als die Türen zum Zuschauerraum vor mir zugemacht wurden. Im Foyer war es still und
leer. Dann sah ich an der linken Wand, ganz allein und unbeholfen,
wie mir schien, eine dunkle, schmale Gestalt. Ich hatte meine Karte
gekauft und wollte den Beginn der Vorstellung nicht länger ver-
säumen, glaubte aber doch das Gesicht zu erkennen, das ich vor einem Jahr schon einmal in einem Zeitungsausschnitt gesehen hatte.
Ich trat auf den Mann zu, der unauffällig rauchte, und stellte mich
vor. Daß ich aus Amerika käme, sei ihm schon klar, sagte er und
lachte. Ich solle bitte nach der Vorstellung in die Kantine kommen.
Es würde ihn interessieren, was ich zu der Inszenierung zu sagen
hätte. Danach gesellte ich mich zu dem kleinen Publikum im riesigen Zuschauerraum und erlebte eine Theateraufführung, die alle
meine Erwartungen übertraf. Das sagte ich auch später in der Kantine, als ich lange am Tisch des Stückeschreibers saß, der kopfnik-
kend murmelte und häufig schwieg. Neben ihm, auch schweigend,
saß der Regisseur Fritz Marquardt. Beide strahlten eine nicht zu
verkennende Brechtsche Freundlichkeit aus.

Als einige Monate später mein Aufsatz über seine „Brigadenstücke" erschienen war, den Jost Hermand übersetzt und veröffentlicht hatte, übergab ich ihn Heiner Müller. Bald darauf lud er
mich nach Pankow in seine Wohnung am Kissingenplatz ein. Wir
saßen im kleinen Zimmer, wo man vom Sofa aus an den vollge-
stopften Bücherschränken vorbei in die Küche blicken konnte. Mir
gegenüber saß der Autor, neben ihm ein junger Mann in meinem
Alter, seine Augen und Körperhaltung im starken Kontrast zu
Müllers meditativer Gebärde. Ich merkte mir den Namen nicht,
denke aber heute, es war Thomas Brasch. Jedenfalls waren sie in ein
Gespräch über Produktionsfragen und Produktionsbedingungen
vertieft, das von dem Themenbereich meines Aufsatzes handelte,
aber weit über meine Kenntnisse hinausging. Man berief sich auf
Marx und andere Klassiker. Gelegentlich versuchte man ohne jedes
Zeichen einer falschen Höflichkeit oder Herablassung, mich unmittelbar ins Gespräch einzubeziehen, so zum Beispiel, als es um
ein Zyklogramm ging, das in dem Stück *Der Bau* eine metaphorische Bedeutung erhält. Müllers Frage, ob ich eigentlich wüßte, welche Funktionen ein solches Ding in der Produktion hätte, beantwortete ich anscheinend gut.
    Weniger interessiert war er an meinen schriftlichen Ausschwei-
fungen ins Kulturpolitische. Darüber wüßte man im Westen leider
viel zu wenig, das sollte man lieber lassen, betonte er. Doch es
würde ihn sehr freuen, wenn ich vorhätte, weiter über seine Stücke
zu schreiben. Vor allem die Textanalysen fände er gut. Es wäre für
ihn am besten, man schriebe ohne ideologische Kommentare und
hielte sich eng an den Text. Daß es in der Honecker-Ära für ihn
endlich eine Hoffnung gab, daß er für das Berliner Ensemble unter
der Leitung von Ruth Berghaus ein Stück *Zement* schrieb, sagte er
nicht. Nachdem ich keinen Kaffee und keinen Korn mehr vertra-
gen konnte, brachte er mich zur Tür. Zum Abschied preßte er noch
schnell meinen Kopf zwischen seine Hände und küßte mich auf
russische Art. Danach fühlte ich mich, als ich langsam die Kissin-
genstraße zur Straßenbahn hochging und weiter gen Westen fuhr,
fast so wie damals der Brecht, der nach seinem berühmten mehr-
stündigen *Lukullus*-Gespräch mit Grotewohl doch weiter an seinen Stücken arbeitete. Schließlich hatte dieser DDR-Autor mehr
als vier Stunden mit mir über meine Arbeit gesprochen. Außer
meinem Lehrer Jost Hermand und mir, so schien es mir damals,
krähte im Westen kein Hahn nach ihm. Ich wußte, sein starkes In-

teresse an einer Sache, die anscheinend jetzt auch die meine war, ging weit über jeden künstlerischen Egoismus oder privates Kalkül hinaus. Das hatte er eindeutig bewiesen, und das interessierte mich.

Allmählich erschienen Müllers frühe Stücke im Rotbuch-Verlag. Gleichzeitig machte ich mich mit Marc Silberman und Guntram Weber an einige Übersetzungen. Und so erschienen in den Zeitschriften *New German Critique* und *Minnesota Review* relativ früh die ersten Texte Müllers auf englisch wie auch mehrere Aufsätze über ihn. Doch wie stark auch seine Sprache in meinem kritischen Theoriebewußtsein weiterwirkte, der familiäre Umgang mit seinen Texten entglitt mir, ein tieferes Verständnis für seinen künstlerischen Entwurf blieb aus. „Ich schreibe doch hauptsächlich für die Zukunft", war schon sehr früh einmal sein Einwand, als ich ihn über Gegenwartsprobleme ausfragte. Daß er zugleich mit den Toten redete, wurde mir erst viel später klar.

Eine erste Ahnung davon bekam ich gegen Ende der siebziger Jahre. Es war bei ihm zu Hause in Pankow. Wir sprachen über *Die Umsiedlerin*. Daß es mein Lieblingsstück war, hatte ich ihm schon öfter gesagt. Dazu boten die häufigen Besuche, die Durchsicht des Manuskripts, die Inszenierung an der Volksbühne, seine Amerikabesuche wie auch meine eigenen Schriften reichlich Gelegenheit. Daß dieses Stück vor mehr als einem Jahrzehnt zugleich sein Lieblingsstück und sein Verhängnis gewesen war, wußte ich. Doch darum ging es nicht an dem Tag, als er lange zuhörte, während ich meine Bewunderung für die Vielfalt der Figuren ausdrückte, nicht zuletzt für den Mann mit der Mütze, später „Glatze" genannt, der mir besonders nahestand, für den es allerdings in der Skala der neueren Stücke keinen sicheren Platz mehr zu geben schien. Es ging mir um Figuren in seiner Landschaft, für die ich Worte suchte und keine fand. „Ja", sagte er, mehrmals kopfnickend. Darauf folgte eine längere Pause. „Weißt du, es ist so", sagte er auf einmal, brach aber ab, während er sich eine neue Zigarre anzündete. Dann legte er den Kopf zurück auf die Sofalehne, blickte weit in die Leere hinein und sagte langsam: „Ja, ich verstehe sehr gut, was du sagst. Weißt du, ich glaube, es ist eher so wie bei Cranach."

Obwohl ich ihn häufig wiedersah und weiter über seine Stücke schrieb, blieb dies mein letztes Bild von ihm, meine stärkste Erinnerung. Erst nach vielen Jahren begann ich selbst, mich näher mit der Kunstgeschichte und auch mit Cranach zu beschäftigen. Das kam zum Teil durch mein Interesse für Anna Seghers, die einen starken

Einfluß auf die epische Konfiguration der Müllerschen Landschaften hatte. Demzufolge begann auch ich, jene Bilder in der Kunstgeschichte zu suchen, die überall durch Heiners Stücke geistern, obwohl sie uns oft entgleiten und verlorengehen: vor allem Cranachs
verstellte Landschaften, sein Spiel mit der Mythologie, das Expressionistische seiner Holzschnitte, die Zeichnungen von Herkules
und dem gekreuzigten Schächer, seine sinnlichen Akte und reizen-
den Porträts, aber auch die manieristischen Bilder von El Greco
und Tintoretto.

Wie eine Zeit aufblüht und wieder vergeht, zeigt sich am ein-
deutigsten in der Kunst der späten Renaissance und des Manierismus, im deutschen Raum vor allem bei Lucas Cranach, dessen aus-
gedehntes, vielfältiges Leben und Werk in kursächsischen Diensten
als Kontrast wie auch als komplementäre Antwort auf den klas-
sisch-italienischen Stil des Nürnbergers Dürer zu sehen ist. Spürt
man im Werk Dürers die Verselbständigung des bürgerlichen Indi-
viduums und des Geldes in der spätmittelalterlichen Handelsge-
meinschaft, so nimmt man bei Cranach das Aufrollen einer expan-
siven geschichtlichen Landschaft wahr, die von den Umwälzungen
des menschlichen Lebens und des gesellschaftlichen Umbruchs
während des Zeitalters der Reformation gezeichnet ist. Strebt Dürers Werk nach dem Kunstverständnis der Renaissance, so hat das
Werk Cranachs eher mit dem Nicht-Einhalten der Gesetze zu tun
oder, wie Josef Beuys einmal von ihm sagte, mit dem „Chaotisch-
Elementaren". So wie Cranach hat auch Müller die Proportionen
verrenkt, hat seine Figuren in die Länge und in die Kürze gezogen,
hat ihre Schönheit in einer Sinnlichkeit dargestellt, die sich offen
zur Schau stellt und zugleich abweisend wirkt, hat auch ihre Häß-
lichkeit hinter der Maske entblößt.

Solche Gesichter wie bei Cranach, wie auch bei Dürer, „so etwas
wie einen Volkscharakter", habe man in Deutschland lange nicht
wiedergesehen, sagte Heiner Müller Anfang der neunziger Jahre in
seiner Autobiographie. Doch sein eigenes Leben, sein tägliches Verhalten, ja nicht zuletzt sein eigenes Gesicht bewiesen genau das Gegenteil. Hinter diesem Gesicht und diesem Menschenleben stand und
steht weiter sein großes geschriebenes Werk, das ihn und seine Welt
bewahrt. Der Tod bedeutet nichts, pflegte er zu sagen. Doch das
Weiterleben der Toten bedeutete ihm viel. Das war zugleich sein
großer Auftrag und sein großes Erbe. Jetzt ist auch er tot. Jetzt liegt
es an uns, mit den Toten zu reden und ihr Werk weiterzuführen.

Blick zurück auf Heiner Müller
(1997)

Jost Hermand

Zum 2. Todestag Heiner Müllers

Vor Heiner Müller als Dichter keinen Respekt zu haben, wäre eine schmähliche Haltung. Und ich sage dies nicht nur im Sinne des Wortes „De mortuis nihil nisi bene". Ich sage dies schlechthin, ohne Abstriche, ja geradezu apodiktisch. Er war – nach Brecht – vielleicht der größte Meister deutscher Sprache. Seine hartgefügten Verse wirken wie gepanzert, seine Prosa ist von phrasenloser Prägnanz, ja selbst seine Interview-Äußerungen treffen bei aller vorgetäuschten Hemdsärmeligkeit meist mitten ins Schwarze. Doch seine dichterische Begabung war nur eine Seite seines Wesens. Müller war zugleich – und erst das macht seine wahre Größe aus – in allem, was er sagte und schrieb, einer der politischsten Köpfe eines Landes, das heutzutage selbst von vielen ehemals linksliberalen Literaturkritikern an den Schandpfahl der Geschichte genagelt wird.[1] Ihn also nur als Dichter vor der Schmach und dem Vergessen retten zu wollen, hieße seinem Andenken einen schlechten Dienst zu erweisen. Schließlich wollte er – in der Nachfolge Brechts – stets auch als Politiker ernst genommen werden. Während jedoch Brecht 1956 noch in dem Glauben gestorben war, daß der von ihm erhoffte Sozialismus eines Tages tatsächlich gesellschaftliche Wirklichkeit würde, mußte Müller mit der Erkenntnis sterben, daß diese Hoffnung – angesichts der Übermacht der marktwirtschaftlich strukturierten Regime der westlichen Welt – nur eine Illusion war, die den Untergang der Menschheit zwar etwas „verlangsamen", aber nicht wirklich aufhalten konnte.[2]

Damit ist ein Thema vorgegeben, das von gnadenloser Unerbittlichkeit ist und an sich jede rein akademische Diskussion sprengt. Wer sich mit Müller einläßt, läßt sich notwendig mit der Frage des Scheiterns des sozialistischen Experiments, der Beschleunigung der technologischen Prozesse, der auf uns zukommenden

politischen, ökonomischen und ökologischen Katastrophen und damit des Überlebens der Menschheit schlechthin ein. All das sind
äußerst unbequeme Fragen, die viele Menschen – angesichts ihres
eigenen Daseinskampfes – lieber verdrängen. Es war jedoch die
Größe Müllers, immer wieder auf diese Grundfragen zurückzu-
verweisen, statt uns die Möglichkeit zu bieten, in irgendwelche
psychologisch-privaten oder ästhetisch-formalistischen Reservate
zu flüchten, wo wir uns – à la Odo Marquard – im Hinblick auf die
trostlose Zukunft gewisse psychische Entlastungshilfen leisten
können.[3] Daher möchte auch ich nicht in solche Randzonen aus-
weichen, sondern mich mit dem Phänomen „Müller" so unmittelbar, so eindringlich wie nur möglich konfrontieren. Ich wähle dazu
einen biographisch-autobiographischen Einstieg, der – zugegebener-
maßen – nicht ganz frei von Risiken ist. Schließlich kann Persönli-
ches immer ins Peinliche ausgleiten, bietet aber zugleich den Vorteil
einer größeren Nähe und Authentizität, der nicht ganz von der
Hand zu weisen ist.

Als mir der Name „Heiner Müller" das erste Mal begegnete,
schrieb man das Jahr 1957. Ich hatte im Februar 1956 die biedermei-
erlich-Adenauersche Bundesrepublik verlassen und war auf Wunsch
des Kunsthistorikers Richard Hamann als frischgebackener Dr. phil.
nach Ostberlin übergesiedelt, um dort für den Akademie-Verlag eine
fünfbändige Kulturgeschichte des wilhelminischen Zeitalters zu
schreiben. Und da stieß ich im Frühjahr 1957, als ich gerade beim
Abschluß des Bandes *Naturalismus* und der in ihm behandelten
Probleme einer proletarischen Milieuschilderung war, auf ein Sonderheft der *Neuen deutschen Literatur*, das sich ausschließlich mit
dem Thema „Arbeiter und Arbeiterbewegung in der deutschen
Literatur" beschäftigte und auch ein Kurzdrama, genannt *Der
Lohndrücker*, eines noch unbekannten jungen DDR-Autors meines
Alters namens Heiner Müller enthielt.[4] Ich war sofort hingerissen
davon, diskutierte mit Wolfgang Heise darüber, las es anderen vor
und war überzeugt, daß mit diesem Drama die eigentliche DDR-
Literatur begonnen habe. Während die in der DDR lebenden Exil-
Autorinnen und -Autoren in ihren Werken weitgehend historische
Themen aus der Geschichte der Klassenkämpfe behandelten, griff
in diesem Stück plötzlich ein blutjunger Autor die Frage der „objektiven Schwierigkeiten" innerhalb der industriellen Produktion
der DDR mit einer Schärfe, aber zugleich in die Zukunft weisenden
Perspektive auf, die beide gleichermaßen atemberaubend waren.

Ebenso begeistert war ich von dem Stück *Zehn Tage, die die Welt erschütterten* von Heiner Müller und Hagen Stahl, das im gleichen Jahr in der Zeitschrift *Junge Kunst* erschien und dann im Herbst, anläßlich des 40. Jubiläums der Oktoberrevolution, an der Ostberliner Volksbühne aufgeführt wurde.[5] Da seit den Auswirkungen von Chruschtschows Anti-Stalin-Rede auf dem XX. Parteitag der KPdSU vom Jahr zuvor auch in der DDR die präskriptive Ästhetik der Anti-Formalismus-Welle allmählich in den Hintergrund trat, hatte die Volksbühne dieses Stück in einem Stil inszeniert, der eher an den expressiv-konstruktivistischen Stil Meyerholds und Eisensteins als an den Stil der Apologeten eines zwar ebenfalls typisierenden, aber trotzdem abbildgetreuen sozialistischen Realismus erinnerte. Dennoch war der Erfolg dieser Aufführung nicht gerade überwältigend. Die Mehrheit des „protestantischen, preußischen, postfaschistischen Publikums", wie Müller gern sagte, die an die herkömmlichen Obrigkeitsvorstellungen gewohnt war und daher sogar die DDR akzeptierte, konnte mit dem revolutionären Elan dieses Stücks nicht viel anfangen. Ja, viele Zuschauer waren offen empört darüber, daß am Schluß dieses Dramas Lenin emphatisch erklärte, daß sich die Revolution nicht von der Bourgeoisie einschüchtern lasse, sondern ihren Weg, auch unter Einsatz von Zensur und Diktatur, zum Wohle der breiten Masse der Bevölkerung konsequent zu Ende führen werde.[6]

Aufgewühlt von diesen beiden Stücken, versuchte ich danach, Heiner Müller auch persönlich kennenzulernen. Doch bevor es dazu kam, erhielt ich im Winter 1957/58 – nach dem Sturz Richard Hamanns durch Wilhelm Girnus, den allgewaltigen Staatssekretär für Hochschulfragen – von der SED-Bezirksleitung die Aufforderung, doch gefälligst binnen 48 Stunden das Territorium der DDR zu verlassen, und verlor dadurch die Aktivitäten Müllers für eine Zeitlang aus den Augen. Als ich in die ehemalige Bundesrepublik zurückkehrte, merkte ich schnell, daß für mich auch in dem anderen Deutschland – nach meinen zwei Jahren in der DDR – kein Bleiben war und ich in eine Art Exil gehen mußte. Dieses Exil fand ich im Herbst 1958 an der von Deutschland fernab liegenden University of Wisconsin in Madison. Die folgenden Jahre verbrachte ich dort in relativer Isolierung, wenn auch immer noch an der kulturgeschichtlichen Buchreihe für den Ostberliner Akademie-Verlag arbeitend und regelmäßig Zeitschriften wie *Neue deutsche Literatur* und *Sinn und Form* lesend, um mich über die neuesten literari-

schen Entwicklungen in der DDR zu informieren. Und die Madi-
soner Memorial Library hatte diese Publikationen alle, aus denen
ich erfahren konnte, in welche Schwierigkeiten Müller durch Stük-
ke wie *Die Korrektur, Die Umsiedlerin* und dann *Der Bau* geraten
war. Besonders angetan war ich von dem Drama *Der Bau* nach
dem Roman *Spur der Steine* von Erik Neutsch, das 1965 in *Sinn
und Form* erschien, worauf Wilhelm Girnus, der Herausgeber dieser Zeitschrift, nach dem 11. Plenum der SED, auf dem auch Müller unter Beschuß geraten war, ein Jahr später im gleichen Blatt ein
Gespräch mit Heiner Müller abdrucken ließ, in dem er sich von
dem Verdacht zu reinigen suchte, mit den Thesen dieses Stücks
einverstanden zu sein.[7]
     Leider konnte ich damals Müllers Stücke in Madison noch nicht
unterrichten, da wir fast keine Graduate-Studenten hatten. Erst als
sich im Laufe der zweiten Hälfte der sechziger Jahre die Studenten-
zahl rapide vergrößerte und sich zugleich – im Zuge der Studenten-
unruhen – das Interesse an der älteren deutschen Linken, aber auch
der DDR sprunghaft intensivierte,[8] gab ich im Herbstsemester 1969 –
nach meiner Rückkehr aus dem unpolitisch-langweiligen Harvard –
erstmals ein Hauptseminar unter dem Titel *Postbrechtian Drama*, das
sich neben Stücken von Peter Weiss und sogenannten Dokumentar-
dramen vor allem mit den Werken Heiner Müllers, Hartmut Langes
und Volker Brauns beschäftigte. Und ich weiß noch genau, wie sich
die Studentinnen und Studenten – darunter Helen Fehervary und
Gunnar Huettich – von diesen Stücken hinreißen ließen. Ja, die Se-
minararbeit von Fehervary über *Heiner Müllers frühe Brigadenstücke*, an denen sie besonders den wahrhaft „sozialistischen" Charakter herausstrich, der in einem krassen Gegensatz zu dem von
der SED errichteten System der Abhängigkeiten stehe, erschien mir
so überzeugend, daß ich sie im folgenden Semester ins Deutsche
übersetzte und 1971 im 2. Band von *Basis*, einem von Reinhold
Grimm und mir herausgegebenen *Jahrbuch für deutsche Gegenwartsliteratur* abdruckte.[9] Dies war der erste längere Aufsatz in der
Welt über Heiner Müller, der fast die gesamten sechziger Jahre in
der DDR in inoffizieller Ächtung gelebt hatte und dadurch in Ost
und West fast unbekannt geblieben war.
     Erst nach dem Regierungsantritt Erich Honeckers im Jahr 1971,
mit dem Müller in seinen frühen Jahren einen guten Kontakt gehabt hatte, ergaben sich für ihn wieder neue Wirkungsmöglichkeiten, die er sofort zu nutzen versuchte. Wohl der beste Beweis dafür

ist sein in diesen Jahren entstandenes Stück *Zement* nach Fjodor Gladkow, in dessen bewegender Schlußszene den aus der Verbannung zurückkehrenden Verrätern in der UdSSR wieder „Heimat" geboten wird. Ich hatte von der Entstehung dieses Dramas keine Ahnung und war daher aufs höchste verwundert, als ich am 12. Oktober 1973 nach Ostberlin kam und dort die Ankündigung sah, daß am gleichen Abend im Berliner Ensemble die Uraufführung von *Zement* in der Regie von Ruth Berghaus und Jochen Irmer stattfinden sollte. Und ich konnte kaum glauben, daß es sogar noch Karten für diese Uraufführung gab, so unbekannt war Heiner Müller inzwischen selbst dem Ostberliner Publikum geworden. Es war ein Abend, den ich nie vergessen werde. Die Regie stand eindeutig im Zeichen des frühen sowjetischen Revolutionstheaters, die Darstellung der Eheproblematik hatte radikalfeministische Züge und der Hohn auf die stagnierende Entwicklung innerhalb der UdSSR war so provozierend, daß es allen in die Probleme Eingeweihten fast den Atem verschlug. Im Gegensatz zu den Theatern der westlichen Welt ging es hier tatsächlich um reale Politik. An diesem Abend zählte jedes Wort, zumal in den ersten vier Reihen die höheren Chargen der SED saßen und die Handlung des Ganzen mit äußerster Spannung verfolgten. Die beredte Stille nach den einzelnen Szenen ließ ein Desaster vermuten. Doch am Schluß standen die schwarzen Anzüge in den ersten vier Reihen auf und gaben Müller, der an diesem Abend offiziell rehabilitiert werden sollte, eine stehende Ovation, die fünfzehn Minuten währte. Und er stand auf der Bühne, in einem knallroten Pullover, und blickte mit versteinertem Gesicht auf „seine" Partei hinunter, während hinter ihm das chilenische Revolutionslied *Venceremos* ertönte. Ihn danach anzusprechen, wagte ich nicht.

Eine Möglichkeit dafür ergab sich erst zwei Jahre später, als mich Helen Fehervary und Marc Silberman am 2. August 1975 mit in Müllers Wohnung am Kissingenplatz nahmen, um dort ihre Übersetzung seines *Mauser* mit ihm zu besprechen.[10] Ich blieb dabei eher im Hintergrund, hörte aber, daß er das Herbstsemester – auf Einladung Betty Nance Webers, die seit ihrem Studium in Madison lebhaft an Brecht und dem DDR-Theater interessiert war – an der University of Texas in Austin verbingen würde, und lud ihn daher ein, an unserem im Oktober in Madison stattfindenden 7. Wisconsin Workshop zum Thema „Geschichte im Gegenwartsdrama" teilzunehmen. Und Müller nahm diese Einladung sofort an.

Außerdem forderte er mich auf, mir an der Westberliner Schaubühne seinen *Lohndrücker* anzusehen, was ich auch tat, der mir jedoch in diesem Milieu völlig deplaziert erschien, das heißt überhaupt keine politischen Impulse vermittelte.

Während dieses Workshops fand am 21. Oktober die Weltur-
aufführung seines *Mauser* durch eine Gruppe junger Studenten
unter der Leitung von Jack Zipes statt. Müller hatte mir das Manuskript vorher geschickt, und wir beide konnten es kaum fassen, was
die Studenten daraus gemacht hatten. In der anschließenden Diskussion nebelte er sich mit einer dicken Zigarre ein und überließ
die Gesprächsführung weitgehend mir. Um so gesprächiger wurde
er am nächsten Tag in der Schlußdiskussion des gesamten Workshops, wo er das Publikum mit schnoddrigen Zynismen aus seiner
akademisch-unpolitischen Haltung aufzuscheuchen versuchte.[11] Der
Gesamteindruck, den Müller in Madison hinterließ, war darum ein
äußerst zwiespältiger. Einige hatten zwar etwas von seinem Genius
verspürt, die meisten hatte er jedoch mit seinem finsteren Gesicht
und seiner Distanz schaffenden Häme eher irritiert. Und auch er
selbst muß das verspürt haben. Als er mir am 3. November die
Nachschrift der Schlußdiskussion mit seinen Korrekturen zurück-
schickte, sah ich, daß er einige allzu zynische Äußerungen „über
Ulbricht und die Weigel" wie auch Sätze, daß Brechts *Kaukasischer
Kreidekreis* lediglich eine „Broadway-Schnulze" sei, einfach weg-
gestrichen hatte. „Nicht alles, was man in Amerika sagen kann,
kann man in der BRD drucken", schrieb er dazu als Erklärung, da
man sonst der DDR schaden würde. Obendrein bedauerte er, daß
das Ganze „mehr eine Show als ein Gespräch" gewesen sei. Was
Müller wollte, waren „wirkliche Gespräche", das heißt Diskussionen
über Politik, aber keine germanistischen Erörterungen bestimmter
Dramen. Und solche Gespräche waren für ihn, wie er das in der
DDR gewohnt war, nur in privater Atmosphäre möglich (wie etwa
in den stundenlangen Unterhaltungen, die wir nach dem Workshop
mit Müller in der Ivy Inn hatten).

Zwei Monate später sah ich ihn auf der Modern Language Con-
vention in San Francisco wieder, wo er mir den ersten in der DDR
erschienenen Sammelband seiner frühen Stücke überreichte.[12] Auf
dieser Tagung stellte Betty Nance Weber erstmals eine Videoauf-
zeichnung von Müllers *Mauser* vor, den sie in Austin, Texas, mitin-
szeniert hatte. Wegen des radikalen Feminismus und der ständigen
Einschübe der beteiligten Schauspielerinnen fand Müller diese In-

szenierung sehr originell. Nach dieser Video-Präsentation entführte Ronnie Davis, der Leiter der San Francisco Mime Troupe, Heiner Müller, Ginka Müller, Betty Weber und mich nach China Town zu einem opulenten Mahl. Müller, kaum interessiert an den dort offerierten Delikatessen, versuchte Davis während des Essens lediglich davon zu überzeugen, doch nicht den bereits „veralteten" Brecht zu spielen, sondern sich – am besten mit Schwarzen und Homosexuellen – an Dramen Genets oder seine Stücke heranzuwagen. Doch Davis winkte mit der Bemerkung ab, daß Brecht in Amerika noch keineswegs „veraltet" sei, sondern erst einmal durchgesetzt werden müsse, bevor man andere Formen des politischen Theaters ins Auge fassen könne.[13] Anschließend fuhren wir alle auf einem offenen Lieferwagen quer durch San Francisco zu einem sogenannten Alternativ-Zirkus, dem „Pickle Family Circus", wo es keine Tiere gab, sondern die Menschen – in höchst komischen Positionen – die Tiere spielen mußten. Es war ein großer Jux, und das Publikum lachte unentwegt. Nur Müller blickte selbst hier mit grimmigem Gesicht starr vor sich hin, so daß auch ich – neben ihm sitzend – nicht ein einziges Mal zu lachen wagte. Es war mir, als ob ich neben einem deutschen Tragiker wie Kleist oder Hebbel säße, der sich in seiner immer schwärzer werdenden Weltsicht, die mit seinen Zweifeln an einer tatsächlichen Realisierung des Sozialismus zusammenhing, keine aufheiternden Digressionen, sondern nur noch Betäubungsmittel wie Zigarren und Alkohol erlaubte. Andererseits fühlte er sich nach den Erfolgen in Ostberlin und den Monaten in Texas wesentlich selbstsicherer als zuvor und sagte mir, als ich ihn besorgt fragte, ob er nicht sein Visum längst überzogen habe: „Die sind doch froh, wenn ich überhaupt zurückkomme."

Und so war es denn auch. Jedenfalls konnte sich Müller von diesem Zeitpunkt an wesentlich freier bewegen als bisher, mehr und mehr seiner Texte beim Westberliner Rotbuch-Verlag herausbringen und dadurch eine Wirkung entfalten, die im Westen fast noch intensiver als im Osten war. Vor allem sein *Mauser*, der im Osten nicht erscheinen durfte, obwohl ihn Müller an sich als Diskussionsstück für die Bühnen der SED-Parteihochschulen geschrieben hatte, stand dabei 1976 eindeutig im Mittelpunkt. Sowohl die *Alternative* brachte in diesem Jahr ein Sonderheft zu *Mauser* heraus[14] als auch die Zeitschrift *New German Critique*. Letztere enthielt nicht nur die Übersetzung dieses Stücks durch Helen Fehervary und Marc Silberman,[15] sondern auch die Aufsätze „Mau-

ser' in Austin, Texas" von Betty Nance Weber,[16] „Mauser' as Lear-
ning Play" von David Bathrick und Andreas Huyssen[17] sowie
„History and Aesthetics in Brecht and Müller" von Helen Fehervary.[18] Allerdings waren dies Wirkungen, die anfangs auf eine recht
kleine Gruppe von Müller-Anhängern beschränkt blieben. Schließlich ließ in der zweiten Hälfte der siebziger Jahre bei den amerikanischen wie auch den westdeutschen Studentinnen und Studenten
das Interesse an eindeutig „politischer" Literatur allgemein nach
und machte jener Neuen Subjektivität Platz, die in ihren besseren
Erscheinungsformen unter dem Motto „The Personal is the Politi-
cal" stand, während diese Schichten ansonsten zusehends ins Ge-
nießerische, wenn nicht gar Solipsistische auswichen.[19]

Als ich im Herbst 1976 nach Westberlin kam, um als Sechsund-
vierzigjähriger an der Freien Universität zum ersten Mal deutsche
Studenten zu unterrichten, war ich erstaunt, wie gering das Interesse der dort Studierenden an politischen Fragen war, die über ihren
persönlichen Horizont hinausgingen. So saßen zwar 250 in meinem
Seminar zu „Brechts Bearbeitung der Weltliteratur", aber sie
wollten weder meine Ansichten über Brechts Form des Sozialismus
hören noch irgendwelche Brechtschen Texte lesen.[20] Als ich sie fragte, was wir denn statt dessen tun sollten, kam immer wieder die gleiche
Antwort: „Diskutieren!" Also schlug ich ihnen vor, Heiner Müller,
nach Brecht wohl den bedeutendsten Bearbeiter weltliterarischer
Stoffe (*Ödipus*, *Macbeth*, *Philoktet* usw.), einzuladen und mit ihm
über seine Arbeitsweise zu diskutieren. Doch das wollten sie auch
nicht, da sie von Heiner Müller noch nie gehört hatten. Als ich sie
darauf hinwies, sich an der Schaubühne sein Stück *Der Lohndrük-
ker* anzusehen, lehnten sie das mit der Begründung ab, daß dort
nicht diskutiert werde, sie sich also nicht selbst „einbringen"
könnten. Und dabei blieb es dann: Auf der einen Seite stand mein
Anspruch auf Wissenschaftlichkeit und politische Allgemeingültig-
keit, auf der anderen ihr Anspruch auf ein anarchisches Sichausle-
ben, das alle überindividuellen Ansprüche von sich wies.

Mit einer ähnlichen Situation sah sich Heiner Müller konfrontiert, als er sich am 18. September des gleichen Jahres nach einer
Aufführung seines Stücks *Die Bauern* alias *Die Umsiedlerin* im
Foyer der Ostberliner Volksbühne einem relativ jungen Publikum
zur Diskussion stellte. Dies waren alles Ostdeutsche, die auf die
düstere Stimmung dieses Stücks zum Teil recht irritiert, wenn nicht
verärgert reagierten. Sie fragten Müller, warum ein solches Drama

aus den schwierigen Anfangszeiten der DDR heute, wo doch inzwischen alles so viel besser geworden sei, überhaupt gespielt werde. „Wir wissen zwar", sagte einer, „daß Sie dieses Stück damals
nicht spielen durften. Aber ist das ein Grund, es heute aufzuführen? Das ist doch ein maßloser Ego-Trip, wenn nicht pure Selbst-
befriedigung." Und Müller, weitgehend unfähig, auf solche Fragen
einzugehen, nebelte sich wieder – wie in Madison anläßlich der
Mauser-Diskussion – mit seiner Zigarre ein und überließ es mir, in
dieser Situation die einzig brauchbare Antwort auf eine solche Frage zu geben, nämlich die, daß man nicht nur aus den aktuellen
Kämpfen, sondern auch aus der Geschichte der Kämpfe lernen
könne, wie Brecht anläßlich der Aufführung seines *Puntila/Matti*
gesagt habe, als ihm die SED vorwarf, daß dieses Stück doch längst
anachronistisch sei, da es heute in der DDR überhaupt keine Groß-
grundbesitzer mehr gebe.[21]

Anfang 1977 las ich, daß an der Ostberliner Volksbühne die
zweite Fassung von Müllers Stück *Die Schlacht* herauskommen
sollte. Als ich darauf an der Tageskasse anrief, um mir eine Karte
zurücklegen zu lassen, sagte die freundliche Stimme am anderen
Ende des Drahts: „Für Müller-Stücke braucht man keine Karten zu
reservieren. Nur Kotzebues ‚Deutsche Kleinstädter' sind schon ausverkauft." Und so kam zu dieser Premiere wirklich nur eine kleine
Schar von Unentwegten. Doch die erlebte einen der denkwürdigsten
Abende in der Geschichte des Ostberliner Theaters. Was Manfred
Karge und Matthias Langhoff auf die Bretter stellten, reichte an Bestes von Besson und Wekwerth, ja von Brecht heran. Fünf kurze
Auftritte, die in der Rotbuch-Fassung nur zehn Seiten umfassen,
waren hier mit einer Fülle theatralischer Einfälle in Szene gesetzt
worden, die jeder Beschreibung spottet. Nichts, aber auch nichts
war unversucht gelassen, um diesen knappen und zugleich allegorisch überhöhten Szenen zu einer einprägsamen Bühnenwirksam-
keit zu verhelfen: Filmeinblendungen, Pantomimen, Slapstick-
Witze, Antikisierendes, Groteskes, Pop-Elemente, Monstrositäten
à la Frankenstein, Rezitationen, Parodien auf religiösen Kitsch, Publikumsreaktionen auf die erste Inszenierung, Horror-Elemente,
Schießereien, Orgelmusik, Klassiker-Parodien, Todesengel, Revuegirls und ähnliches mehr. Trotz dieser Vielfalt theatralischer Mittel
hatte das Ganze eine ins Fleisch schneidende Unerbittlichkeit, die
weit über jeden ästhetischen Eklektizismus oder eine oberflächliche
Collagetechnik hinausging.

Ich saß während der Aufführung neben Müller. Wir sprachen
fast kein Wort miteinander, so beeindruckt waren wir beide. Lediglich bei Szenen, in denen gemeinsame Hitlerjugend-Erinnerun-
gen wach wurden, wie der Szene, wo bei dem Selbstmord Hitlers
im Hintergrund plötzlich das Hauptmotiv aus dem ersten Satz von
Schuberts „Unvollendeter" ertönte, erinnerten wir uns, daß wir
35 Jahre zuvor auf diese Melodie das NS-Lied „Moses, du nimmst
a Bad" auf die „dreckigen Ostjuden" singen mußten. Am Schluß
waren wir beide so aufgewühlt, daß Müller lediglich sagte: „Laß
uns kommenden Dienstag darüber reden. Ich gehe jetzt nach Hause." Als ich an besagtem Dienstag morgens um zehn Uhr bei ihm
schellte, kam er im Bademantel an die Tür, machte schnell eine Tasse Kaffee und sagte: „Ich habe die ganze Nacht Shakespeare übersetzt. Ich muß jetzt erst einmal kalt duschen. Hier ist mein neues
Stück. Lies es und sag mir dann kurz Deine Meinung darüber."
Und da saß ich plötzlich mit dem *Leben Grundlings Friedrich von
Preußen Lessings Schlaf Traum Schrei* vor mir. Er ließ mir dreißig
Minuten Zeit. Als er wieder ins Zimmer kam, war ich gerade mit
der ersten Lektüre fertig. Was ich in dem Moment gesagt habe, als
er mich erwartungsvoll anblickte, weiß ich nicht mehr genau. Sicher war es nichts besonders Positives, denn ich kann mit diesem
Text noch heute nicht viel anfangen. Doch zum Glück klingelte in
diesem Augenblick das Telefon. Als Müller kurze Zeit später zu-
rückkam, sagte er zynisch lächelnd: „Selbst Soundso", von dem er
wenig hielt, dem er aber in berechnender Absicht dennoch das Manuskript gegeben hatte, „findet meinen ‚Friedrich' gut."

Und dann entspann sich ein Gespräch, bei dem wir bis zum
frühen Abend noch immer vor der einen Tasse Kaffee saßen. Zu
Anfang machte sich Müller erst einmal Luft, indem er in urältester
Literatenmanier über andere, aber auch über sich selbst herzog.
Das gerade erschienene Buch *Kindheitsmuster* von Christa Wolf
kanzelte er als „bürgerlichen Kitsch" ab. Sein Stück *Quartett* nannte
er einen „Porno für den Westen", mit dem er lediglich D-Mark ein-
kassieren wolle. Das in Westberlin aufgeführte „Antikeprojekt", das
alle Linken als „irrationalistisch" abgelehnt hatten, fand er genial
usw. Doch dann kamen wir endlich auf *Die Schlacht* zu sprechen.
Als ich ihm vorhielt, daß das Dritte Reich nicht nur ein Schlachthaus gewesen sei, sondern es auch Exil und Widerstand gegeben
habe, ja es ohne dieses Exil und ohne diesen Widerstand nie zur
DDR und nie zu einem Autor wie Heiner Müller gekommen wäre,

winkte er erst müde ab, als hätte ich nicht begriffen, daß es in diesem Stück um die immerwährende Barbarei der Menschheitsgeschichte, um das ewige Töten und Schlachten und nicht nur um die Jahre zwischen 1933 und 1945 gehe. Doch dann ging er plötzlich mit bohrender Intensität auf meine These ein, und wir begannen uns mit Grundsatzfragen einer möglichen sozialistischen Politik auseinanderzusetzen, wobei mal er, mal ich die falschen Strategien der SED kritisierten. Ja, wir trafen uns einige Tage später sogar noch einmal, da er nicht nur an meinen Ansichten zur DDR, sondern auch an meiner Einschätzung Brechts interessiert war.

Einige Aspekte dieser Gespräche faßte ich kurze Zeit später in meinem Aufsatz „Deutsche fressen Deutsche. Heiner Müllers ‚Die Schlacht' an der Ostberliner Volksbühne" zusammen.[22] Als ich im Wintersemester des gleichen Jahres in Bremen lehrte, wollte sich Müller mit Betty Nance Weber und mir im dortigen Alten Schlachthaus eine besonders blutrünstige Inszenierung von Hans Henny Jahnns *Krönung Richard III.* ansehen, wurde aber abgehalten. Dadurch brach der enge Kontakt erst einmal ab. 1979 schrieb ich meinen Aufsatz „Braut, Mutter oder Hure? Heiner Müllers ‚Germania' und ihre Vorgeschichte".[23] Zur gleichen Zeit kam in Madison in der Zeitschrift *New German Critique* eine Übersetzung von Müllers *Zement* heraus, in die Helen Fehervary, Sue-Ellen Case und Marc Silberman viel Arbeit und Liebe investiert hatten.[24] 1980 forderte ich Müller auf, uns doch seinen Text *Keuner +/− Fatzer* für das *Brecht-Jahrbuch* zu überlassen, den er 1979 auf der 5. Internationalen Brecht-Konferenz in Maryland vorgetragen hatte und in dem sich der für sein gesamtes Werk entscheidende Satz findet: „Brecht gebrauchen, ohne ihn zu kritisieren, ist Verrat."[25] Ja, im gleichen *Brecht-Jahrbuch* ging Helen Fehervary ausführlich auf eine *Cement*-Aufführung in Berkeley ein, die sie und Sue-Ellen Case dort – nach langen Gesprächen mit Müller – auf die Bretter gestellt hatten.[26]

Ich selbst sah Müller erst 1981 wieder. Es war am 13. Juli – anläßlich einer Aufführung des Stücks *Der Auftrag* im 3. Stock der Volksbühne. Das Publikum war klein und weitgehend miteinander bekannt. Neben mir saßen Günter Gauss, der Leiter der diplomatischen Vertretung der Bundesrepublik in Ostberlin, Klaus Scherpe, die beiden Schlenstedts, Guntram Weber, der Mann von Betty Nance Weber, und eine Reihe führender SED-Mitglieder. Der Text, die Regie, die schauspielerischen Leistungen, die politische Botschaft: alles

war von einer Intensität, daß es viele kaum fassen konnten. Hier
war auf kleinstem Raum etwas erreicht worden, was selbst den nie
zufriedenen Müller halbwegs befriedigte. Daher war er fast bei jeder Aufführung anwesend, um danach mit dem Publikum ins Gespräch zu kommen. So auch an diesem Abend.

Als wir – nach einigen innerlich bewegten Minuten – endlich
mit ihm zusammensaßen, entspann sich folgendes Gespräch, das
sich mir – als dem mit Müller Vertrauten, aber dennoch Fremden,
Außenstehenden – vielleicht besonders tief eingeprägt hat. Die ersten, welche die Mauer der Betroffenheit durchbrachen und direkt
auf die Frage der politischen Botschaft hinsteuerten, waren die
Parteifunktionäre. Daß sie Müller mit „Heiner" anredeten, machte
mir schlagartig klar, wie klein und eng vernetzt die Literaturgesell-
schaft in Ostberlin war. „Wir sind alle sehr bewegt, Heiner", sagte
einer von ihnen, „welch ein Stück! Fast noch besser als ‚Zement'!
Nach einem Motiv von Anna Seghers – und dann noch vor dem
großen welthistorischen Hintergrund der Französischen Revolution und der ersten Auseinandersetzungen mit dem Kolonialismus
der imperialistischen Staaten. Um wieviel konkreter ist das als Deine antiken Stoffe. Aber warum schreibst Du eigentlich keine Dramen mehr über die DDR?"

Das war eine Frage, wie sie Müller liebte, und er zögerte keine
Sekunde, darauf mit provozierender Schärfe zu antworten: „Wie
Ihr lese ich jeden Tag das ‚Neue Deutschland' von der ersten bis
zur letzten Seite. Und ich erfahre dort, daß wir für den Frieden
sind, als ob sich das nicht von selbst verstehe. Sobald ihr anfangt,
im ‚Neuen Deutschland' die wirklich heißen Eisen anzupacken und
mit den breiten Massen der Bevölkerung einen Dialog über die objektiven Schwierigkeiten innerhalb unseres Staates zu eröffnen,
schreibe ich Euch auch wieder DDR-Dramen. Vorher nicht. Ihr
könnt doch von mir nicht erwarten, daß ich mit jener kulturpolitischen Revolution beginne, an die Ihr Euch nicht herantraut." Darauf blickte er auf und sagte mit stolz-verbitterter Stimme: „Ihr
zwingt mich ja, Weltliteratur zu schreiben." Ich weiß nicht mehr,
ob jemand danach lachte. Ich glaube kaum. Um die Situation etwas
zu lockern, ging Gauss anschließend auf wesentlich allgemeinere
kulturpolitische Fragen ein, die allerdings Müller weniger interessierten. Er wollte nicht ins Theoretische abschweifen; er liebte das
Konkrete. Also gab ich ihm eine zweite Chance, die Diskussion ins
Politische zurückzulenken. Als jemand fragte, ob sich heutzutage

in der DDR mit hoher Literatur überhaupt noch etwas bewirken lasse, wies ich darauf hin, daß ich am gleichen Tag vor der Brecht-Buchhandlung in der Chausseestraße eine Schlange von etwa zwanzig Menschen gesehen habe, die alle Stephan Hermlins *Abendlicht* erstehen wollten. Und das zu einem Zeitpunkt, als man nebenan die ersten Erdbeeren aus Werder feilgeboten habe. Darin sah ich ein ermutigendes Zeichen. Jedenfalls hätte ich im „Westen" vor einem Buchladen noch nie eine solche Schlange gesehen.

Müller erkannte sofort, welche Einstiegsmöglichkeit ich ihm damit bot, und sagte: „Ich sehe das ebenso. Du mußt Dir das so vorstellen. Wir haben hier in der DDR zwei Parteien: die SED und die Schriftsteller. Unsere jungen Leute lesen alle die Klassiker des Marxismus und entwickeln dadurch große Erwartungen. Und wenn sie dann anfangen, Forderungen zu stellen, stößt man sie mehr oder minder sanft zurück. Darauf fühlen sie sich frustriert und werden Dichter. So gesehen, sind wir neben der Sowjetunion die größte literarische Talentfabrik, die es auf der Welt gibt. Kein Wunder, daß vor unseren Buchhandlungen die Literaturinteressierten Schlange stehen. Im Westen wird es so etwas nie geben. Die haben überhaupt keine Literatur. Die leben ja nur von unserem Ramsch. Wir können ruhig zehn Autoren im Jahr an die BRD verlieren, damit die auch etwas zu lesen haben. In der Zwischenzeit wachsen bei uns 100 neue Schriftsteller nach."[27] Wir alle wußten, daß aus diesen Worten ein Zynismus sprach, der sich nicht gegen die Idee des Sozialismus, sondern gegen die Selbstgenügsamkeit der SED richtete. Hier wollte jemand mehr, wesentlich mehr als das „Realexistierende". Allerdings glaubte dieser Jemand seit den späten siebziger Jahren nicht mehr an die überlieferten Mittel der theoretischen Belehrung. Daher setzte er alles ein, was ihm als Mittel der Veränderung effektiver erschien: die Ironie, die Provokation, den Schock, um so jener „Trägheit des Herzens" entgegenzuwirken, die sich nur allzu gern mit der gegebenen Situation zufrieden gibt.

Nach diesem semi-offiziellen Gespräch, dem auch einige private Unterhaltungen folgten, trat eine längere Pause in unseren persönlichen Beziehungen ein. Ich verfolgte zwar sein Schaffen und Auftreten weiterhin sehr genau, war aber in den folgenden Jahren zu sehr mit der Niederschrift der beiden dicken Bände meiner *Kulturgeschichte der Bundesrepublik* beschäftigt.[28] Ich war zwar immer wieder versucht, jenen Müller-Interpreten entgegenzutreten, die im

Rahmen der Postmoderne-Debatte dieser Jahre den Werken seiner frühen und mittleren Periode kaum noch Beachtung schenkten und sich vor allem auf Werke wie sein *Friedrich*-Drama oder *Die Hamletmaschine* stürzten,[29] um an ihnen ihre Theorien der Intertextualität, der Hybrisierung, der Ambiguität, ja ideologischen Unentschiedenheit auszuprobieren. Um diesem Trend wenigstens etwas entgegenzusteuern, versuchte ich 1987 in meinem Aufsatz *Fridericus Rex. Das schwarze Preußen* im Drama der DDR zu zeigen, daß Müllers Anti-Friedrich-Haltung einem eminent tagespolitischen Charakter habe, das heißt sich bemühe, der seit den späten siebziger Jahren in Ostberlin stattfindenden Repreußifizierung entgegenzuwirken, die ihren Höhepunkt in der Wiederaufstellung des Friedrich-Denkmals unter den Linden fand.[30] Doch über eine solche Sicht lächelten die damaligen Postmoderne-Anhänger nur, die sich vornehmlich für bewußt enthistorisierte anthropologische, psychologische, psychoanalytische oder textuelle Konstanten interessierten, während sie das Ideologische als etwas Anachronistisches empfanden. Daß Müller solchen Tendenzen mit Texten wie *Quartett*, *Die Hamletmaschine*, *Verkommenes Ufer*, *Bildbeschreibung* usw. streckenweise entgegenkam, war mir klar. Aber ich hielt mich weiter an Werke wie *Zement*, *Der Auftrag* und *Wolokolamsker Chaussee* sowie seine Hoffnung, die er auf die Glasnost- und Perestroika-Parolen der Gorbatschowschen Reformpolitik setzte, über die er sich sogar mit Erich Honecker unterhielt.

Als mich daher Frank Hörnigk aufforderte, einen Beitrag für den Sammelband *Heiner Müller Material* zu schreiben, der am 9. Januar 1989, zu Müllers 60. Geburtstag, herauskommen sollte, sagte ich sofort zu. Da mir ein zunftgerechter Aufsatz mit Fußnoten für einen solchen Band nicht angebracht erschien, verfaßte ich einen kurzen Dialog, in dem sich ein alter und ein junger DDR-Regisseur über die Möglichkeit unterhalten, ob es sich angesichts der gewandelten Situation immer noch lohne, in Ostberlin ein Stück wie den *Lohndrücker* zu inszenieren. Da sie beide das Perestroika-Modell, mit anderen Worten: den Umbau der Gesamtgesellschaft bei laufender Produktion, bejahen, kommen sie schließlich überein, diesen Prozeß an Müllers Ringofen-Parabel zu demonstrieren. Und zwar schloß ich meinen Dialog mit den gleichen Worten, mit denen sich am Schluß von Müllers *Lohndrücker* der Parteisekretär Schorn und der Arbeiter Balke entscheiden, diese Aufgabe gemeinsam in Angriff zu nehmen.[31]

Als ich im Februar 1988 zu den großen Feierlichkeiten zu Brechts
90. Geburtstag nach Ostberlin kam, konnte es nicht ausbleiben, daß
ich auch auf Müller treffen würde. Und zwar geschah dies in einer
höchst dramatischen Form. Als wir beide – nach der Vorstellung
der beiden ersten Bände der Großen Berliner und Frankfurter
Brecht-Ausgabe – im Foyer der Akademie der Künste plötzlich
aufeinanderstießen, sagte er sofort unvermittelt: „Habe Deinen Dialog schon gelesen. Leider alles falsch. Du legst den Hauptakzent auf
die Schlußszene, die mir zwar damals äußerst wichtig erschien, die
aber inzwischen überflüssig geworden ist. Ich habe sie daher bei
meiner Inszenierung dieses Stücks am Deutschen Theater, von der
Du in Madison nichts wissen konntest, einfach weggelassen. Es
gibt heute keine solchen Zuversichtlichkeiten mehr. Heute muß
man mit offenen Schlüssen operieren. Warum siehst Du Dir das
nicht einmal an. Die Aufführungen sind zwar immer ausverkauft;
aber wir könnten ja heute abend zusammen hingehen und uns auf
irgendwelche Treppenstufen setzen. Das wird man mir nicht ver-
wehren. Der Brechtzirkus hier interessiert Dich doch sicher ebenso
wenig wie mich." In meiner plötzlich aufflammenden Wut, daß die
Postmoderne-Anhänger mit ihrer Sicht Müllers vielleicht doch
recht haben könnten, sagte ich darauf: „Wenn Du die letzte Szene
weggelassen hast, möchte ich diese Aufführung nicht sehen" – und
drehte mich ruckartig um. Ja, als ich mich umwandte, trat ich einer
hinter mir stehenden Dame so unsanft auf den seidenbestrumpften
Fuß, daß sie zu Boden stürzte. Nachdem ihr Müller und Unseld
wieder auf die Beine geholfen hatten, merkte ich, daß es Barbara
Brecht war. Ich entschuldigte mich und suchte danach so schnell
wie möglich das Weite.

Denselben Tag, den 9. Februar, ging ich abends ins Berliner Ensemble, um mir Müllers *Fatzer*-Bearbeitung anzusehen. Noch immer wütend auf ihn und auf mich, daß ich so unbedacht reagiert
hatte, konnte ich dem Ganzen nicht viel abgewinnen. Obwohl Ek-
kehard Schall als Johann Fatzer sein Bestes tat, blieb der Gesamteindruck der Inszenierung grau. Das Aufgeführte war weder ein
Brecht-Stück noch ein Müller-Stück, sondern eine theatralische
Halbheit, aus der nicht viel zu lernen war. Gut, das Ganze wandte
sich gegen den Krieg und die von ihm verursachten materiellen und
seelischen Verwüstungen. Aber verstand sich das nicht von selbst,
wie Müller wenige Jahre zuvor im Hinblick auf die Friedensparo-
len des *Neuen Deutschland* gesagt hatte?

Wie sich Müller anderthalb Jahre später während der sogenannten Wende verhielt, erfuhr ich lediglich durchs Fernsehen oder
aus den vielen Interviews, die er in der Folgezeit gab. Ich fand seine
Haltung anfangs aufrechter als erwartet. Vor allem in dem Band
Zur Lage der Nation (1990), der auf Interviews mit Frank M. Raddatz beruhte, bekannte er sich – obwohl, dennoch, trotz alledem –
zu seiner sozialistischen Vergangenheit und stellte den krisenge-
schüttelten Siegern des Kalten Krieges – angesichts der durch sie
beschleunigten Naturausbeutung und industriellen Überprodukti-
on – eine düstere Prognose. Und auch seine 1992 erschienene Autobiographie unter dem Titel *Krieg ohne Schlacht. Leben in zwei
Diktaturen* liest sich keineswegs wie ein Loblied auf die freie
Marktwirtschaft, sondern läuft ebenfalls auf die These hinaus, daß
mit dem Untergang des Sozialismus eine der wenigen Hoffnungen
auf eine mögliche Alternative zu dem immer schneller werdenden
Selbstmordkurs des Kapitalismus verschwunden sei. Daß er dabei
neben ökonomischen auch ökologische Aspekte berücksichtigte,
stimmte mich wieder versöhnlicher. Also setzte ich mich hin und
schrieb einen längeren Aufsatz über dieses Buch, der 1993 unter
dem Titel „Diskursive Widersprüche. Fragen an Heiner Müllers
‚Autobiographie'" im *Argument* erschienen.[32]

Hier versuchte ich zusammenfassend darzustellen, welche Wand-
lungen sich im Verhältnis Heiner Müllers zum Sozialismus und zur
DDR beobachten lassen. Während er sich in dieser Hinsicht in seiner Anfangsphase – trotz der größeren Gegenwartsnähe seiner
Stoffe – deutlich an Brecht orientierte und die Grundkonflikte seiner Stücke, wie im *Lohndrücker* oder in *Korrektur*, in einem positiven Sinne als lösbar darstellte, ging er seit den frühen siebziger Jahren zusehends dazu über, Figur und Figur, ja Meinung und
Meinung manchmal so hart und scheinbar unvermittelt nebenein-
anderzustellen, daß man daraus – zumal sich der Horizont seiner
Dramen mehr und mehr verdüsterte – eine ideologische Unver-
bindlichkeit herauslesen konnte. Wie gesagt, manche westlichen
Postmoderne-Anhänger haben ihn aufgrund der scheinbaren Un-
lösbarkeit solcher Konfliktsituationen, der zunehmenden Dunkelheit seiner Motive sowie der zeitweiligen Zusammenarbeit mit Robert Wilson einfach als einen der Ihren hingestellt. Doch das trifft
nur in einem sehr oberflächlichen Sinne zu. Zugegeben, die Widersprüche waren da und mehrten sich im Laufe der Jahre, aber die
Grundkonstellationen des Kalten Krieges blieben davon in seinen

Werken weitgehend unangetastet. Und so haben ihn viele Postmoderne- oder gar Posthistoire-Verfechter, die ihn im Sinne einer globalen Enthistorisierung aller politischen und sozio-ökonomischen Fragestellungen aus dem ideologischen Kontext der DDR herauszulösen versuchten, weitgehend verkannt.

Nicht verkannt haben ihn dagegen seine westlichen Gegner, die in Müllers Texten vor allem den anachronistischen Versuch sahen, sich „gegen das Altern des Sozialismus" zu stemmen.[33] So behauptete etwa Richard Herzinger 1992 mit polemischer Intention, Müllers Werke sollten „im Westen dekonstruktiv, im Sozialismus konstruktiv" wirken.[34] Ich glaube, damit kam er der Haltung Müllers – wenn auch unter eindeutig abwertender Perspektive – wesentlich näher als mancher naive Konvergenztheoretiker. Müller war kein Allerweltsautor, der die Zuschauer und Zuschauerinnen einfach mit unlösbaren Konflikten schockieren wollte. Im Gegenteil, er wollte sie provozieren, das heißt sie anstacheln, sich nicht der trügerischen Hoffnung hinzugeben, daß das Realexistierende notwendigerweise das Vernünftige und Zukunftsversprechende sei. Kurz: er versuchte unter immer erschwerteren Bedingungen, dem Engel der Geschichte so nah und so furchtlos wie nur möglich ins Auge zu schauen. Das Ergebnis waren zum Teil höchst grausige, ja geradezu unmenschliche Visionen. Ich weiß, ihn dafür zu loben wäre töricht.[35] Aber seine Unbeugsamkeit, wenn nicht gar einsame Größe innerhalb einer solchen dystopisch-utopischen Literatur zu verkennen, wäre ebenso töricht. Hoffen wir, daß es sich eines Tages wieder lohnen wird, auch positive Helden – in vermenschlichter Umgebung – auf die Bühne zu stellen.[36]

Landschaften eines Auftrags
(1997)

Helen Fehervary

In der Fülle der Müller-Statements und der vielen Beiträge über ihn fehlt stets der Name einer Schriftstellerin, die einen entscheidenden Einfluß auf seine Sprache, seinen Stil, seine Bildlichkeit, seine politische Orientierung sowie die „mythische" Topographie seiner Werke hatte – nämlich der von Anna Seghers. Sie kam als Kind einer deutsch-jüdischen Familie im Jahr 1900 zur Welt, erhielt 1928 den Kleist-Preis, ging 1933 ins Exil, wurde zu einer wichtigen Figur innerhalb der antifaschistischen Front und hatte schließlich mit ihrem Widerstandsroman *Das siebte Kreuz* einen internationalen Erfolg. Dieser Roman, der bisher in über 40 Sprachen übersetzt wurde, erwies sich 1942 als ein amerikanischer Bestseller, wurde in die „Book of the Month"-Serie aufgenommen, erschien in einer amerikanischen Militärausgabe und gab sogar den Stoff für einen Comic Strip ab, der zu Rekrutierungszwecken eingesetzt wurde. 1943/44 drehte Fred Zinnemann den Hollywood Film *The Seventh Cross*. In ihm traten nicht nur Spencer Tracy, Hume Cronin, Jessica Tandy, Signe Hasso, Helene Thimig und Alexander Granach, sondern in einer stummen Rolle auch Brechts Frau Helene Weigel auf, die als pflichtbewußte Hauswartsfrau einen Mieter, der den entflohenen KZ-Häftling Georg Heisler in seine Wohnung aufnimmt, an die Gestapo verrät.[1]

Nach 13 Exiljahren in Frankreich und Mexiko kehrte Anna Seghers über New York, Stockholm, Paris und Mainz im Frühjahr 1947 nach Berlin zurück. Als Brecht nach seinem Verhör vor dem HUAC-Ausschuß am 31. Oktober des gleichen Jahres nach Paris flog, verschob er seine Weiterreise nach Zürich um drei Tage, um sich vorher noch in Paris mit Seghers zu besprechen. Am 4. November schrieb er in sein *Arbeitsjournal*: „Anna Seghers, weißhaarig, aber das schöne Gesicht frisch. Berlin ein Hexensabbat, wo es auch noch an Besenstielen fehlt. Sie besucht ihre Kinder, die in Paris studieren, und will sich auch erholen. Um ihren mexikanischen Paß zu behalten, wohnt sie nicht im russischen Sektor, hat so auch nicht die Vergünstigungen, ohne die Arbeit unmöglich ist. Sie möchte ihre Bücher auch in den nichtrussischen Zonen gelesen haben. Sie scheint verängstigt durch die Intrigen, Verdächte, Bespitzelungen. Ich ermutige sie, die 100 Novellen fertigzustellen, die sie mir vor 12 Jahren versprach."[2] Nach ihrem Zusammentreffen schrieb Brecht an Ruth Berlau, daß Seghers, die noch zwischen Berlin und Paris hin- und herpendelte, ihm empfohlen habe, „man muß eine residence außerhalb Deutschlands haben", und in Berlin „ist es entscheidend wichtig, daß man eine starke Gruppe bildet. Allein, oder fast allein kann man da nicht existieren."[3]

Das Urteil von John Willett – „if there was a sister around it was Anna Seghers"[4] – trifft für die Zusammenarbeit von Seghers und Brecht nicht nur in den dreißiger, sondern auch in den vierziger und fünfziger Jahren zu. Seghers' Lage als linke Autorin und Intellektuelle, die im Hinblick auf die Beziehung zwischen Kunst und Politik eine avantgardistische Position beibehalten wollte und sich daher noch eine Weile zwischen den Fronten bewegte, läßt sich in mancher Hinsicht durchaus mit der von Brecht vergleichen. Doch dem bereitete der Kalte Krieg bald ein Ende. Danach konnten beide nur noch in der DDR wirken, wo sie schnell führende Rollen spielten und einen beträchtlichen Einfluß auf die literarische Szene hatten. Während sich Brecht vor allem der Schaffung eines neuen Theaters widmete, übernahm Seghers die Präsidentschaft des DDR-Schriftstellerverbandes, eine Position, welche sie 25 Jahre innehatte und ohne die viele progressive Enwicklungen in der DDR nicht zu verstehen sind. Außerdem arbeiteten Seghers und Brecht mehrfach zusammen, vor allem 1952 anläßlich der Aufführung von Seghers' Radio-Hörspiel *Der Prozeß der Jeanne d'Arc zu Rouen 1431*, das sie 1937 als ihre Antwort auf die Moskauer Schauprozesse geschrieben hatte und für die Inszenierung des Berliner Ensembles noch um einige neue Volksszenen erweiterte. Dank der Civilcourage von Seghers, Brecht und der BE-Intendantin Helene Weigel erlebte dieses Stück am 23. November 1952 seine Premiere – also genau zum gleichen Zeitpunkt, als in Prag jener Slansky-Prozeß lief, der in der Weltpresse so viel Aufsehen erregte.[5]

„Ein Beweis für die Überlegenheit des Systems war die bessere Literatur, Brecht, Seghers, Scholochow, Majakowski", dies war Heiner Müllers Erklärung, warum er nie die DDR verlassen habe.[6]

Dieser Satz ist von den Müller-Forschern und -Forscherinnen selten zitiert worden, wahrscheinlich nicht nur, weil er Brecht und
Seghers, die Hans Mayer „die größte deutsche Erzählerin in unserem Jahrhundert" genannt hat,[7] auf eine Stufe stellte, sondern weil
deren Augenmerk fast nur der Dramatik galt. Im Hinblick auf den
Einfluß von Seghers auf Autoren und Autorinnen der folgenden
Generation wird meist auf das Werk von Christa Wolf verwiesen,
die sich in zahlreichen Essays zu ihrem großen Vorbild bekannt
hat. Bei näherem Zusehen erweist sich jedoch, daß sich Wolf eher
durch die Seghersche Essayistik als durch die Thematik und Bildhaf-
tigkeit ihrer Prosawerke beeinflussen ließ.[8] Im Falle Müllers trifft genau das Gegenteil zu.

Bekanntermeise hat Müller die Übernahme gewisser „Motive"
aus den Prosawerken von Seghers offen zugegeben. Im Hinblick
auf das Stück *Der Auftrag* schrieb er: „Das Stück verwendet Motive aus der Erzählung ‚Das Licht auf dem Galgen' von Anna Seghers." Im Untertitel des dritten Teils der *Wolokolamsker Chaussee*,
„Das Duell", heißt es: „Nach Anna Seghers".[9] Was den *Auftrag*
betrifft, so ist das auf Seghers bezügliche Statement eher unter- als
übertrieben. Schließlich hat Müller in diesem wie auch in anderen
seiner Stücke aus den Prosawerken von Seghers nicht nur „Motive",
sondern gesamte Themenbereiche, stilistische Vorformulierungen,
sprachliche Eigentümlichkeiten, poetische Bilder und ganze szenische Arrangements und epische Konstellationen in seine dramatischen „Landschaften" übernommen. Daß sich Müller des Ausma-
ßes dieser Übernahmen durchaus bewußt war, geht aus einem Brief
hervor, den er ihr kurz nach der Premiere des *Auftrag* an der Ostberliner Volksbühne geschrieben hat: „Liebe sehr verehrte Anna
Seghers, seit ich, nach Ihrer Erzählung DAS LICHT AUF DEM
GALGEN, das Theaterstück DER AUFTRAG geschrieben habe,
wälze ich diesen Brief vor mir her wie eine schwere Last. Ich habe
so viel von Ihnen genommen, und es ist nicht das erstemal: auch
das Stück, das jetzt unter dem Titel DIE BAUERN gespielt wird,
wäre ohne Ihre Geschichte DIE UMSIEDLERIN nicht geschrieben worden. Heute, an Ihrem 80. Geburtstag, erlebe ich das
schreckliche Gefühl, daß ich, nach allem, was ich mir ‚herausge-
nommen' habe, Ihnen nichts geben kann als diesen gestammelten
Ausdruck meines Dankes und meiner Bewunderung für Ihr großes
episches Werk, das länger dauern wird als das Gewölk der Phrasen
und das Geschrei der Märkte. 19.11.1980. Heiner Müller."[10]

Müllers Stück *Die Umsiedlerin oder Das Leben auf dem Lande*, an dem er zwischen 1956 und 1961 arbeitete und das er 1964 in *Die Bauern* umschrieb, trägt nicht nur den Titel der Seghers-Geschichte *Die Umsiedlerin* (1950), auf die sich die Haupthandlung und mehrere der Charaktere stützen, sondern verwendet auch Charaktere, sprachliche und bildliche Elemente, Monologe, Dialoge und Szenen, die aus anderen Erzählwerken von Seghers stammen, wie etwa die Kneipenszenen und die Herr-Sklavin-Episoden zwischen dem Bauern und seiner Frau in *Der Kopflohn* (1933) sowie die Heiratsantragsszene aus *Die Toten bleiben jung* (1949). Die Haupthandlung und die Hauptfigur in Müllers *Traktor* (1955/61/74) stammen aus Seghers' Erzählung *Der Traktorist* (1950). Für sein Drama *Der Lohndrücker* (1956) übernahm Müller den Namen, die charakterliche Zeichnung und die Redeweise der Figur „Geschke" aus Seghers' Roman *Die Toten bleiben jung*, wo Geschke ein stets unzufriedener SPD-Arbeiter ist, der immer den kürzeren zieht und trotz allem den Reformgedanken seiner alten Partei treu bleibt. (Müllers autobiographisches Interesse an diesem Thema belegt vor allem sein Prosatext *Der Vater*.) Eine ähnliche Parallele besteht zwischen dem frommen Bauern Andreas Bastian in Seghers' *Der Kopflohn* und dem alten Arbeiter Bastian in Müllers *Der Bau* (1965). Auch in Müllers *Die Schlacht* kommen Motive vor, die sich auf Seghers' *Die Toten bleiben jung* zurückführen lassen. Ja, selbst der Aufruhr in der dritten Szene der *Hamletmaschine*, die „als Spaziergang gegen die Verkehrsordnung während der Arbeitszeit" beginnt, hat eine Entsprechung in der Segherschen Monologueinterieur-Erzählung *Auf dem Weg zur amerikanischen Botschaft* (1930), welche die Gedanken von vier Personen wiedergibt, die an dem Tag der Sacco- and Vanzetti-Hinrichtungen durch eine Welle von Demonstranten mitgerissen werden.[11]

Sogar ein höchst „destruierendes" Stück wie *Verkommenes Ufer Medeamaterial Landschaft mit Argonauten* (1982) liefert noch immer Beispiele, mit denen sich Müllers Neigung für die „mythischen" Topographien in den Segherschen Texten sowie ihre politischen und historischen Botschaften belegen ließe. So finden sich etwa in der ersten Szene von *Verkommenes Ufer* deutliche Bezüge zur Nachkriegssituation, zum Tonfall und zur Bildlichkeit in Seghers' Erzählung *Das Argonautenschiff*, die sie kurz nach ihrer Rückkehr aus dem mexikanischen Exil geschrieben hatte. In beiden Texten steht in der Figur des mythischen Jason ein gescheiterter Revolutionär im Mit-

telpunkt, der nach zahlreichen Irrfahrten allein und unerkannt in
sein Heimatland zurückkehrt. Seghers' Enttäuschung kommt vor
allem in den Zeilen zum Ausdruck: „Als er auf einmal verstand,
daß ihn das Schicksal sich selbst überließ wie die Argo, die ohne
ihn weitergezogen war, da hörte er auf, an das Schicksal zu glauben. Er glaubte auch nicht mehr an die Götter. Und an die Menschen erst recht nicht mehr."[12] Die Stimmung der Verzweiflung erreicht ihren Höhepunkt in der tragischen Ironie von Jasons Tod, der
sich unter einem großen Baum zur Ruhe legt, in dessen Zweigen die
Reste seines Schiffes hängen: „Es gab auf einmal viel mehr Vögel im
Wald. Sie flüchteten sogar in die Spalte zwischen dem Schiffsrumpf
und der Galionsfigur. [...] Der Sturm brach an. Er sprengte die letzten Seile mit einem Stoß, der ganze Schiffsrumpf krachte über Jason
zusammen. Der ging mit seinem Schiff zugrunde, wie es das Volk seit
langem in Liedern und Märchen erzählte."[13] Der Tragiker Müller
fand dafür die klassischen Verse: „Bis ihm die Argo den Schädel
zertrümmert das nicht mehr gebrauchte / Schiff Das im Baum
hängt Hangar und Kotplatz der Geier im Wartestand."[14]

Müllers erste öffentliche Reverenz für Seghers' Werke erschien
in Form einer Besprechung ihrer gesammelten Erzählungen am 31.
Mai 1953 im *Sonntag*: „Was die großen Romane in gelassenem
Fluß ausbreiten, ein Abbild der Klassenkämpfe in Vergangenheit
und Gegenwart, lassen die Erzählungen brennpunkthaft aufleuchten – im individuellen Schicksal den historischen Prozeß, aus der
präzisen Darstellung des Wirklichen die Wahrheit über das Wirkliche, seine Veränderbarkeit, die Richtung, in der die Veränderung
zu betreiben ist."[15] Knapp ein Jahrzehnt später – nach der Revolution in Ungarn, dem Bau der Berliner Mauer und seinem Ausschluß
aus dem Schriftstellerverband – wandelte sich Müllers Stil und damit
auch seine diskursive Beziehung zu den Segherschen Werken radikal.
Was er zuerst als die „Darstellung des Wirklichen" und als „Wahrheit" empfunden hatte, erschien ihm jetzt immer verzerrter und abstrakter – wenn auch weiterhin als eine wichtige Anregung für sein
eigenes Werk. Müllers Gedicht „Motiv bei A.S.", das weder die Erzählung noch den Namen der Autorin preisgibt, wurde als Antwort
auf die Seghersche Erzählung *Das Licht auf dem Galgen* geschrieben,
die 1960 in *Sinn und Form* erschien:

Debuisson auf Jamaika
Zwischen schwarzen Brüsten
In Paris Robespierre

Mit zerbrochenem Kinn.
Oder Jeanne d'Arc als der Engel ausblieb
Immer bleiben die Engel aus am Ende
[...]
Christus. Der Teufel zeigt ihm die Reiche der Welt
WIRF DAS KREUZ AB UND ALLES IST DEIN.
In der Zeit des Verrats
Sind die Landschaften schön.[16]

Die SED-Kampagne gegen Müller im Herbst 1961, die zu seinem Ausschluß aus dem Schriftstellerverband führte, wird in Müllers Autobiographie *Krieg ohne Schlacht* (1992) ausführlich behandelt und in der erweiterten Neuausgabe 1994 mit einem Dossier von Dokumenten zusätzlich dokumentiert. Zu den dankbar registrierten Aktivitäten, mit denen ihm Seghers zu helfen versuchte, gehörten 1961 vor allem folgende: ihre Versuche Siegfried Wagner, den Leiter der Kulturabteilung des Zentralkomitees der SED sowie andere hohe Funktionäre zum Einlenken zu bewegen, ihre Bitte an Helene Weigel, Müller bei der Formulierung einer öffentlichen Selbstkritik zu helfen, die ihn retten könne (wie sie vorher auch schon Brecht geholfen habe) sowie ihre offene Geste der Sympathie in Form eines Händedrucks vor dem versammelten Schriftstellerverband, nach dem sie die Versammlung in Protest abrupt verließ. „Nach der Rede von Siegfried Wagner", schrieb Müller später, „war Anna Seghers aufgestanden und zu mir und Inge herübergekommen, sie gab uns beiden die Hand und ging. Das war ihr Beitrag."[17] Obwohl Müllers Hinweis auf diesen Akt der Sympathie auf seinem Wissen beruhte, daß sie ihn dadurch vor einem wesentlich schlimmeren Schicksal bewahrte (schließlich hatte man ihm auch mit Verhaftung und Gefängnis gedroht), machen das seine Formulierungen dem uninformierten Leser keineswegs klar. Ebensowenig kommt er in seiner Autobiographie auf andere Interventionen von Seghers zu seinen Gunsten zu sprechen, darunter ihre lange improvisierte Rede, die sie mit schweikscher List und breiter Mainzer Intonation auf einer geschlossenen Sitzung der Dramatiksektion des Schriftstellerverbandes am 17. Oktober des gleichen Jahres hielt. Als er die Interviews für seine Autobiographie abgab, hatte Müller den Text der Tonbandaufnahme dieser Sitzung offenbar noch nicht gelesen.[18]

Müller wurde am 28. November 1961 einstimmig aus dem Schriftstellerverband ausgeschlossen. Nur Peter Hacks enthielt sich

bei diesem Vorgang der Stimme.[19] Ein Stasi-Bericht über das Treffen des Parteiausschusses, das vor der Plenarsitzung des Schriftstellerverbandes stattfand, erwähnt, daß Anna Seghers „sich gegen
einen Ausschluß" wandte. Der Bericht fährt fort: „Genosse Ro-
denberg verlangte von Genossin Seghers zweimal eine offene Stellungnahme, die sie mit der Begründung zurückwies, sie habe sie
durch ihre Abstimmung belegt. Es war auffallend, daß außer Seghers und Wedding alle anderen Genossen wie Bredel, Renn etc.
fehlten."[20] Nach dem Treffen des Parteiausschusses verließ Seghers
das Gebäude, das heißt boykottierte als Vorsitzende des Schriftstellerverbandes die folgende Plenarsitzung, wo die entscheidende
Abstimmung des vom Parteiausschuß vorgeschlagenen Ausschlus-
ses erfolgte. Dem Stasi-Informanten Paul Wiens zufolge, der alle
Vorgänge dieses Tages pflichtschuldigst meldete, ging Seghers anschließend sofort zu Helene Weigel: „Diese habe ihr versichert, daß
sie, wenn es Müller will, ihm alle und jede Unterstützung gewähren
und ihn in ihr Ensemble aufnehmen wird. Anna Seghers kam während der Versammlung wieder in den Verband, ließ den Sekretär,
Genossen Schulz, herausrufen und beschwor ihn noch einmal, wie
bereits vor der Versammlung, zu verhindern, daß M.[üller] ausgeschlossen wird."[21] In den folgenden Sätzen zielt der Zynismus, der
dem Stasi-Bericht zugrunde liegt, direkt auf die ältere „mütter-
liche" Frau: „Sie brachte ihr Mitleid und ihre Zuneigung zum Ausdruck. Sie sagte unter anderem auch, daß der arme Müller zu Hause sitzen würde und an der Stellungnahme schreibe und sich quäle,
während hier so hart gegen ihn vorgegangen würde. Als man ihr
sagte, daß M.[üller] gar nicht in Berlin sei, wurde sie nachdenklich."
Zuletzt wird noch bemerkt, daß „verschiedene führende Schriftsteller
wie A. Seghers, Bredel usw." ihre „Auffassung überwinden" sollten.
Doch darauf war scheinbar kein Verlaß: „Diese Genossen halten sich
aber besonders zurück und stellen sich, wie im Falle Müller, noch auf
die falsche Seite."[22]

  Was wir über Seghers' tatsächlichen Einfluß als Präsidentin des
Schriftstellerverbandes wissen, ist immer noch bruchstückhaft. Christa Wolf schrieb darüber 1992: „Wir wissen nicht alles über sie, längst
nicht alles über ihre verborgenen Motive und Handlungen, und wir
werden es nie erfahren. Fast alle Zeugen sind tot."[23] Doch wir wissen, daß die zwei Jahrzehnte nach Müllers Ausschluß aus dem
Schriftstellerverband die seiner größten Schwierigkeiten in der
DDR waren, während in der gleichen Zeit Seghers zur kulturellen

Ikone eines Systems aufstieg, dem sie zwar teilweise kritisch und
skeptisch gegenüber stand, das sie aber immer wieder öffentlich
rechtfertigte. Von den DDR-Lesern sowie den Parteiführern als
„unsere Anna" bezeichnet, avancierte sie zur „Dichterfürstin der
DDR", wie ihr früherer Kamerad und Bewunderer Manès Sperber
sie spöttisch nannte.[24] Und so wurde sie schon lange vor ihrem
Rücktritt vom Vorsitz des Schriftstellerverbandes im Jahre 1978 zu
einer ideologischen Galionsfigur, wenn nicht gar Legende. Ihr Rücktritt hing sicher mit ihrer schwachen Gesundheit und mit dem Tod
ihres Ehemanns László Radványi zusammen, mit dem sie 53 Jahre
verheiratet war.[25] Aber Seghers' Rücktritt hat sicher auch etwas mit
den Ereignissen des Jahres 1976 zu tun, die zur Ausbürgerung von
Wolf Biermann und zur folgenden Kampagne gegen zahlreiche
Künstler und Intellektuelle führten. Ihre Weigerung, im Gegensatz
zu ihrer ursprünglichen Absicht, im November 1976 eine Resolution gegen die Ausweisung Biermanns zu unterschreiben, führte zu
einer Verstimmung zwischen ihr und einer Reihe anderer Schriftsteller und Schriftstellerinnen, darunter Stephan Hermlin, Christa
Wolf und Heiner Müller, die sie vorher unterstüzt hatte.[26] Zutiefst
beunruhigt durch die Ereignisse des Jahres 1976 und ihre Folgen,
zog sie sich anschließend vom öffentlichen Leben zurück, fühlte
sich gesundheitlich geschwächt und starb am 3. Juni 1983.

Brecht ist 1956 „zur richtigen Zeit gestorben", wie Müller oft
erklärte. Seghers aber nicht. Aus diesem Grunde wurde Müllers
Bezug zu der „Übermutter" Seghers im Laufe der Jahre noch pro-
blematischer und konfliktreicher als der zu seinem „Übervater"
Brecht, über den er bekanntlich schrieb: „Brecht gebrauchen, ohne
ihn zu kritisieren, ist Verrat."[27] Im Hinblick auf Seghers mangelte
es auch nicht an Kritik, wie Müllers Gedicht *Epitaph* von 1990 beweist. In ihm wird sie einerseits als eine Personifizierung der utopischen Ziele des Kommunismus gefeiert und ihr Tod sowie sein
Untergang beklagt, andererseits werden ihre Kompromisse als le-
benslanges Parteimitglied – erinnernd an Hamlets Vorwurf gegen
Gertrud – als eine Hingabe an die Umarmung des „Stiefvaters" kri-
tisiert:

> Jetzt sind Sie tot, Anna Seghers
> Was immer das heißen mag
> Ihr Platz, wo Penelope schläft
> Im Arm unabweislicher Freier
> Aber die toten Mädchen hängen an der Leine auf Ithaka

Von Himmel geschwärzt, in den Augen die Schnäbel
Während Odysseus die Brandung pflügt
Am Bug von Atlantis.[28]

Wenn auch Müller in diesem Gedicht suggeriert, daß er Seghers
nicht „gebrauchen" wolle, ohne sie zu „kritisieren", beweist es zugleich die Intensität einer literarischen Verwandtschaft, die immer
wieder in der Ähnlichkeit ihrer „mythischen" Topographien und
Erkenntnisweisen zum Ausdruck kommt. Hans Mayer behauptete
einmal zu Recht: „Alle Welt bei Anna Seghers ist gleichzeitig auch
mythische Welt."[29] Das gleiche gilt selbstverständlich für Müllers
Stücke – und daraus ergeben sich die intertextuellen Probleme, die
uns hier beschäftigen sollen. In seinem Essay *Der Erzähler* bemerkte Walter Benjamin 1936: „Das was den Leser zum Roman
zieht, ist die Hoffnung, sein fröstelndes Leben an einem Tod, von
dem er liest, zu wärmen."[30] Wie Benjamin zwei Jahre später in seiner Besprechung von Seghers' *Die Rettung* schrieb, liegt Seghers'
epischer Prosa nicht die Perspektive des modernen Romanciers,
sondern die altbewährte Haltung einer erzählenden Chronistin zugrunde. Ihre Geschichten wenden sich nicht an irgendwelche in-
differenten Romanleser, sondern sie sind „weit entfernt vom Roman" und „erwarten den *Hörer*".[31]
   Während westliche Leser Seghers vor allem als Autorin von Romanen wie *Das siebte Kreuz* und *Transit* kennen, waren ihre Zeitgenossen Benjamin und Brecht, und später Heiner Müller, eher an
ihren kürzeren, höchst poetischen sowie mehr oder minder „mythischen" Erzählungen interessiert. Dabei lassen sich manche Analo-
gien zu Brechts Werk beobachten. Während Seghers' antifaschistische Romane, die sich an breite Leserschichten wenden, den Pa-
rabel- und Chronikstücken ähneln, die Brecht im Exil geschrieben
hat, haben ihre kürzeren Erzählungen mehr mit Brechts Lehrstük-
ken und der ihnen zugrunde liegenden Großen Pädagogik gemeinsam. Dieser Vergleich mit Brecht hilft uns zugleich zu verstehen,
warum Müller, der immer wieder zum Modell des Lehrstücks und
der Großen Pädagogik zurückkehrte, sich auch von jenen poetischen Modellen anregen ließ, die Seghers' „mythische" Prosatexte
auszeichnen.
   Wie im Falle Brechts entstanden die „mythischen" Modelle in
Seghers' Oeuvre erstmals in den dreißiger Jahren, als der Faschismus wie auch der Stalinismus die künstlerischen Projekte und das

Selbstverständnis der Avantgarde zunehmend in Frage stellten.
Seghers' Beiträge zur Expressionismus-Debatte, in welcher sie wie
Brecht, Benjamin, Bloch, Balázs, Eisler und andere die Stilmittel
des Modernismus verteidigte, erschienen 1939 in Form von zwei
offenen Briefen an Georg Lukács in der *Internationalen Literatur*,
nachdem *Das Wort* kurz zuvor sein Erscheinen eingestellt hatte.[32]
Wie Brecht, und später auch Müller, bekannte sich Seghers zu einer
Avantgarde, die ihre politischen Positionen auch in die Ästhetik ih-
rer poetischen Schriften einfließen ließ. Das gilt vor allem für ihre
Erzählung *Die schönsten Sagen vom Räuber Woynok*, die 1938 in
der Juninummer von *Das Wort* erschien.[33]
Wie wir aus Benjamins Notizen seiner Unterhaltungen mit
Brecht in Svendborg im Sommer 1938 wissen, „lobte" Brecht an
Seghers' Erzählung, „daß ein Querkopf und Einzelgänger in diesen
Geschichten als die tragende Figur auftritt".[34] In derselben Unterhaltung mit Benjamin machte Brecht am 25. Juli eine Bemerkung,
die Heiner Müller später, als er diese Notate las, sehr interessiert
haben muß, da sie genau die Probleme ansprach, die auch ihn als
DDR-Schriftsteller beschäftigten. Benjamins Notiz berichtet: „An
den ‚Schönsten Sagen vom Räuber Woynok' von der Seghers lobte
Brecht, daß sie die Befreiung der Seghers vom Auftrag erkennen
lassen. ‚Die Seghers kann nicht auf Grund eines Auftrags produzieren, so wie ich ohne einen Auftrag garnicht wüßte, wie ich mit dem
Schreiben anfangen soll.'"[35]
Die Unterscheidung, die Brecht 1938 machte, mag uns im Nachhinein etwas übertrieben anmuten. Dennoch ist sie im Hinblick auf
Seghers und ihren Einfluß auf Brecht (und später auf Müller) sehr
aufschlußreich. Geschrieben während des Radek-Prozesses in Moskau und der Vorbereitungen für den Bucharin-Prozeß, erzählt Seghers in *Die schönsten Sagen vom Räuber Woynok* die Geschichte
eines ruhelosen, melancholischen Banditen, dessen Augen „so klar"
waren, „als hätte niemals der Schaum eines einzigen unerfüllt ge-
bliebenen unerfüllbaren Wunsches ihre bläuliche Durchsichtigkeit
getrübt".[36] Doch sieht der Führer der Räuberbande Gruschek in
Woynoks Augen nur „sein eigenes haariges altes Gesicht und was
ihm über die Schultern sah an Berggipfeln und Wolken" (27). Bei
seinem Versuch, allein zu rauben, findet Woynok ein unrühmliches
Ende, indem einige Bauern, die ihn – halb erfroren und mit einem
Fuß in einer Tierfalle steckend – aufspüren und mit ihren Stöcken
zusammenschlagen (43). Bei dieser Nachricht „rang" Gruschek „die

Hände, daß es knackte, weinte laut und klagte. Alle klagten mit ihm
in schmerzhafter Erleichterung. [...] Weil er tot war und weil es
doch immerhin seinesgleichen gegeben hatte" (43–44). Doch danach kehrt Woynok – wie Radek und Bucharin nach ihrer ersten
Verbannung durch Stalin – wieder zu der Bande zurück, die um ein
offenes Feuer kampiert: „Ein Luftzug eisiger Kälte flog von Woynok weg und flatterte um die Schläfen der Räuber. Woynok aber,
der diese Kälte verbreitete, schien selbst nicht zu frieren. Er setzte
sich auf die Erde nieder, außerhalb des Feuerkreises. Er glich dem
Woynok von früher soviel, wie ein Toter einem Lebenden gleichen
kann" (44).

Wie Brechts *Die Maßnahme* thematisiert Seghers' Erzählung den
ideologischen Widerspruch, der dem politisch-historischen Moment
innewohnt: „Woynok war viel zu schwach, um an das Feuer heran-
zurücken. Wer hätte auf den Gedanken kommen sollen, ihn hinzu-
zuziehen?" (45). Seine zunehmende Isolierung und Ambivalenz –
„Warum bin ich nur hergekommen? [...] Warum habe ich noch einmal diesen furchtbaren Weg durch die Berge zurückgelegt? Ich
könnte längst meine Ruhe haben, ich könnte längst zugeschneit
sein" (45) – veranlaßt ihn, das Lager noch einmal zu verlassen. Als
ihn darauf Gruschek und die anderen Räuber finden, hatte er sich
„mit dem Kopf in den Schnee eingewühlt" (46). „Soll man ihn im
Lager begraben?", fragen die Räuber in einem Ton, der an die Frage des Pilatus erinnert, als er Jesus der versammelten Menge vorführt (ein Ton, der auf die Sieger/Mörder-Frage in Müllers *Der
Horatier* vorausweist). Auf die lakonische Antwort der (Stalin)/
Gruschek-Figur „Das geht zu weit", erfolgt die nicht weniger be-
stürzende Geste, mit der die Geschichte endet: „Sie legten Woynok
dann einfach mit dem Gesicht nach oben und deckten ihn mit
Schnee zu. Das war schnell getan" (46).

Für die Thematik und Bildlichkeit dieses Modells lassen sich in
mehreren Stücken Müllers, zum Beispiel in *Der Bau*, auffällige
Entsprechungen finden. Dort heißt es: „Ich bin der Schneemann,
mir schlägt kein Baum mehr aus" wie „Mein Lebenslauf ist Brük-
kenbau. Ich bin / Der Ponton zwischen Eiszeit und Kommune."[37]
Aber was noch wichtiger ist, auch die topographisch-anthropo-
morphen Konfigurationen, die Seghers' Text zugrunde liegen, keh-
ren in vielen Stücken Müllers, wo immer Bilder wie „Wald",
„Körper" oder „Tier" auftauchen, in vielfach abgewandelter Weise
wieder. Manches klingt dabei deutlich an Stellen wie folgende Pas-

sage aus dem *Räuber Woynok* an: „In der Nacht, als die Räuber
schliefen, entfernte sich Woynok vom Lager, um sein altes Vorha-
ben endlich auszuführen. Er kletterte die Bergwand hinunter und
versuchte, allein in den Wald einzudringen. Der Geruch und die
Dunkelheit betäubten ihn. Eine jede seiner Bewegungen schien sich
in die Unendlichkeit fortzupflanzen; als zucke der Wald zusammen
über dem Splitter, der in ihn eingedrungen war. Woynok kletterte
auf einen Baum, um die Richtung nachzuprüfen. Kaum daß er sich
vom Gebirgsabfall entfernt hatte. Von der Unendlichkeit der Wäl-
der war noch so wenig genommen wie von dem ausgestirnten
Himmel"(39).

Der gleiche Stillstand der Geschichte, wie er für die Jahre der
stalinistischen Säuberungen und Prozesse bezeichnend ist, wird
auch in Müllers *Zement* beschworen. So spielt das Ende der Szene
„Die Bauern" auf den Zusammenbruch der internationalen Hoffnungen an der Schnittstelle zwischen Leninismus und Stalinismus
in den mittzwanziger Jahren an. Borschtschi „bewegt seinen Nak-
ken, wie in einem Joch, sieht die Sterne" und sagt „Sterne". „Ich inte-
ressiere mich nicht für Astronomie", erwidert Badjin. „Die Sterne
interessieren sich auch nicht für uns, Genosse Badjin", erklärt dar-
aufhin Borschtschi. Badjins Antwort beschließt die Szene: „Tot
brauch ich sie nicht mehr zu sehn."[38] In der folgenden Prosapassage
„Herakles 2 oder die Hydra" wendet sich der Blick wieder der Erde zu, das heißt von der allheitlichen Hoffnung, die sich ins Un-
endliche auszudehnen versuchte, zum rein Körperlichen, was an
die bereits zitierte Szene aus dem *Räuber Woynok* erinnert: „Lange
glaubte er noch den Wald zu durchschreiten, in dem betäubend
warmen Wind, der von allen Seiten zu wehen schien und die Bäu-
me wie Schlangen bewegte, in der immer gleichen Dämmerung der
kaum sichtbaren Blutspur auf dem gleichmäßig schwankenden Boden nach, allein in die Schlacht mit dem Tier. In den ersten Tagen
und Nächten, oder waren es nur Stunden, wie konnte er die Zeit
messen ohne Himmel, fragte er sich noch manchmal, was unter
dem Boden sein mochte, der unter seinen Schritten Wellen schlug
so daß er zu atmen schien, wie dünn die Haut über dem unbekannten Unten und wie lange sie ihn heraushalten würde aus den
Eingeweiden der Welt. Wenn er vorsichtiger auftrat, schien es ihm,
als ob der Boden, von dem er geglaubt hatte, daß er seinem Gewicht nachgäbe, seinem Fuß entgegenkam und ihn sogar, mit einer
saugenden Bewegung, anzog."[39]

In Seghers' Erzählung *Wiedereinführung der Sklaverei in Guadeloupe* (1948) ist die Metamorphose Mensch-Körper-Wald-Tier sogar noch deutlicher. Nach der Wiedereinführung der Sklaverei in Guadeloupe durch die militärische Macht Napoleons versucht der befreite Feldsklave und Schmied Jean Rohan die Freiheit, die er von der französischen Revolution erhielt, zu bewahren. Während die anderen Schwarzen der Aufforderung folgen, sich an den ehemaligen Arbeitsstätten zu melden, flüchtet der Schmied vor dem staatlichen Suchkommando, das ihn umbringen will, allein in den Wald: „Er war in den Wald eingedrungen. Die Wurzeln drehten sich wie verknorpelte Hexen aus der Erde bis in die Äste hinauf. Die Äste wuchsen in den Erdboden zurück, und alles war verfilzt und vermoost und von Lianen verwickelt. Er brauchte nicht mehr zu kriechen. Der Wald saugte ihn auf. Er wurde von dem Getier angeschwirrt und manchmal angeglotzt und gekitzelt. Er war so allein, daß er sich nicht mehr allein fühlte. Er gab es auf, sich in dem Gewimmel allein zu fühlen. Er gab es auf, sich in soviel Leben als ein besonderes Leben zu fühlen, das vor etwas Angst hatte. Wenn er in der heißen, pfeifenden Finsternis noch auf Gedanken gekommen wäre, dann hätte er gedacht, daß er lieber auf tausend Arten zugrunde ginge, als von dem zugrunde gerichtet zu werden, vor dem er flüchtete."[40]

Wie Sasportas in Seghers' *Das Licht auf dem Galgen* und Müllers *Der Auftrag* wird der befreite Schwarze Jean Rohan durch die Ausführung des neuen Gesetzes „zugrunde gerichtet". Dennoch überdauert er als der eine „Körper", als die eine „Materie" oder auch „Seele" der Revolution, die sich nicht „verrät": „Jean Rohan wußte, daß es zu Ende ging. Es wäre besser gewesen, durch eine Schlange zugrunde zu gehen. Besser durch einen Skorpion, besser durch einen Jaguar. – Es wäre besser, ein Jaguar als ein Spürhund zu sein. Wäre es besser, ein Sklave zu sein als ein Hund? Es war für einen Neger nur möglich, als ein Sklave oder gar nicht zu leben."[41] Dieser Abschnitt nimmt in vielem die Bilder der Verwandlung und „Auferstehung" vorweg, mit der Müller seine Figur „ErsteLiebe" in *Der Auftrag* umgibt: „Sklaverei", „Sklaven", „Bluthunde", „Zähne", „Klauen", „Fell", „Fleisch", „Tiger", „Tigermaske", usw.«[42] Seghers' Beschreibung von Rohan, der sich in einer Baumkrone versteckt, sein gewaltsamer Tod sowie seine Transformation im Tode ist zwar – diskurstheoretisch gesehen – wesentlich linearer, aber keineswegs weniger eindrucksvoll als die gleichartige Konstellation Sklaverei versus Freiheit in *Der Auftrag*: „Die Hunde gerieten noch einmal in rasende Aufregung. Die Patrouille hätte sonst nicht das Dunkle vom Dunklen unterschieden, nicht die zwei weißen Punkte entdeckt, die dazu gehörten. Sie legte die Köpfe zurück und brüllte und pfiff und schrie. Dann legte sie an und schoß. Der Tote überschlug sich zuerst – dann kam er im Gleitflug herunter. Die Patrouille zog auf dem Pfad ab, den die Neger mit der Machete geschlagen hatten, nachdem sie – denn die Jagdzeit war kurz – die gierigen Hunde von ihrer Beute gerissen hatte. In ihrem Rücken stürzte sich eine Völkerwanderung von Insekten auf den Rest von Fleisch; dann kam kleines Getier mit Zähnen und Schnäbeln. Zuletzt kam, die ersten verscheuchend, ein großes, buschiges Raubtier mit seinem Jungen, gelassen und schwer, die Mutter hungrig, das Junge hungrig.“[43]

In seiner Autobiographie bemerkte Müller: „,Auftrag' wollte ich machen, seit ich die Geschichte ,Das Licht auf dem Galgen' von Anna Seghers gelesen hatte. ,Licht auf dem Galgen' ist ihre Auseinandersetzung mit dem Stalinismus – Napoleon/Stalin, der Liquidator der Revolution. Mich interessierte vor allem das Motiv des Verrats, auch wegen meines Reiseprivilegs.“[44] Dieser Vergleich wurde in der Forschung zurecht in Frage gestellt, da die Konstellation „Napoleon/Stalin" Müller wesentlich stärker beschäftigte als Seghers.[45] Dafür spricht bereits die Entstehungsgeschichte von Seghers' Erzählung, die erst 1960 abgeschlossen, aber schon am Ende der vierziger Jahre während der antisemitischen Ausschlußverfahren der Internationalisten im östlichen Lager begonnen wurde. In dieser Hinsicht muß *Das Licht auf dem Galgen* im Zusammenhang mit zwei anderen karibischen Geschichten, nämlich *Wiedereinführung der Sklaverei in Guadeloupe* and *Die Hochzeit von Haiti*, gesehen werden, die sie zu diesem Zeitpunkt abschloß. Während in *Wiedereinführung der Sklaverei in Guadeloupe* der befreite Feldsklave und Schmied Jean Rohan eine der Zentralfiguren ist, dreht sich die Handlung in *Die Hochzeit von Haiti* um einen Aschkenasi-Juden. Der junge Juwelier Michael Nathan, der in Paris ein Anhänger der Revolution ist, kommt in Familiengeschäften nach Haiti, heiratet eine Schwarze und kehrt nach ihrem Tod und der Niederlage Toussaint L'Ouvertures nach Europa zurück, wo er – wie Toussaint im französischen Gefängnis – bald stirbt.

Indem Seghers in ihren karibischen Erzählungen jüdische Figuren in den Vordergrund rückte, vermied sie eine einseitige kolonia-

listisch/antikolonialistische Konfrontation. Im Gegensatz zu Mül-
lers *Der Auftrag*, wo aus Sasportas ein Schwarzer wird, ist der
Sasportas in Seghers' *Das Licht auf dem Galgen* ein sephardischer
Jude. Ihre Charakterisirung dieser Gestalt geht auf die historische
Figur des Rabbi Jakob ben Ahron Sasportas (geb. 1610 in Oran,
gest. 1652 in Amsterdam) zurück. In zahlreichen Schriften, darunter dem Buch *Zizat nowel Zewi*, wandte sich der historische
Sasportas gegen die Forderungen des sogenannten falschen Messias
Sabbatai Zwi (1626–1676) und den Enthusiasmus seiner Anhänger.[46] Die Kompliziertheit der intertextuellen Bezüge wird noch
dadurch gesteigert, daß Müllers Sasportas-Figur in vielem eher der
des befreiten Schwarzen Jean Rohan in Seghers' *Wiedereinführung
der Sklaverei in Guadeloupe* ähnelt als der Sasportas-Figur in *Das
Licht auf dem Galgen*, aus dem Müller die „Motive" seines *Auftrags*
entlehnte.

Indem Seghers ihren Debuisson als den Sohn eines europäischen
Plantagenbesitzers und ihre Sasportas-Figur als Märtyrer *und* se-
phardischen Juden darstellte, verkehrte sie den herrschenden
christlich-europäischen Mythus in sein Gegenteil und wandelte so
die Tatsache des „Verrats" auf eine entscheidende Weise ab. Sowohl der Text von Seghers als auch der von Müller beziehen sich
auf die Ikonographie der Passionsgeschichte. Wie in den Werken
von Brecht, dessen umfassende Kenntnis der protestantischen Bibel
überall mit Händen zu greifen ist, hat auch die Bildlichkeit in
Müllers *Der Auftrag* einen mehr oder minder deutlichen christlichen
Charakter. Im Gegensatz dazu beschwört Seghers in *Das Licht auf
dem Galgen* den Geist des jüdischen Messianismus und erinnert an
die jüdischen Aufstände und Gemeinschaftserlebnisse im 1. vor-
christlichen Jahrhundert. Es ist diese Topographie der Revolution,
die hinter vielen Jamaika-Landschaften ihrer Novelle durchschim-
mert, nicht zuletzt in der Kreuzigungslandschaft jenes Galgens, an
dem Sasportas gehängt wird, und dem Licht, das über ihm aufzu-
leuchten scheint.[47]

Abgeschlossen während der Zeit der kubanischen Revolution
und zum ersten Mal im Jahr 1960 veröffentlicht, belegt die Erzählung *Das Licht auf dem Galgen* Seghers' Interesse an den Befrei-
ungsbewegungen dieser Zeit in Amerika, Asien und Afrika. Aber
ihre Erzählung läßt sich auch als eine Antwort auf die Ereignisse
der ungarischen Revolution von 1956 lesen. In diesem Lichte betrachtet, erinnert die Haltung Debuissons an die politischen Posi-

tionen von János Kádár oder gar an die Rolle von Georg Lukács, der 1956 als ein Mitglied der revolutionären Nagy-Regierung gegen die Entscheidung stimmte, aus dem Warschauer Pakt auszuscheren. Die Figur des Sasportas trägt dagegen zum Teil Züge von Imre Nagy, der mit anderen Revolutionsführern hingerichtet und verscharrt wurde. Daß sich Müller im *Auftrag* als Autor mit der Position Debuissons identifiziert, das heißt mit dem antifaschistisch-internationalistischen „Verräter"-Reformer János Kádár sowie mit der Doppelrolle, mit der Lukács nach dem November 1956 seinen Hals rettete, stimmt weitgehend mit der Position von Seghers in ihrem nicht minder komplexen Text überein.

Auf Theorien und Erkenntnisinteressen beruhend, die seinen Werken völlig fremd sind, neigen „postmoderne" Interpreten und Interpretinnen von Müllers Texten weitgehend dazu, sie als Dekonstruktionen von Geschichte oder Geschichten zu deuten. Manche von Müllers Bemerkungen zur Gegenwartskunst und -kultur seit den späten siebziger Jahren scheinen diesen Trend zu stützen – oder zumindest nicht zu widersprechen. Im Gegensatz dazu möchte ich die Aufmerksamkeit auf jene Äußerungen Hans Mayers lenken, mit denen er 1983 seinen Nachruf auf Anna Seghers beschloß. Im Gegensatz zu der spärlichen, wenn nicht gar feindlichen Einschätzung dieser deutsch-jüdischen und zugleich kommunistischen Autorin in Westdeutschland, ja selbst in ihrer rheinischen Heimat, schrieb Mayer: „Wie soll man es deuten, daß das Werk der Anna Seghers, das weltberühmt ist, weil unzählige Menschen es in allen Sprachen der Welt gelesen und geliebt haben, das Werk einer der großen Schriftstellerinnen unseres Jahrhunderts, in ihrer eigenen Heimat so unbekannt blieb: wenig gelesen, von Tagesschreibern mit ein paar Floskeln abgetan? Die Parteipolitik reicht als Erklärung nicht aus. Eher muß daran gedacht werden, daß eine Wegwerfgesellschaft, die keine Herkunft mehr kennen will und an keine Zukunft zu glauben vermag, die tragische Wirklichkeit in den Werken von Anna Seghers kaum mehr ertragen kann."[48]

Heiner Müller, so scheint es, war nicht nur fähig, sondern fühlte sich auch verpflichtet, die von Seghers beschworene „tragische Wirklichkeit" in sein eigenes Werk zu integrieren und so ihr poetisch-mythisches Vermächtnis für uns zu bewahren.[49]

Aus dem Amerikanischen von Jost Hermand

Manierismus, Modernismus, Müller

„In der Zeit des Verrats / Sind die Landschaften schön"
(1998)

Helen Fehervary

Der Einfluß der visuellen Künste auf Heiner Müllers Werke wird weitgehend mit dem Schlagwort „postmodern" charakterisiert. Zugegeben, Belege dafür sind in einer Reihe Müllerscher Essays und Interviews der achtziger und frühen neunziger Jahre leicht zu entdecken. Die erste Erwähnung einer solchen „postauktorialen" Kunst findet sich 1979 in seinem programmatischen Text *Der Schrecken die erste Erscheinung des Neuen. Zu einer Diskussion über Postmodernismus in New York.* Dieser Text lieferte die Stichworte für das, was seither von vielen als sein radikalstes künstlerisches Programm angesehen wird, nämlich „Jargon" statt „Papier" zu gebrauchen und „die Wandbilder der Minderheiten und die proletarische Kunst der Subway, anonym und mit gestohlener Farbe", als „Art" zu betrachten.[1] Aber ein solcher Reduktionismus, wenn man ihn aus dem größeren Kontext von Müllers Essay herausnimmt und auf die nur allzu legitimierenden Formen des postmodernen Theaters und seiner Performance-Art überträgt, dient letztlich nur den mimetischen Interessen eines nichtsbedeutenden Naturalismus. Schließlich wird so die schreckenerregende Großstadtlandschaft lediglich verdoppelt, ohne zu bedenken, ob solche Inszenierungen, bei denen die Schauspieler zwischen Fabrikmauern, Zementblöcken, Grabmälern, Bunkerfassaden und anderen strategisch plazierten Ruinen herumstolpern, wirklich den Texten eines Stückeschreibers gerecht werden, der einst mit der gleichen Intensität verkündete: „In der Zeit des Verrats / Sind die Landschaften schön."[2]

Und auch diese Zeilen sind oft zitiert worden, wenn auch ohne Bezug auf ihren ursprünglichen Zusammenhang. Müller gebraucht sie als am Schluß seines Gedichts *Motiv bei A. S.*, das er in den frühen sechziger Jahren nach der Lektüre von Anna Seghers' Novelle

Das Licht auf dem Galgen (1960) schrieb, die später zur Grundlage seines Stücks *Der Auftrag* (1979) wurde. Diese Schlußzeilen sind aufs engste mit den zwei Zeilen verbunden, die ihnen vorangehen und mit ihnen eine Art Vierzeiler bilden:[3]

> Christus. Der Teufel zeigt ihm die Reiche der Welt
> WIRF DAS KREUZ AB UND ALLES IST DEIN.
> In der Zeit des Verrats
> Sind die Landschaften schön.

Als Einheit betrachtet, scheinen diese vier Zeilen aus den gegenwärtigen politischen Konfigurationen herauszuführen und auf die Ikonographie jener Passions- und Kreuzigungslandschaften hinzuweisen, welche das künstlerische Vermächtnis der europäischen Malerei des Mittelalters und der frühen Neuzeit bilden. Müllers Vierzeiler hält sich in dieser Hinsicht eng an die ästhetischen Voraussetzungen der Seghersschen Novelle, deren epische Beschreibungen zum Teil auf den Passions- und Kreuzigungslandschaften der altdeutschen und niederländischen Meister beruhen. In der Tat, Seghers' Triade der drei Revolutionäre auf Jamaika, nämlich Sasportas, Debuisson und Galloudec, reicht sogar noch weiter zurück und erinnert an die Legenden der christlichen Juden des ersten Jahrhunderts unserer Zeitrechnung, nämlich Jesus den Märtyrer, Judas den Betrüger sowie den Evangelisten, der dieses Geschehen als Zeuge überlebt und in einem Gefängnis in der Diaspora jene heilige Geschichte niederschreibt, die in Form eines Briefes sein Heimatland erst zwei Jahre später erreicht.[4] Während *Der Auftrag* sich mehr oder weniger an diese triadische Struktur hält, wird in dem Gedicht *Motiv bei A. S.* das Thema des Betrugs sowohl komprimiert als auch mit einem älteren Motiv der Jesusgeschichte verknüpft, nämlich der Versuchung Jesu durch den Teufel in der Wüste – eines der Lieblingsthemen der Renaissance und der auf sie folgenden manieristischen Bewegung. Doch gleichviel, in beiden Werken – dem Gedicht und dem Drama – wird das visuelle Element beibehalten. Das Konzept der Koexistenz von „Verrat" und „Schönheit", das in den Zeilen „In der Zeit des Verrats / Sind die Landschaften schön" unterstrichen wird, scheint zugleich von Müllers Lektüre der Brecht-Notate aus den späten dreißiger Jahren über die Gemälde Pieter Breughels des Älteren angeregt zu sein. In Bezug auf Breughels *Kreuztragung* von 1564 hatte Brecht damals Folgendes geschrieben: „Hinrichtung

als Volksfest. Die spanischen Reiter in Rotröcken als das fremde
Militär: der rote Faden, der Richtung und Bewegung angibt und
von der Hinrichtung ablenkt. Links am Rande arbeitendes Volk,
am wenigsten interessiert. Im Hintergrund links Rennende, fürch-
tend, zu spät zu kommen. Rechts im Kreis um die Richtstätte bereits Wartende. Der Auftritt links vorn, eine Verhaftung, erweckt
größeres Interesse als der Niederfall Christi. Maria, weniger mit Jesus als mit ihrem Gram beschäftigt. Siehe die Frau links von ihr, die
Weinende in dem reichen und sorgfältig drapierten Kleid! Die Welt
ist schön und verlockend."[5]

Wem fiele dabei nicht die deutliche Parallele zwischen der Brechtschen Formulierung „Hinrichtung als Volksfest. [...] Die Welt ist
schön und verlockend" und Müllers Zweizeiler „In der Zeit des
Verrats / Sind die Landschaften schön" auf. Aber noch wichtiger
für das Argument dieses Aufsatzes ist die Tatsache, wie intensiv
sich beide Stückeschreiber mit jenen manieristischen Bildern auseinandersetzten, die in der zweiten Hälfte des 16. Jahrhunderts
nach dem Niedergang der Renaissance entstanden. Brechts Versuche, die „erzählenden Bilder" Breughels auf die Bühne zu übertragen, sind wohlbekannt.[6] Müller wurde dagegen anfangs mehr von
dem leicht manierierten Stil des sächsischen Malers Lucas Cranach
des Älteren[7] und später mehr von dem venetianischen Manieristen
Tintoretto (eigentlich Jacopo Robusti) angezogen. In seiner Autobiographie schrieb Müller im Hinblick auf seine Vorliebe für
„erzählende Malerei": „Bildende Kunst war für mich seit den sechziger Jahren wichtiger als Literatur, von da kamen mehr Anregungen. [...] In der grauen Landschaft zwischen Elbe und Oder war die
erzählende Malerei des Surrealismus eine Erholung, Max Ernst,
Dalí. [...] Für Tintoretto werfe ich den Expressionismus weg."[8]

In einem Brief aus dem Jahre 1987 schlug Müller Robert Wilson
eine theatralische Konzeption vor, der eine Postkartenwiedergabe
von Tintorettos wildbewegtem Fresco *Die wundersame Errettung
eines christlichen Sklaven durch den Heiligen Markus* von 1548 zugrunde lag. Venedigs Lokalheiliger greift auf diesem Bild wie ein
Blitz von oben in die weltlichen Angelegenheiten ein, um einen
nackten christlichen Sklaven zu retten, der zwischen Richtern,
Henkern und neugierigen Bürgern auf dem Boden liegt. In ein
karminrotes Gewand gekleidet, von dem Teile hinter ihm wie Flügel durch die Luft flattern, hält der Heilige Markus unter dem einem Arm sein Evangelium, während er mit dem anderen auf den

Sklaven weist, wobei seine leicht gekrümmten Finger die Geste einer
Segnung andeuten. Und all das, während er – von einer Gloriole
weiß umloht – kopfüber vom Himmel auf die Erde herabstürzt.
Müllers Deutung dieses Bildes kommt in seiner Bemerkung zum
Ausdruck: „Vielleicht findet die Befreiung der Toten schon lange
nicht mehr in der Zeitlupe, sondern im Zeitraffer statt."[9] Und dies
ist ein Konzept, für das er in der radikalen Umkehr von Zeit und
Raum auf Tintorettos Bildern ein Äquivalent zu finden glaubte.
Aber letztlich geht der „Zeitraffer" in Müllers Vorstellungen weit
über Tintorettos Arrangement auf dem besagten Fresco hinaus, indem er den Heiligen Markus als einen Dirigenten oder „Architek-

Tintoretto, Die wundersame Errettung eines christlichen Sklaven durch
den Heiligen Markus, Ausschnitt, 1548 (Venedig)

ten der Zukunft" versteht, der den gesamten „linken Vordergrund
beherrscht": Mit dem ausgestreckten linken Arm dirigiert er, wie
der Vorarbeiter einen Kran, die Arbeit am Balkon, die eine
Kreuzabnahme ist. Die rechte Hand hält die Tafel oder das Buch
mit dem Bauplan der Zukunft."[10] Der „dirigistische" Aspekt ist besonders charakteristisch für manieristische Wiedergaben dieses
Motivs. Müllers eigener Beitrag zu diesem Thema besteht vor allem
darin, daß der Heilige diese Funktion innerhalb eines apokaplypti-
schen Scenarios ausübt: „Das Geheimnis des Bilds ist die Falltür im
Hintergrund, von zwei Männern aufgehalten. Aus der Tiefe strömt
Licht: der Himmel ist unten."[11]
    Man ist fast versucht, Müllers Deutung von Tintorettos Gemäl-
de als postmoderne Dekonstruktion eines bildkünstlerischen Mei-
sterwerk zu lesen, dessen Verfügbarkeit und Wegwerfbarkeit in
Form einer leicht herstellbaren Postkarte ihn offenbar zu seinen
Wilson gegenüber geäußerten Vorschlägen veranlaßt haben. Aber
Müllers Verwandtschaft mit Tintorettos manieristischem Stil der
Restrukturierung und des Rearrangements scheint doch enger zu
sein als der zur Methode der Dekonstruktion. In diesem Punkt ist
es besonders bedeutsam, daß das menschliche Subjekt, um das es in
Tintorettos Gemälde geht, nämlich der gefesselte nackte Sklave,
auch bei Müller die zentrale Rolle spielt. Ikonographisch hat der
nackte Körper des Sklaven die gleiche Signifikanz wie der Körper
Jesu auf Tintorettos verschiedenen bildlichen Wiedergaben der Pas-
sion und der Kreuzigung, besonders in den Szenen der Kreuzabnahme und der Grablegung. Müller beschreibt den Körper im
Rahmen seiner Konzeption als einen „grauweißen Leichnam" und
fährt dann fort: „Er gehört der Kunst und der Verwesung."[12] Die
Einschätzung, im Jahr 1987 dem amerikanischen Postmodernisten
Robert Wilson gegenüber geäußert, steht keineswegs im Widerspruch zu dem poetischen Zweizeiler, den Müller, wohl unter dem
Einfluß der Segherschen Novelle und von Brechts Breughel-Nota-
ten, fast 30 Jahre zuvor niederschrieb: „In der Zeit des Verrats /
Sind die Landschaften schön."
    Die Bedeutsamkeit der Gemälde der Renaissance und des Ma-
nierismus für Müllers dramatisches Werk ist schon in seinem Stück
Die Schlacht (1951/1974) nicht zu übersehen, wo sich die Passions-
ikonographie zumindest implizit äußert. Ich wurde darauf zuerst
1976 durch die Karge-Langhoff-Inszenierung dieses Stücks (an der
Müller selbst beteiligt war) aufmerksam gemacht, und zwar gegen

Tintoretto, Das Abendmahl, Ausschnitt, 1594 (Venedig)

Ende der zweiten Szene „Ich hat einen Kameraden". In einem ge-
dämpften kaltgrünen Licht spielte sich diese Szene auf der Hinter-
bühne ab, also weit entfernt vom Publikum, um so auf die geogra-
phisch fernabliegenden, kaum vorstellbaren Ereignisse von Stalingrad
hinzuweisen, wo die „Kameraden" – in teleskopischer Sicht – nicht
nur schossen, sondern sich auch gegenseitig „verschlangen". Auf diese Szene folgte ein stummes Tableau vivant, als ob der Kannibalis-
mus unter „Kameraden" seine Wiedergutmachung nur durch einen
Sprung aus dem literarischen Text in ein völlig anderes Medium
finden könne. Als sich die Drehbühne langsam zu bewegen begann,
wurde das, was bisher hinter der weit entfernten und kalt erleuch-
teten Leinwand verborgen geblieben war, allmählich auf der Vor-
derbühne in eine Flut hellwarmen Lichts getaucht: Dreizehn Schauspieler saßen an einem langen Tisch, der sich über die ganze Bühne
erstreckte, wie erfroren in den Kostümen ihrer Zeit und in den be-

kannten Haltungen, die Jesus und seine Jünger auf Leonardo da
Vincis *Abendmahl* einnehmen. Doch zugleich ähnelte dieses Tableau – schon durch seine Drehung – der berühmten Abwandlung
dieses Gemäldes durch Tintoretto, auf dem ebenfalls eine seitliche
Perspektive herrscht.

Die ungebührliche Zuschaustellung einer religiösen „Transsub-
stantiation" in der Karge-Langhoff-Inszenierung fand ihre Rechtfertigung vor allem in der letzten Szene dieses Stücks, die den bewußt
provozierenden Titel „Das Laken oder Die unbefleckte Empfängnis"
trägt. Hier wurde die Passionslandschaft von allen poetisch-religiö-
sen Verbrämungen entkleidet und nahm dadurch den Charakter
von Golgatha, der biblisch-historischen Schädelstätte, an. In einem
Berliner Luftschutzkeller verraten bei Müller im Frühjahr 1945 ein
Mann und zwei Frauen einen deutschen Deserteur an die SS, die
ihn darauf festnimmt und ermordet. Als dagegen die Soldaten der
Roten Armee mit der Leiche und etwas Brot in den gleichen Keller
eindringen, sind die deutschen Zivilisten nur allzu bemüht, den Deserteur, den sie vorher verraten hatten, als einen der Ihren hinzustellen. Innerhalb der Theatertradition wirkt das Erscheinen des
sowjetischen Offiziers und der Soldaten der Roten Armee wie das
Auftreten von Fortinbras am Ende des Shakespeareschen *Hamlet*.
Im Hinblick auf die Geschichte der europäischen Malerei gemahnt
dagegen dieser Auftritt mit der Leiche des Ermordeten eher an die
manieristische Wiedergabe von Szenen der Kreuzabnahme bei Da-
niele da Volterra, Rosso Fiorentino, Jacopino del Conte und Tintoretto. Obendrein erinnert das plötzliche Auftreten des Sowjet-
kommandanten auch an das bereits erwähnte Tintoretto-Fresco mit
dem Heiligen Markus, der vom Himmel herunterstürzt, um den
christlichen Sklaven zu „retten". Zeitgeschichtlich gesehen, geht
diese Szene zugleich auf jene Filmreportagen zurück, auf denen
sowjetische Soldaten ihr Brot mit den Besiegten teilen. Ja, diese
Szene hat zugleich eine atavistische Dimension, die in einer grotes-
ken Umkehrung der christlichen Pieta-Bilder kulminiert, als nämlich die Zivilisten auf der Leiche des Deserteurs/Märtyrers um das
Brot zu kämpfen beginnen – oder in den Worten Müllers: „Über
dem Toten beginnt der Kampf der Überlebenden um das Brot."[13]

Im Hinblick auf die politische Geschichte umfaßt die Szenenfolge
von Müllers *Die Schlacht* eine Spanne von 12 Jahren, also die Zeit des
nationalsozialistischen Regimes. Im Hinblick auf ihre religiös-ata-
vistischen Dimensionen erwecken dagegen die gleichen Szenen –

Tintoretto, Die Grablegung Christi, 1594 (Venedig)

über das Familiendramatische hinaus – viele Evokationen an die Passionsgeschichte: vom Judasverrat bis zur Kreuzigung und Grablegung. Unter dieser Perspektive betrachtet, ist es möglich, schon die erste Szene, „Die Nacht der langen Messer", als eine Judaskuß-Szene zu lesen, die an Giottos Fresco *Der Verrat* (1305) in der Arena-Kapelle erinnert, auf welcher der dunkle Nachthimmel von langen Stöcken, Spießen und Fackeln durchschnitten wird, während Jesus lediglich starr in die Augen von Judas blickt, der ihn gerade mit einer großen Geste umarmt hat. Oder man könnte die letzte Szene „Das Laken oder Die unbefleckte Empfängnis" auch als Anspielung auf Tintorettos *Grablegung Christi* (1594) lesen, wo links oben die schmerzerfüllte, jungfräuliche Mutter Maria mit leerem Schoß umzusinken scheint und sich damit nicht die erwartete Pieta-Haltung einstellt, während sich im Vordergrund eine Gruppe kostbar gekleideter Männer und Frauen, von denen eine die rechte Hand Jesu streichelt und seinen entblößten Arm zu küssen beginnt, um den von Blutspuren gezeichneten Leib Christi und ein großes Leichentuch versammelt hat. In seinen Notaten zu Breughels *Kreuztragung* weist Brecht mit ähnlicher Akzentsetzung auf das Selbstmitleid der älteren Frau und den Sensualismus einer jüngeren Frau hin: „Maria, weniger mit Jesus als mit ihrem Gram beschäftigt. Siehe die Frau links von ihr, die Weinende in dem reichen und sorgfältig drapierten Kleid! Die Welt ist schön und verlockend." Und am Ende von Müllers Szene „Das Laken oder Die unbefleckte Empfängnis" sind es ebenfalls zwei Frauen und ein Mann – die Reste einer erweiterten „Heiligen Familie" –, die das Brot so gierig über einer Leiche brechen, als ob sie diese verschlingen wollten:

Kommandeur: HitlerkaputtjetztFrieden. Sohn?
Mann: Sohn.
(Die alte Frau nickt heftig.)
Kommandeur: Chleb.
(Einer der Soldaten wirft ihr ein Brot zu, der andere bricht sein Brot übers Knie und teilt mit dem ersten. Der Kommandeur und die Soldaten salutieren und verlassen den Keller. Über dem Toten beginnt der Kampf der Überlebenden um das Brot.)[14]

Die Schlacht ist bekannterweise Müllers Versuch, *Brechts Furcht und Elend des Dritten Reichs* und das *Antigone-Modell* „weiterzuschreiben". Viele ihrer bildlichen Konfigurationen und szenischen Designs sind dagegen von den Passionslandschaften der italieni-

schen Maler der Renaissance und des Manierismus angeregt worden. Während Müllers Auseinandersetzung mit Brecht (sowie dem
griechischen Theater und der ihm zugrunde liegenden Mythologie)
bereits viel Aufmerksamkeit auf sich gezogen hat, sind seine verar-
beitenden Rückgriffe auf die ältere europäische Malerei (sowie die
jüdisch-christlichen Motive, die in ihr dominieren) bisher kaum be-
achtet worden. Für viele scheinen sich diese beiden Traditions-
stränge wechselseitig auszuschließen. Allerdings gibt es im Bereich
des deutschen Dramas seit der Aufklärung in dieser Hinsicht eine
große Ausnahme, nämlich Brecht, der bekanntlich als junger Mensch
einmal auf die Frage, was ihn literarisch am stärksten beeinflußt habe, zur Antwort gab: „Sie werden lachen, die Bibel!" Doch trotz
aller Ähnlichkeiten bleiben auch in diesem Punkt die Unterschiede
zwischen Brecht und Müller groß. Brecht bevorzugte das Ge-
schichtenerzählen und die Parabelform, während sich Müller in
seinen Dramen der scharf getrennten Aufeinanderfolge von Bildern
bediente. Es ist schon fast ein Gemeinplatz geworden, daß in Müllers Werken die diskursive Sprache zusehends von Bildern – als den
eigentlichen Meinungsträgern – abgelöst werde. Daß jedoch die
Herkunft dieser Bilder oft außerhalb des Literarischen liegt und
vorwiegend ikonographischer Art ist, ist dagegen weitgehend unerkannt geblieben. Welche Verbindungslinien sich in dieser Hinsicht auch von Brecht zu Müller ziehen ließen, bedürfte noch weiterer Untersuchungen.

  Aber die Frage nach Müllers Rezeption der abendländischen Malerei im allgemeinen und der Tintorettos im besonderen wirft zugleich die Frage nach seinem Ort innerhalb der gesamten „modernen" Kunstentwicklung auf. Vor dem Hintergrund einer solchen
Perspektive wäre es vielleicht sogar möglich, neue Argumente in
die weitverbreitete Debatte einzubringen, ob sich Müller eher als
Nachfolger Brechts oder eher als Kollaborateur Robert Wilsons
verstehen lasse, welche im Rahmen der Ost-West-Auseinanderset-
zungen heute eine wichtige Rolle spielt. Um es auf den Punkt zu
bringen: der Übergang vom Idealismus der italienischen Renaissance zum Manierismus der Nachrenaissance in den Werken Tintorettos könnte vielleicht – in Form eines historischen Prismas –
einen Interpretationsansatz bilden, der uns verhülfe, die diskursive Entwicklung in Müllers Werken im Kontext der Krise des
Modernismus und der historischen Avantgarde besser zu verstehen.

So wie Tintoretto in seinen großen Gemälden dem künstlerischen Vermächtnis der Renaissance in der zweiten Hälfte des 16.
Jahrhunderts das Siegel des Manierismus aufdrückte, zitieren, zer-
reißen und rearrangieren auch Müllers Werke in der zweiten Hälfte
des 20. Jahrhunderts die großen Paradigmata seiner Vorgänger.
Mehr als einige beiläufige Bezugnahmen verbinden die Schriften
des Berliner Dramatikers mit dem Venezianer des späten 16. Jahrhunderts, in dessen Stadt sich deutliche Grenzlinien zwischen Reformation und Gegenreformation abzeichneten. Tintoretto war
1518 zur Welt gekommen, also gerade als sich die Renaissance mit
Raffaels Tod ihrem Ende näherte, dessen spätes Bild *Die Verklä-
rung* (1517–1520) bereits in seiner schroffen Trennung zwischen der
himmlischen und der weltlichen Sphäre auf die forcierten ikono-
gaphischen Kompositionen der Manieristen vorausweist. Zu jung, um
sich noch zur Höhe der Renaissance aufzuschwingen, versuchte
sich Tintoretto dennoch die grandiose Gebärdensprache Michelan-
gelos anzueignen, der sich auf seine eigene Weise mit der Herauf-
kunft der neuen Ära auseinanderzusetzen begann.[15] Er ließ sich
auch von Albrecht Dürer beeinflussen, dessen Motive er in seinen
Gemälden, wie der zweiteiligen *Anbetung der Hirten* (1581), deutlich zitierte. Zugleich parodierte er seine venezianischen Rivalen,
indem er deren „maniera" aufgriff und „verbesserte", vor allem die
seines früheren Lehrers Titian und seines Zeitgenossen Veronese,
die beide die Venetianer so malten, wie sie sich selbst gern sahen,
während Tintoretto vornehmlich das malte, was sie verstörte und
zugleich faszinierte. Geistig, religiös und ästhetisch provokant zugleich, sind Tintorettos Gemälde der Wunderszenen an den Wän-
den und Decken der venetianischen „Scuola Grande di San Marco"
ein Ausdruck des volkstümlichen Protests der reformatorisch ge-
sinnten Kreise und irritierten daher die gegenreformatorisch eingestellten Stadtväter zutiefst. Obwohl also Tintoretto ein höchst er-
folgreicher Maler auf der venetianischen Kunstszene wurde, blieb
er dennoch ein Außenseiter, der für andere Außenseiter sprach, wie
es 1957 Jean-Paul Sartre in seinem Essay *Le Séquestré de Venise*
gebührend herausgestellt hat.[16]

In seiner *Sozialgeschichte der Kunst und Literatur* schrieb Arnold Hauser: „Der Manierismus ist der künstlerische Ausdruck der
Krise, die im 16. Jahrhundert das ganze Abendland erschüttert und
sich auf sämtliche Gebiete des politischen, wirtschaftlichen und
geistigen Lebens erstreckt."[17] Man stehe hier „einem vollkommen

unnaiven Stil gegenüber, der seine Darstellungsformen nicht sowohl an dem auszudrückenden Inhalt als an der Kunst der vorangehenden Epoche orientiert."[18] In seinem „Versuch einer Definition" in seinem späteren Buch *Der Manierismus* heißt es: „Ein
manieristisches Kunstwerk ist immer auch ein Kunststück, ein Bravourstück, das Sichproduzieren eines Zauberers. Es ist ein Feuerwerk, das Farben und Funken sprüht. Entscheidend für den verfolgten Effekt ist die Opposition gegen alles bloß Instinktive, der
Protest gegen alles rein Vernünftige und naiv Natürliche, das Betonen des Hintergründigen, Problematischen und Doppelsinnigen,
die Übertreibung des Partikularen, das durch diese Übertreibung
auf sein Gegenteil – auf das in der Darstellung Fehlende – hinweist,
die Überspannung der Schönheit, die zu schön und darum irreal,
der Kraft, die zu kräftig und darum akrobatisch, des Gehalts, der
überfüllt und darum nichtssagend, der Form, die selbständig und
damit entleert wird."[19] Was allerdings Tintoretto von vielen italienischen Manieristen unterscheidet (und was Heiner Müller meiner
Meinung nach an ihm so faszinierend fand), ist die fast übertriebene Schönheit und formale Akrobatik, die bei ihm als Ausdrucksform einer intensiven und überzeugenden Leidenschaft und Gesinnungsgefolgschaft für Inhalte erscheint, die bereits fragwürdig oder
gar untergangsreif sind. Oder wie Jean-Paul Sartre schrieb: „Le
Tintoret a mené le deuil de Venise et d'un monde."[20]

Auf Giottos Fresco *Die Kreuzigung* in der Arena-Kapelle von
1305 heben sich die goldenen Heiligenscheine um die Köpfe von
Jesus, Maria, Maria Magdalena, der Jünger und der Engel noch
scharf vor dem azurblauen Hintergrund ab. Zwei Jahrhunderte
später kulminierte die italienische Malerei, die mit Giotto begonnen hatte, in dem Klassizismus Raffaels. Auf Tintorettos *Kreuzigung* von 1565, 250 Jahre nach Giotto und vier Jahrzehnte nach
Raffaels Tod, leuchtet dagegen am Himmel kein Zeichen einer
überirdischen Hoffnung mehr auf. Nur ein schwacher Lichtschleier
umgibt den Körper des gekreuzigten Jesus, während um ihn herum
Soldaten und Arbeiter – zur Unterhaltung der Mächtigen und Reichen – weitere Kreuzigungen vorbereiten. Das Martyrium Christi,
das im Zentrum dieses überwältigen Panoramas steht, wirkt daher
fast zufällig oder beiläufig.

Diese Darstellungsweise erinnert fast an Brechts Beschreibung
von Breughels Kreuztragung als eines „Volksfestes", wenn auch
Tintorettos Gemälde eine völlig andere Klassenstruktur zugrunde

Tintoretto, Die Kreuzigung, Ausschnitt, 1565 (Venedig)

liegt. Aber auch andere Unterschiede sind gleichermaßen lehrreich: etwa Breughels lockere „Erzählweise" im Gegensatz zu Tintorettos betont steifem und stilisiertem Arrangement. Ebenso unterschiedlich ist das relative Desinteresse der Bevölkerung auf Breughels Gemälde und der herrscherlich-demonstrative Aspekt bei Tintoretto. Während Breughels *Kreuztragung* auf einer Form von Realismus beruht, mit dem er die Widersprüche der Situation dem Betrachter so unmittelbar, hautnah, wenn nicht gar nackt zu präsentieren versucht, steigert Tintoretto auf seinem Gemälde die Eindrucksintensität des Ganzen derart, daß unsere Wahrnehmungsfähigkeit von der ästhetischen Schönheit der Bilder und der sinnlichen Wiedergabe von Leid und Schmerz geradezu überwältigt wird. Weit mehr als auf Breughels Gemälde wird hier die Evidenz einer persönlichen Verstörung spürbar, welche die ins Totale drängende Gestik der ästhetischen und rational-bewältigten Perfektion wieder aufhebt. So wie der Himmel in Dunkelheit und Licht gespalten ist, schauen einige der herumstehenden Menschen zu dem Licht auf der Spitze des

Kreuzes auf (ob nun in Erwartung auf ein überirdisches Zeichen oder aus bloßer Neugier), während andere weiterhin auf verschiedene Weise an den weltlichen Formen des „Verrats" teilnehmen.

Welche Art von „Bedeutung" können wir demnach, um zum Schluß zu kommen, aus dem Gemälde dieses wichtigsten italienischen Manieristen herauslesen? Die einfachste und vielleicht treffendste Antwort läßt sich in Müllers eigenen Worten zusammenfassen: „In der Zeit des Verrats / Sind die Landschaften schön." In einer Art Präfiguration nahm Tintoretto bereits Müllers Bezug zur historischen Avantgarde voraus, für die der Berliner Stückeschreiber schon „zu spät" kam, die er aber dennoch erlebte und als eigene empfand, indem er wie Tintoretto das Erbe der Renaissance nun seinerseits das Erbe der Avantgarde durch radikale Destruktion und Abstraktion, rücksichtslose strukturelle Rekonfigurationen, einen krassen Sensualismus und eine dekorative Exzessivität sowohl problematisierte als auch für die Zukunft rettete. Es ist daher kein Wunder, daß gerade Müller so nachdrücklich auf die Bildwelten Tintorettos zurückgriff. Denn trotz ihrer Abweichung von den bewährten Vorbildern und ihrer oft stilisierten und verquälten Formgebung sind Tintorettos Gemälde, schon wegen ihrer stets ins Erlösende strebenden Tendenz, der Versuch, die Passionslandschaften seiner Vorgänger zu zitieren und zugleich „weiterzuschreiben".[21]

Aus dem Amerikanischen von Jost Hermand

Zehn Tage, die die Welt erschütterten

Müllers Bekenntnis zu Lenin
(1998)

Jost Hermand

1957, acht Jahre nach der Gründung der DDR, stand in diesem
Staat das Jubiläum zum 40. Jahrestag der „Großen Sozialistischen
Oktoberrevolution" ins Haus. Doch wie ließ sich ein solches Ereignis, in dem fast alle Kommunisten der Welt das Hauptereignis in der
neueren Geschichte schlechthin erblickten, auf eine sinnvolle Weise
„feiern", ohne dabei in ein hohles Pathos der Selbstbeweihräuche-
rung zu verfallen? Vielleicht noch am ehesten in der Sowjetunion, die
als staatliches Gebilde aus dieser Revolution hervorgegangen war
und sich deshalb jedes Jahr aufs neue auf sie berief, um damit ihre
politische, soziale und kulturelle Überlegenheit dem Gewaltregime
der zaristischen Monarchie gegenüber herauszustreichen. Aber in der
DDR, wo der sozialistische Staatsapparat nicht aus einer eigenen, von
der breiten Masse des Volkes unterstützten Revolution erwachsen
war, sondern – nach der Niederschlagung des Nationalsozialismus –
seine Einführung und Aufrechterhaltung allein der sowjetischen Be-
satzungsarmee verdankte? Wie ließ sich dort eine Revolution feiern,
deren Auswirkungen von der Mehrheit der Bevölkerung nur sehr
unwillig akzeptiert wurden und wo parteiamtliche Berufungen auf
die „revolutionären Errungenschaften" in der UdSSR, wie sie im
November 1957 im *Neuen Deutschland* erschienen,[1] eher antiso-
zialistische Affekte hervorriefen? Mußte hier nicht Walter Ulbricht
wie ein shakespearescher Tragödienkönig „über ein Volk von
Feinden regieren", wie es später hieß,[2] das ihm lediglich aufgrund
seiner postfaschistischen, preußischen oder protestantischen, kurz:
obrigkeitsorientierten Mentalität gehorchte, aber allem spezifisch
„Revolutionären" höchst ablehnend gegenüberstand?[3]
    Und dann noch im Jahr 1957, in dem dieser noch immer auf sehr
unsicheren Beinen stehende Staat politisch von mehreren Haupt-

tendenzen hin- und hergerissen wurde. Zum einen war 1956 durch
die bekannte Entstalinisierungsrede Nikita Chruschtschows auf dem
XX. Parteitag der KPdSU eine sogenannte Tauwetter-Stimmung entstanden, welche einige idealistisch gesinnte Kommunisten in der
DDR, wie die Mitglieder der Harich-Gruppe, in der Zuversicht
beflügelte, daß jetzt – entgegen der vorwiegend ökonomistischen
Bürokratisierung – auch die politisch-kulturellen Kräfte stärker
berücksichtigt würden, während sie die der SED feindlich gegenüberstehenden Schichten eher in der Hoffnung auf eine „westliche
Liberalisierung", das heißt Abwendung oder zumindest Schwä-
chung der sozialistischen Positionen in der DDR bestärkte. Zum
anderen setzte durch den im gleichen Jahr erfolgten Ungarn-Auf-
stand, bei dem solche Konflikte erstmals auf den Straßen ausge-
fochten wurden und zum Eingreifen sowjetischer Truppen führten,
im Bereich des gesamten Ostblocks notwendig eine Reihe ideologischer Rückschläge ein, die erneut ins „Stalinistische" tendierten. In
einer solchen Situation weiterhin auf eine siegreiche Ausbreitung
und Festigung des Kommunismus zu hoffen, setzte also unter den
mit der SED sympathisierenden oder ihr als Mitglieder angehören-
den Intellektuellen in einem kleinen, erst zwischen 1945 und 1949
sozialistisch umfunktionierten staatlichen Gebilde wie der DDR
gewaltige ideologische und menschliche Anstrengungen voraus, um
nicht in ihrem Glauben an den Sieg des Kommunismus im eigenen
Lande irre zu werden und sich weiterhin in den Dienst eines
„Neuen Deutschland" zu stellen.

Einer, der sich 1957 innerhalb dieser zwiespältigen Situation
eindeutig auf die Seite der SED stellte, war der achtundzwanzigjäh-
rige Heiner Müller, welcher sich in der literarischen Öffentlichkeit
dieses Staates bisher fast nur durch seine affirmativen Gedichte auf
Stalin und die Sowjetunion in FDJ-Publikationen wie *Wir singen
mit Freunden* (1951) sowie der Lyrikanthologie *Gedichte auf Stalin*
(1952) einen Namen gemacht hatte.[4] Nach der Niederschrift dieser
Gedichte, denen, wie den Lobliedern auf die Sowjetunion des jungen Rudolf Bahro,[5] noch der Anfangsoptimismus der jungen DDR-
Garde zugrunde liegt, war Müller – unter dem Eindruck der Juni-
unruhen des Jahres 1953, der Tauwetteratmosphäre, des Ungarn-
aufstandes, der Verurteilung Wolfgang Harichs[6] und der bedrohten
Situation der SED – inzwischen zu einem Stückeschreiber herange-
reift, der sein neu gewonnenes Weltbild nur noch in Form dramati-
scher Konflikte zu gestalten vermochte. Und diese Haltung, die

vor allem den in diesem Zeitraum entstandenen Stücken *Der Lohndrücker*, *Die Korrektur* und *Die Umsiedlerin oder Das Leben auf dem Lande* zugrunde liegt, welchen K. B. Tragelehn 1958 in der Zeitschrift *Theater der Zeit* eine hohe „sozialistische und realistische Qualität" bescheinigte,[7] kommt auch in dem Stück *Zehn Tage, die die Welt erschütterten* zum Ausdruck, das Müller 1957, anläßlich des 40. Jahrestags der „Großen Sozialistischen Oktoberrevolution", in Zusammenarbeit mit dem Dramaturgen Hagen Stahl, für die Ostberliner Volksbühne schrieb und das dort am 21. November des gleichen Jahres in der Inszenierung von Hans Erich Korbschmitt mit 45 Schauspielern und Schauspielerinnen erstmals über die Bretter ging.

Im Gegensatz zu Bertolt Brechts Neuinszenierung seines Revolutionsdramas *Die Mutter* von 1951, die einen eindeutig historisierenden und zugleich feiernden Charakter hatte und der DDR-Bevölkerung vornehmlich das durch die Nationalsozialisten verteufelte „Russenvolk" in einem sympathischen Licht zeigen sollte,[8] das heißt in der auf alles Aktualisierende verzichtet wurde, wollten Müller und Stahl ihrem Stück durch deutliche Bezüge auf die inneren Konflikte der DDR eine nicht zu übersehende aktuelle Note geben, indem sie nicht den endgültigen Sieg der Revolution, sondern den schwierigen, ja geradezu aufreibenden Kampf der Bolschewiki mit den konterrevolutionären Kosaken, Kerenski-Anhängern und kommunistischen Splittergruppen in den Mittelpunkt rückten. Während sich Brecht, was den Handlungsablauf seines Stücks betrifft, zum Teil auf Maxim Gorkis Roman *Die Mutter* stützte und diesen bis in die Oktoberrevolution fortsetzte, griffen Müller und Stahl bei ihrer Szenenfolge auf die Reportage *Ten Days that Shook the World* (1917) von John Reed zurück, die Lenin als das beste Bild der Oktoberrevolution bezeichnet und die Nadeschda Konstantinowna Krupskaja, seine Frau, 1923 ins Russische übersetzt hatte. Reed, ein linksliberaler amerikanischer Journalist, war 1917 als anteilnehmender Augenzeuge der revolutionären Geschehnisse in Petrograd zum Kommunisten geworden, stieg 1919 zum Mitglied des Exekutivkomitees der Kommunistischen Internationale auf und wurde nach seinem frühen Tod im Jahr 1920 auf dem Roten Platz in Moskau beigesetzt. Die wichtigste deutsche Übersetzung, die höchstwahrscheinlich auch Müller und Stahl für ihr Stück benutzten, war 1927 beim Verlag für Literatur und Politik mit einem Vorwort von Egon Erwin Kisch erschienen.

Wenn man das Stück von Müller und Stahl mit Reeds Reportage vergleicht, fällt sofort auf, um wieviel enger sich diese beiden an ihre Quelle gehalten haben als Brecht, der sich in seinem Drama streckenweise sehr weit von Gorkis Roman *Die Mutter* entfernt. Müller und Stahl griffen dabei vor allem jene Szenen heraus, in denen Reed den erbitterten Kampf der Revolutionäre mit den Konterrevolutionären beschreibt und sich eindeutig hinter die von den Bolschewiki angewandten Methoden und Strategien stellt. Was bei Reed jedoch eher episch, ja manchmal recht breit dargestellt wird, erscheint bei ihnen in einer schnell wechselnden Szenenfolge, die von unerbittlicher Schärfe ist und immer wieder zu dem Grundproblem der dargestellten Revolution zurückkehrt, nämlich Gewalt anwenden zu müssen, um nicht durch die Gegengewalt der anderen an die Wand gedrückt oder umgebracht zu werden. Der Kampf der Bolschewiki wird dabei als durchaus positiv, das heißt im Sinne einer leninistisch erhofften „Diktatur des Proletariats", hingestellt und die von Kerenski und seinen Anhängern als demokratisch gemäßigte Form der Revolution als bürgerlich-konterrevolutionär, wenn nicht gar weißrussisch-zaristisch verworfen.

In diesem Punkte spürt man eine deutliche Identifikation der beiden jungen DDR-Autoren mit den dargestellten Vorgängen, die keinen Zweifel an ihrer Parteilichkeit läßt. Außerdem wird jedem mit der politischen Situation um 1956/57 vertrauten Menschen klar, daß bei allem, was in diesem Stück geschieht, zugleich die politischen und ideologischen Konflikte in Ungarn und innerhalb der DDR mitgemeint sind.[9] Und auch in dieser Hinsicht lassen es Müller und Stahl nicht an Deutlichkeit fehlen, daß sie in dieser Frage auf der Seite der SED und nicht der idealistisch-utopischen, bürgerlich-liberalen oder gar reaktionären, noch immer mit dem Faschismus liebäugelnden Gesellschaftsschichten stehen.

Das wird besonders evident in der letzten Szene dieses Stücks, bei der es um eine Nachtsitzung des Zentralen Exekutivkomitees der Volksbeauftragten in Smolny geht, in der einige der verschiedenen Sektionssprecher den Antrag einbringen, daß man – nach der Niederschlagung Kerenskis und der Kadetten – auf weitere Gewaltmaßnahmen verzichten solle. Ja, andere Delegierte fordern sogar, daß mit sofortiger Wirkung die „Freiheit der Presse" wieder eingeführt werden müsse, da sie es unwürdig fänden, den Sozialismus „im Schatten der Bajonette" zu errichten.[10] Als die Leninisten unter den Delegierten diesen Forderungen widersprechen, ja sie als einen Verzicht auf einen möglichen Sieg des Kommunismus hinstellen, verlassen die „Revisionisten", also die Linken Sozialrevolutionäre, aber auch einige Bolschewiki der Larin-Gruppe, die Versammlung. Darauf verflucht Lenin die „Kleingläubigen, die Mutlosen und Zweifler" unter den Revolutionären und fordert die übriggebliebenen Bolschewiki auf, sich noch enger zusammenzuschließen und sich nicht vom „Geschrei der direkten oder indirekten Komplizen der Bourgeoisie" schrecken zu lassen.[11] „Wir denken nicht daran", sind seine letzten Worte, mit denen dieses Stück schließt, „uns dem Ultimatum kleiner Intellektuellengruppen zu unterwerfen, hinter denen keine Massen stehen."[12]

Das war als Zeitbezug im Jahr 1957, um auf die politische Ausgangslage zurückzukommen, ohne die dieses Stück nicht zu verstehen ist, deutlich genug. Wer zu hören oder zu lesen verstand, begriff schon damals, daß es in diesem Stück um wesentlich mehr ging als um eine historische Beschwörung der „Großen Sozialistischen Oktoberrevolution". Hier wurden ganz konkrete DDR-Sorgen behandelt, nämlich die Angst vor einer möglichen Konterrevolution und die schrecklichen Folgen, die das für alle überzeugten Kommunisten in der DDR haben würde. Dieses Stück ist daher alles andere als der literarische Ausdruck einer „Tauwetter"-Stimmung oder gar Liberalisierung ins Westliche, wie er bei anderen DDR-Autoren dieser Jahre zu finden ist. Im Gegenteil, dieses Stück sieht die Hoffnung auf eine mögliche Durchsetzung des Sozialismus in der DDR nur dann garantiert, falls die SED den auf eine illusionäre „Freiheit" pochenden, das heißt den angeblich pluralistisch denkenden bürgerlichen Schichten wie auch den „Abweichlern" aus den eigenen Reihen mit verschärften Zensur- und Einschränkungsmaßnahmen, sprich: mit einer „Diktatur des Proletariats" im Sinne Lenins, entgegentreten würde. Statt in der DDR zu versuchen, auch die Bourgeoisie im Rahmen einer breiten Volksfrontbewegung für den Sozialismus zu gewinnen, bei dem sie letztlich nichts zu gewinnen, sondern nur zu verlieren hatte, plädiert dieses Stück für einen verschärften Leninismus, der seine Hoffnung allein auf eine revolutionäre Stimmung innerhalb der proletarischen Schichten setzt. Dafür spricht bereits die erste Szene dieses Dramas, in der ein bürgerlicher Student einem Bolschewiki seinen revolutionären Eifer auszureden versucht, indem er ihn auf die eklatanten Widersprüche zwischen der kommunistischen Lehre und der gesellschaftlichen Realität hinweist, dieser ihm jedoch lediglich antwortet: „Ich bin nicht gebildet. Für mich ist es ganz einfach. Es gibt zwei Klassen, das Proletariat und die Bourgeoisie. [...] Wer nicht auf der einen Seite ist, ist auf der anderen."[13]

Das war zwar gut „kommunistisch" gedacht, mußte aber zwangsläufig die eher pragmatisch eingestellten Parteistrategen der SED auf den Plan rufen. Schließlich beriefen sich zwar auch diese Gruppen ständig auf Lenin, ja sprachen nicht mehr von Marxismus, sondern nur noch von Marxismus-Leninismus, hatten aber in der parteipolitischen Praxis eine revolutionäre Auslegung des Konzepts der „Diktatur des Proletariats" längst zugunsten einer volksfrontähnlichen Blockparteien-Politik verworfen, mit der sie die anti- oder nichtsozialistischen Bevölkerungsschichten innerhalb der DDR eher für sich zu gewinnen hofften als mit einer rein proletarischen Auslegung der marxistischen Grunddoktrinen. Selbst christliche, mittelständisch-liberale oder national-demokratische Parolen wurden daher von der SED nicht einfach unterdrückt, sondern als durchaus vereinbar mit einer sozialistischen Grundhaltung hingestellt, ja durch dementsprechende Partei-, Zeitungs- und Verlagsgründungen sogar offiziell unterstützt.

Die politische Linie, die Müller und Stahl in ihrem Stück *Zehn Tage, die die Welt erschütterten* eingeschlagen hatten, mußte daher 1957 notwendig auf einen doppelten Widerstand stoßen: 1. auf den Widerstand der auf eine klassenversöhnlerische Linie eingerasteten SED-Politik, die sich durch ein vorsichtiges Lavieren zwischen den Fronten an der Macht zu halten versuchte und es deshalb vermied, sich allzu deutlich auf eine rein proletarische Linie festzulegen, zumal auch Nikita Chruschtschow damals eine Politik der „friedlichen Koexistenz" mit dem ehemaligen Klassenfeind befürwortete, und 2. auf den Widerstand breiter Kreise innerhalb der kulturinteressierten Schichten der DDR-Bevölkerung, die eine „Politisierung" des Theaters, und schon gar von leninistischer Seite her, nach wie vor scharf ablehnten und sich dafür lieber an die bildungsbürgerlich erstarrten Klassiker hielten. Das Stück *Zehn Tage, die die Welt erschütterten* war darum alles andere als ein Publikumserfolg und mußte an der Ostberliner Volksbühne schon nach wenigen Aufführungen vor halbbesetztem Hause gespielt werden. Wie Müllers zur gleichen Zeit geschriebene Aufbau-Stücke *Der Lohndrücker*, *Die Korrektur* und *Die Umsiedlerin oder Das Leben auf dem Lande*, die sich auf konstruktiv-kritische Weise mit den Sozialisierungsprozessen in der DDR-Industrie bzw. DDR-Landwirtschaft

auseinandersetzten, hätte dieses Stück nur dann einen Erfolg gehabt, wenn es vor einem „revolutionären" Publikum gespielt worden wäre.[14] Aber ein solches Publikum, das es zur Zeit Lenins in
der Sowjetunion tatsächlich gegeben hatte, existierte in den fünfziger Jahren in der DDR nur am Rande.

Und so blieb diese Inszenierung, die von einem großen politischen Engagement zeugte und in provozierender Weise sogar einige Stilmittel des frühen Sowjettheaters – wie einen weitgehend
konstruktivistischen Bühnenaufbau à la Meyerhold sowie revolutionäre Szenen aus dem Eisenstein-Film *Roter Oktober* – aufgriff,
eine relativ wirkungslose Episode. Szenische Härte, revolutionäre
Stimmungen, dokumentarische Materialien, epische Verfremdung
wie auch piscatorhafte Agitation:[15] alles wurde in dieser Inszenierung aufgeboten, um dem Ganzen ein Äußerstes an aufrüttelnder
Brisanz zu geben. Schließlich hatte auch Brecht, ein damals noch
unkritisiertes Vorbild Müllers, als alter Leninist und Verfechter einer proletarischen Einheitsfrontlinie den in der DDR – unter dem
Protektorat Johannes R. Bechers – herrschenden Volksfrontstrate-
gien höchst kritisch gegenübergestanden und war 1956, also ein
Jahr zuvor, auf dem IV. Schriftstellerkongreß der DDR energisch
für jene Kunstformen eingetreten, die man einmal in der „Agitprop"-Bewegung der zwanziger Jahre gegen die Vertreter des Kapitalismus eingesetzt habe, um wieder ein „kämpferisches" Potential in die Gegenwartskunst einzubringen.[16] Ja, selbst einige SED-
Theoretiker griffen solche Thesen auf und forderten 1957 im Bereich der politischen Propaganda eine stärkere Anlehnung an die
früheren „Agitprop-Gruppen, die Formen der ‚lebenden Zeitungen', die Roten Revuen, die sozialistischen Matineen, das heißt die
Traditionen des Arbeitertheaters und der Arbeiterchöre".[17]

Heiner Müller und Hagen Stahl hatten darum bei der Abfassung
ihres Stücks *Zehn Tage, die die Welt erschütterten* als Vertreter eines
„Kollektivs", das sich zur „Tradition des Agitproptheaters" bekannte, wie Stahl in einem Interview im *Neuen Deutschland* erklärte,[18]
durchaus das Gefühl, an der Spitze jener Kräfte in der DDR zu stehen, die sich eine mögliche Verwirklichung des Sozialismus lediglich von einem engeren Zusammengehen mit der bisher unterprivi-
legierten Arbeiterklasse versprachen, anstatt diese Chance – sowohl
politisch als auch kulturell – durch zu viele Kompromisse mit den
bürgerlichen Schichten zunichte zu machen und damit zu Toten-
gräbern der kurz zuvor geweckten kommunistischen Hoffnungen

zu werden.[19] Doch die Mehrheit der Partei empfand eine solche
Haltung – angesichts der numerischen Überlegenheit ihrer Gegner
– als zu „radikal", das heißt im damaligen Sprachgebrauch „links-
sektiererisch", und entschied sich für eine klassenversöhnlerische
Mischpolitik, mit der sie sowohl die bürgerlichen als auch die proletarischen Klasseninteressen verfehlte. Daran änderte auch der kurze Zeit später propagierte „Bitterfelder Weg" nur wenig oder nichts,
der eine von manchen SED-Politikern ins Auge gefaßte proletarische
Kulturrevolution schon nach einer kurzen Aufbruchsphase wieder
in bildungsbürgerliche Bahnen zurücklenkte und in der Forderung
nach der Schaffung eines proletarischen *Wilhelm Meister* oder gar
proletarischen *Faust* gipfelte und schließlich Walter Ulbricht – im
Gefühl der Richtigkeit der von ihm unterstützten Parteilinie – dazu
bewegte, von der DDR als dem dritten Teil von Goethes *Faust* zu
sprechen, wo endlich ein „freies Volk" auf „freiem Grunde" stehe.[20]
   Das war als politisches Konzept zwar etwas weniger bildungsbürgerlich als manche der Kulturvorstellungen Johannes R. Bechers, der zu Anfang der fünfziger Jahre einmal gesagt haben soll,
daß er seine Kulturpolitik erst dann „erfüllt" sähe, wenn das Volk
auf den Straßen von Leipzig Thomas Manns *Zauberberg* als Volkslied pfeife,[21] aber immer noch bildungsbürgerlich genug. Denn auf
diese Weise wurde im Sinne der damals in der DDR vielpropagier-
ten „Vollstrecker"-These der Sozialismus zu einer pragmatischen
Realisierung bürgerlich-humanistischer Träume degradiert, anstatt
ihn in seinem utopischen Potential als die Chance zu einer gesellschaftlichen Totalumwälzung zu verstehen. Dementsprechend wurde 1957 das Stück *Zehn Tage, die die Welt erschütterten* zwar mit
Unterstützung der SED inszeniert, jedoch von den parteiamtlichen
Rezensenten in den Presseorganen der DDR nicht in der Weise
wahrgenommen oder gar gewürdigt, wie man es von einem Stück
zum 40. Jahrestag der „Großen Sozialistischen Oktoberrevolution"
erwartet hätte. Es erschienen zwar die üblichen Besprechungen in
der *Berliner Zeitung*, im *Neuen Deutschland*, in der *Jungen Welt*,
im *Sonntag*, im *Forum*, in *Theater der Zeit*, in der *Freiheit* und der
Neuen Zeit,[22] aber voll auf die Seite der beiden jungen Autoren
stellten sich eigentlich nur Henryk Keisch[23] und B. K. Tragelehn.[24]
Bei den anderen, die sich meist auf die Diskussion formaler Probleme beschränkten,[25] spürt man zum Teil, daß es sich bei ihren
Rezensionen vornehmlich um journalistische Pflichtarbeiten handelte. Ja, Wilhelm Neef kritisierte sogar in der Zeitschrift *Theater*

der Zeit die positive Besprechung von B. K. Tragelehn. In diesem
Stück, das er ausdrücklich als ein „schlechtes" bezeichnete, sei viel
zuviel Politisches in die Ästhetik „eingeschmuggelt" worden.[26] Und
mit einer solchen Äußerung stand Neef zu diesem Zeitpunkt in
Ostberlin sicher nicht allein. Schließlich erschien selbst vielen Kul-
turpolitikern innerhalb der SED der von Müller eingeschlagene
Weg als viel zu „kühn", weshalb sie ihn wegen des Stücks *Die
Umsiedlerin oder Das Leben auf dem Lande* scharf angriffen und
dann für einige Jahre in die Wüste schickten,[27] um sich nicht durch
einen unliebsamen Radikalen, der weiterhin auf einer proletarischen Einheitsfront bestand, in ihrem klassenversöhnlerischen In-
tegrationskurs in Richtung auf eine von Walter Ulbricht befürwortete „sozialistische Menschengemeinschaft" beirren zu lassen.

Die Folgen dieser Entscheidung sind nur allzu bekannt. Heiner
Müller schrieb zwar unbeirrt weiter, und zwar mit dem Gefühl,
daß der Sozialismus die einzig mögliche „Fähre zwischen Eiszeit
und Kommune" sei, wie es kurz darauf in seinem Stück *Der Bau*
heißt,[28] kam aber zugleich zu der bitteren Erkenntis, daß sich im
Bereich der Realpolitik die gesellschaftliche „Praxis" immer wieder
als die „Esserin der Utopien" erweise.[29] Aus diesem Grunde ver-
achtete er die leichtgläubigen Idealisten im ostdeutschen Schriftstellerverband und igelte sich in den letzten Jahren der Ulbricht-
Ära mehr und mehr in einer Lebensform ein, die fast einer Inneren
Emigration glich, aus der er erst nach dem Regierungsantritt Erich
Honeckers wieder heraustrat. Seine parteiamtliche Rehabilitierung
erfolgte dann anläßlich der Inszenierung seines Stücks *Zement* im
Berliner Ensemble, bei der Ruth Berghaus die gleichen Stilmittel
des frühen sowjetischen Revolutionstheaters aufgriff, die Hans
Erich Korbschmitt bei der Inszenierung von *Zehn Tage, die die
Welt erschütterten* verwendet hatte.

Doch sein 1957 mit Hagen Stahl verfaßtes Stück ließ Müller
nicht wieder neu inszenieren, ja behauptete sogar später, daß er – in
deutlicher, wenn auch unausgesprochener Verdrängung seiner jugendlichen „Verfehlungen" – von diesem Stück kein Manuskript
mehr besitze und daß es auch nie gedruckt worden sei.[30] Dabei war
es 1957 nicht nur in der Zeitschrift *Junge Kunst*,[31] an der Müller als
Redakteur tätig war, sondern ein Jahr später auch als Broschüre bei
einem Leipziger Verlag erschienen.[32] Wahrscheinlich hatte Müller –
enttäuscht, ernüchtert und noch immer seine Wunden leckend –
inzwischen eingesehen, was Henryk Keisch schon am 29. Novem-

ber 1957 im *Neuen Deutschland* über dieses Stück geschrieben
hatte: „Ein dialektisch-agitatorisches Kunsterlebnis verlangt, wenn
es zünden und wirken soll, nach ihm gemäßen äußeren Umständen.
Es verlangt nach einer kämpferischen Atmosphäre politischer
Kundgebungen, nach Zuschauern, über denen die Spannung eines
kollektiven Willens liegt. Dort hätte diese Szenenfolge über die
Oktoberrevolution das ideale Publikum. Ihre gedankliche Schärfe,
ihre knappe, präzise Diktion, ihre unentrinnbare Logik fänden
volles Echo." Doch ein derart „ideales Publikum" und eine derart
„kämpferische Atmosphäre politischer Kundgebungen" gab es in
der DDR weder 1957 noch späterhin.

Demzufolge geriet dieses Stück notwendig unter die unbequemen, vergessenen Werke. Ja, es wurde schließlich so verdrängt, daß
es selbst viele Literaturwissenschaftler und -wissenschaftlerinnen
unter den Müller-Experten – von wenigen Ausnahmen abgesehen[33]
– entweder nicht mehr kennen oder bewußt übersehen, um sich
nicht in ihrer Sicht auf den tragisch-verzweifelnden, zerrissenen,
das heißt angeblich postmodernen Müller der siebziger und achtziger Jahre beirren zu lassen, den sie meist als den eigentlichen oder
wahren Müller hinstellen. Dabei ist der sogenannte „späte" Müller
ohne ein Stück wie *Zehn Tage, die die Welt erschütterten* überhaupt nicht zu verstehen oder nur falsch zu würdigen. Denn nur
aus Müllers Anfängen wird klar, welcher leninistische Urgrund
selbst seiner späteren Verbitterung zugrunde liegt, die man nicht
im Zuge entpolitisierter Deutungskünste ins Westlich-Anthropolo-
gische entschärfen sollte.[34]

Anmerkungen

Heiner Müllers Brigadenstücke

1 Günther Rühle: Die Lust und die Arbeit des Herakles. In: *Frankfurter Allgemeine Zeitung*, 1970, Nr. 57 vom 9. März.

2 Zit. in „Herakles 5". In: *Frankfurter Allgemeine Zeitung*, 1970, Nr. 48 vom 26. Februar.

3 Da Müller kein Autor war, der sich in vereinfachende Alternativ-Konstellationen einspannen ließ, wurde er bis weit in die sechziger Jahre von der westdeutschen Presse fast völlig totgeschwiegen. Wie primitiv das Bild der DDR-Literatur in diesem Zeitraum war, beweist das Buch *Dichter im Dienst. Der sozialistische Realismus in der deutschen Literatur* (Wiesbaden ³1963) von Lothar von Balluseck. Hier wird höchst klischeehaft zwischen sozialistischen Schriftstellern „im Dienst" (Brecht, Huchel, Hacks u. a.) und rein „kommunistischen" Autoren (Hermann Kant, Max Walter Schulz u. a.) unterschieden. Über Müller findet sich kein einziges Wort. Lediglich auf einer der Abbildungen sieht man ein Szenenbild aus dem *Lohndrücker*, das ohne Erwähnung des Autors und unter völliger Verkennung der Handlung folgende Unterschrift trägt: „Aussprache zwischen dem gütigen und überlegenen Parteisekretär [...] und dem zögernden Arbeiter – ein häufiges Motiv der Aufbau-Literatur."

4 Heiner Müller: Sechs Punkte zur Oper. In: *Theater der Zeit* 25, 1970, Heft 5, S. 18.

5 Hellmuth Karasek: Nachwort. In: *Deutsches Theater der Gegenwart*. Hrsg. von Karlheinz Braun, Frankfurt a. M. 1967, Bd. II, S. 568.

6 Heinz Kersten: Theater und Theaterpolitik in der DDR. In: *Theater unserer Zeit*. Hrsg. von Reinhold Grimm, Willi Jäggi und Hans Oesch, Basel 1964, Bd. VI, S. 41.

7 Klaus Völker: Drama und Dramaturgie in der DDR. Ebd., Bd. VI, S. 64.

8 Ebd., S. 66.

9 Ebd., S. 84.

10 Käthe Rülicke-Weiler: Brecht in der DDR. In: *Bertolt Brecht. Leben und Werk*, Berlin 1963, S. 171.

11 Vgl. Heinz Kersten: Theater und Theaterpolitik in der DDR, S. 20ff.

12 Ebd., S. 21f.

13 Eine gute Darstellung der Ringofengeschichte gibt Käthe Rülecke in: Hans Garbe erzählt (1952). In: *DDR-Reportagen*. Hrsg. von Helmut Hauptmann, Leipzig 1969, S. 33–41. Vgl. auch Eduard Claudius: *Menschen an unserer Seite*, Berlin 1954.

14 Bertolt-Brecht-Archiv, Mappe 557 und 558. Jost Hermand, dem ich die Anregung zu diesem Aufsatz verdanke, war so freundlich, diese Aufzeichnungen für mich einzusehen.

15 Vgl. Mappe 200/1–21. Vgl. auch Käthe Rülecke-Weiler: Brecht in der DDR, S. 172.

16 Mappe 925/1. Dieser Plan sieht 11 Szenen vor, die achte sollte sich mit dem 17. Juni beschäftigen.

17 Vgl. Martin Esslin: *Brecht. Das Paradox des politischen Dichters*, Frankfurt a. M. 1962, S. 147ff. Esslin kommt, da er nachweislich keinen Einblick in das Archivmaterial genommen hat, zu der verfehlten Ansicht: „Es stellte sich bald heraus, daß Brechts offene Darstellung der Kritik an diesem sozialistischen Musterknaben, die für eine aufrichtige und tiefschürfende Behandlung des Stoffes unerläßlich war, keinesfalls den Beifall der Behörden finden würde" (S. 148).

18 Käthe Rülecke-Weiler: Brecht in der DDR, S. 172.

19 Ebd.

20 Mappe 925/1

21 Käthe Rülecke-Weiler: Brecht in der DDR, S. 172.

22 Ebd.

23 Heiner Müller: Der Lohndrücker. In: *Neue deutsche Literatur* 5, 1957, Heft 5, S. 116.

24 Heiner Müller: Sieg des Realismus. In: *Neue deutsche Literatur* 1, 1953, Heft 11, S. 162.

25 Heiner Müller: Der Lohndrücker, S. 116. Diese Notiz wurde bei der Buchveröffentlichung im Henschel-Verlag weggelassen.

26 Martin Esslin: *Brecht*, S. 148.

27 Zit. in ebd., S. 146.

28 Zit. in Jürgen Rühle: *Das gefesselte Theater*, Köln–Berlin 1957, S. 239.

29 Einen ersten Erfolg hatte er 1957, als die Ostberliner Voksbühne zur Vierzigjahrfeier der Oktoberrevolution seine Dramatisierung der Reportage *Zehn Tage, die die Welt erschütterten* von John Reed herausbrachte, bei der er sich von Piscator und Eisenstein anregen ließ.

30 Heiner Müller: Der Lohndrücker, S. 127.

31 The German Theatre in the 1960's. In: *Times Literary Supplement*, 1969, Nr. 3501 vom 3. April.

32 Hermann Kähler: *Gegenwart auf der Bühne. Die sozialistische Wirklichkeit in den Bühnenstücken der DDR von 1956–1963/64*, Berlin 1966, S. 26.

33 Ebd., S. 25.

34 Ebd., S. 18.

35 Ebd., S. 19.

36 Ebd., S. 29.

37 Ebd., S. 29f.

38 Ebd., S. 28.

39 Ebd., S. 29.

40 Ebd.

41 Heinz Kersten: Theater und Theaterpolitik in der DDR, S. 35. Kersten
   meint damit hauptsächlich den *Lohndrücker*, die *Korrektur*, *Die Sorgen
   und die Macht* von Hacks und *Die Feststellung* von Baierl.
42 Vgl. ebd., S. 35.
43 Heiner Müller: Die Korrektur. In: *Neue deutsche Literatur* 6, 1958, Heft
   5, S. 22–32. Im Folgenden im Text als „K" abgekürzt.
44 Klaus Völker: Drama und Dramaturgie in der DDR, S. 68.
45 Heiner Müller: Zwischenbemerkung. In: *Neue deutsche Literatur* 7, 1959,
   Heft 1, S. 120f.
46 Vgl. *Neue deutsche Literatur* 6, 1958, Heft 5, S. 21.
47 Ebd., S. 21f.
48 Aus dem Protokoll einer Diskussion über „Die Korrektur" im Kombinat
   „Schwarze Pumpe", ebd. S. 33.
49 *Neue deutsche Literatur* 7, 1959, Heft 1, S. 120–127.
50 Gespräch mit Heiner Müller. In: *Sinn und Form* 18, 1966, Heft 1/2, S. 37.
51 *Neue deutsche Literatur* 7, 1959, Heft 1, S. 120f.
52 Hans Dieter Mäde: Die Neufassung, ebd., S. 122.
53 Ebd., S. 127.
54 Ebd., S. 121.
55 Klaus Völker: Drama und Dramaturgie in der DDR, S. 69.
56 Ebd.
57 Hermann Kähler: *Gegenwart auf der Bühne*, S. 26.
58 Heiner Müller: Der Bau. In: *Sinn und Form* 17, 1965, Heft 1/2, S. 198. Im
   Folgenden im Text als „B" abgekürzt.
59 Selbstverständlich wird man hier auch an Kafkas Erzählungen *Der Bau*
   und *Beim Bau der chinesischen Mauer* erinnert, obwohl Müller deren Bau-
   konzept in ihr Gegenteil verkehrt. In diesem Punkt stimmt seine Ansicht
   sicher mit der offiziellen Parteilinie überein, wie sie 1963 von Ernst Schu-
   macher auf der Prager Kafka-Konferenz vertreten wurde.
60 Walter Ulbricht: Zu einigen Fragen der Literatur und Kunst. Aus der Rede
   auf dem 11. Plenum. In: *Neue deutsche Literatur* 14, 1966, Heft 2, S. 6.
61 Ebd., S. 5.
62 Ebd., S. 6.
63 Ebd., S. 10.
64 Wahrscheinlich hat hier Müller keine spezifischen Werke oder Autoren im
   Sinn. Dennoch ist die Beziehung auf bestimmte Probleme der DDR-
   Dramatik ganz offensichtlich.
65 Gespräch mit Heiner Müller, S. 42.
66 Rolf Rohmer: Die Sprache im sozialistischen Drama der Gegenwart. In:
   *Theater hier und heute. Aus der Forschungsarbeit der Theaterhochschule
   Leipzig*. Hrsg. von Rolf Rohmer und Joachim May, Berlin 1968, S. 172.
67 Ebd., S. 179.
68 Ebd., S. 181. Leider erlaubt der vorliegende Aufsatz nicht, etwas gründli-
   cher auf Müllers Sprache einzugehen, die von der Struktur seiner Stücke,
   besonders von *Der Bau*, kaum abzulösen ist. Denn gerade in ihr wird der

Gegensatz zwischen „antagonistischen" und „nicht-antagonistischen" Widersprüchen weitgehend hinfällig.

69 Heiner Müller: Sechs Punkte zur Oper, S. 18.
70 Ebd.
71 Ebd.
72 Ebd.
73 Heiner Müller: Der Bau. In: *Sinn und Form* 17, 1965, Heft 1/2, S. 169–227.
74 Zit. in Jürgen Beckelmann: Sozialistische Spektakelstücke. In: *Süddeutsche Zeitung*, 1966, Nr. 186 vom 5. August.
75 Zit. in *Süddeutsche Zeitung*, 1966, Nr. 164 vom 11. Juli.
76 Jürgen Beckelmann: Sozialistische Spektakelstücke.
77 Vgl. Jost Hermand: *Unbequeme Literatur. Eine Beispielreihe*, Heidelberg 1971, S. 7ff.
78 Meines Wissens haben im Westen nur zwei Kritiker von den literarischen Aspekten dieses Stücks Notiz genommen, zum einen Hildegard Brenner: Einleitung. In: *Nachrichten aus Deutschland. Lyrik – Prosa – Dramatik. Eine Anthologie der neueren DDR-Literatur*. Hrsg. von Hildegard Brenner, Reinbek 1967, S. 10f. und zum anderen Ernst Wendt: Politisches Theater 1965. In: *Jahresring*, 1965/66, S. 370ff. In der DDR wird dagegen Müller noch stiefmütterlicher behandelt. So findet sich etwa auf den 965 Seiten des repräsentativen Sammelbandes *Kritik in der Zeit* (1970), der von Klaus Jarmatz herausgegeben wurde, nicht eine einzige Erwähnung seines Namens oder eines seiner Werke.
79 Gespräch mit Heiner Müller. In: *Sinn und Form* 18, 1966, Heft 1/2, S. 30–47. Im Folgenden im Text als „G" abgekürzt.
80 Der Bau (1965), Heft 1/2, Philoktet (1965), Heft 5.
81 Werner Mittenzwei: Eine alte Fabel neu erzählt. In: *Sinn und Form* 17, 1965, Heft 6, S. 948–956.
82 Peter Hacks: Moritz Tassow. In: *Sinn und Form* 17, 1965, Heft 6, S. 835–929.
83 Vgl. Gespräch mit Heiner Müller, S. 46f.
84 Heiner Müller: Sechs Punkte zur Oper, S. 18.
85 Rolf Rohmer: Struktur und Idee. Zum vorgelegten Text von Heiner Müllers „Der Bau". In: *Theater der Zeit* 21, 1966, Heft 6, S. 10–12.
86 Ebd., S. 12.
87 Heiner Müller: Sechs Punkte zur Oper, S. 19.
88 Erstdruck in: *Basis. Jahrbuch für deutsche Gegenwartsliteratur* 2, 1971, S. 103–140.

Deutsche fressen Deutsche

Heiner Müllers *Die Schlacht* an der Ostberliner Volksbühne

1 Zu den ersten westlichen Aufführungen dieses Stücks vgl. Christoph Müller: Neue Versuche mit Müllers „Schlacht" in Basel und Mannheim. In: *Theater heute*, 1976, H. 12, S. 16–18.

2 Vgl. *Theater der Zeit*, 1975, H. 8, S. 58, und Heiner Müller: *Theater-Arbeit*, Berlin 1975, S. 124–126.

3 Den Anlaß dazu hatte Wolfgang Harichs Polemik „Der entlaufene Dingo, das vergessene Floß. Aus Anlaß der ‚Macbeth'-Bearbeitung von Heiner Müller" gegeben. In: *Sinn und Form*, 1973, H. 1, S. 189–218.

4 Hildegard Brenner: Heiner Müllers „Mauser"-Entwurf. Fortschreibung der Brechtschen Lehrstücke? In: *Alternative* 110/111, 1976, S. 210–221. Hier S. 221.

5 Helen Fehervary: Enlightenment or Entanglement: History and Aesthetics in Bertolt Brecht and Heiner Müller. In: *New German Critique* 8, 1976, S. 80–109. Hier S. 83.

6 *Theater-Arbeit*, S. 124f.

7 Ebd., S. 125.

8 Ein detaillierter Vergleich zwischen *Furcht und Elend* und *Die Schlacht* findet sich bei Fehervary: Enlightenment or Entanglement, S. 102ff.

9 Vgl. hierzu meinen Aufsatz: Heines „Wintermärchen". Zum Topos der „Deutschen Misere". In: *diskussion deutsch* 8, 1977, H. 35, S. 234–249.

10 Gespräch mit Heiner Müller. In: *Basis* 6, 1976, S. 49.

11 *Stücke*, Berlin 1975, S. 40.

12 *Geschichten aus der Produktion*, Berlin 1975, S. 40.

13 Vgl. hierzu Fehervary: Enlightenment or Entanglement, S. 85, 89.

14 *Stücke*, S. 181.

15 Vgl. hierzu die gründliche Analyse von Rüdiger Bernhardt: Antikerezeption im Werk Heiner Müllers. In: *Weimarer Beiträge* 22 (1976), H. 3, S. 83–122.

16 *Theater-Arbeit*, S. 125.

17 Vgl. Anm. 3.

18 *Geschichten aus der Produktion*, Berlin 1974, S. 15.

19 Fehervary: Enlightenment or Entanglement, S. 92.

20 Ebd., S. 95.

21 *Alternative* 110/111, 1976, S. 191.

22 Ebd., S. 187.

23 Der Bau. In: *Sinn und Form* 17, 1965, H. 1, S. 224.

24 Ebd., S. 180.

25 *Theater-Arbeit*, S. 123.

26 Ebd., S. 125.

27 Peter Schneider: Kein Anlaß zu Schadenfreude. In: *Spiegel* 28, 1974, Nr. 36.

28 *Theater-Arbeit*, S. 122.

29 Schneider: Kein Anlaß zu Schadenfreude, S. 121.

30 Vgl. Jost Hermand: Erbepflege und/oder Massenwirksamkeit. Zur Genre-Diskussion in der DDR. In: *Textsortenlehre – Gattungsgeschichte*. Hrsg. von Walter Hinck, Heidelberg 1977, S. 113ff.

31 Vgl. dazu auch Müllers kryptische und zugleich höchst aufschlußreiche Bemerkungen über Thomas Brasch in seiner Rezension: Wie es bleibt, ist es nicht. In: *Spiegel* 31, 1977, Nr. 38 vom 12. September, S. 215.

32 Die Erstfassung dieses Theaterberichts erschien in: *Brecht-Jahrbuch*, 1978, S. 129–142.

Braut, Mutter oder Hure?

Heiner Müllers *Germania* und ihre Vorgeschichte

1 Vgl. dazu Bernd Grote: *Der deutsche Michel. Ein Beitrag zur publizistischen Bedeutung der Nationalfiguren*, Dortmund 1967. – Zur Figur der Germania gibt es leider noch wenig Sekundärliteratur. Ein gute Einleitung in das Problem der „Allegorisierung" weiblicher Gestalten aus feministischer Sicht bietet jedoch Cäcilia Rentmeister: Berufsverbot für die Musen. In: *Ästhetik und Kommunikation*, H. 25, 1976, S. 92–112, und in der erweiterten Fassung dieses Aufsatzes in: *Frauen und Wissenschaft*, Berlin 1977, S. 258–297.

2 *Lateinische Gedichte der Humanisten.* Hrsg. von Harry C. Schnur, Stuttgart 1966, S. 307f.

3 Vgl. hierzu Horst Denkler: *Restauration und Revolution. Politische Tendenzen im deutschen Drama zwischen Wiener Kongreß und Märzrevolution*, München 1973, S. 307f.

4 Heinrich Heine: *Werke und Briefe.* Hrsg. von Hans Kaufmann, Berlin 1961, Bd. 2, S. 119.

5 In: *Deutschland, Deutschland. Politische Gedichte vom Vormärz bis zur Gegenwart.* Hrsg. von Helmut Lamprecht, Bremen 1969, S. 201.

6 Vgl. Anton von Werner, *Erlebnisse und Eindrücke, 1870–1890*, Berlin 1913, S. 58, 68; Richard Hamann und Jost Hermand: *Gründerzeit*, Berlin 1965, S. 216ff.; *Aspekte der Gründerzeit.* Hrsg. von Eberhard Roters, Berlin 1975, S. 43ff. – Zu Germania-Darstellungen des frühen 19. Jahrhunderts vgl. Ulrich Schulte-Wülwer: Die bildenden Künste im Dienste der nationalen Einigung. In: *Germanistik und deutsche Nation. 1806–1848*, Stuttgart 1974, S. 275ff.

7 *Deutschland, Deutschland*, S. 221.

8 Ebd., S. 274.

9 Bertolt Brecht: *Gesammelte Werke*, Frankfurt 1967, Bd. VIII, S. 68.

10 Ebd., Bd. VIII, S. 487f.

11 Ebd., Bd. XIX, S. 935.

12 Vgl. *Arbeitsjournal* vom 10. November 1943.

13 Vgl. hierzu meinen Aufsatz: Deutsche fressen Deutsche. Heiner Müllers „Die Schlacht" an der Berliner Volksbühne. In: *Brecht-Jahrbuch*, 1978, S. 129–143.

14 Geschichte und Drama. Ein Gespräch mit Heiner Müller. In: *Basis* 6, 1976, S. 49.

15 *Stücke*, Berlin 1975, S. 40.

16 Vgl. meine Aufsätze: Zukunft in der Vergangenheit. Zum Gebrauchswert des kulturellen Erbes. In: *Basis 5*, 1975, S. 7–30, und: Erbepflege und/oder

Massenwirksamkeit. Zur Genrediskussion in der DDR. In: *Textsortenlehre – Gattungsgeschichte*. Hrsg. von Walter Hinck, Heidelberg 1977, S. 104–118.

17 *Theater-Arbeit*, Berlin 1975, S. 118.

18 Geschichte und Drama, S. 53.

19 Vgl. vor allem Georg Hensel: Schlacht-Szenen aus der DDR. In: *Frankfurter Allgemeine Zeitung* vom 24.4.1978, Peter von Becker: Schlachthauspostille und Tanz der deutschen Vampire. In: *Süddeutsche Zeitung* vom 22. 4. 1978 und Rudolf Krämer-Badoni: Wenn der Agitprop kannibalisch wird. In: *Die Welt* vom 22.4.1978.

20 Vgl. Helen Fehervary: Enlightenment or Entanglement: History and Aesthetics in Bertolt Brecht and Heiner Müller. In: *New German Critique*, Nr. 8, 1976, S. 85ff.

21 Vgl. die Studie von Helen Fehervary: Heiner Müllers Brigadenstücke. In: *Basis* 2, 1971, S. 103–140.

22 Vgl. hierzu vor allem Hildegard Brenner: Schule der Helden. Anmerkungen zu Brechts *Büsching*-Entwurf. In: *Alternative*, Nr. 91, 1973, S. 213–221, und Stephan Bock: Chronik zu Brechts *Garbe/Büsching*-Projekt. In: *Brecht-Jahrbuch*, 1977, S. 94ff.

23 *Germania Tod in Berlin*, Berlin 1977, S. 60. – Vgl. hierzu auch sein Germania-Spiel *Quadriga*. In: *Hamletmaschine. Heiner Müllers Endspiel*. Hrsg. von Theo Girshausen, Köln 1978, S. 155f.

24 Vgl. Notate zu Fatzer. Einige Überlegungen zu meiner Brecht-Bearbeitung. In: *Die Zeit* vom 17.3.1978.

25 *Theater-Arbeit*, S. 117f.

26 Geschichte und Drama, S. 53.

27 Erstfassung in Jost Hermand: *Sieben Arten an Deutschland zu leiden*, Königstein 1979, S. 127–141.

Cement in Berkeley

1 Erstfassung in: *Brecht-Jahrbuch*, 1981, S. 206–216. Der englische Text von Müllers *Zement* sowie weitere Notate über die Aufführung finden sich in dem Supplementband zu *New German Critique* 16, Winter 1979.

Regisseure unter sich

Ein Gespräch über Müllers *Lohndrücker*

1 Geschrieben im Januar 1988. Erstfassung in: *Heiner Müller Material*. Hrsg. von Frank Hörnigk, Leipzig 1989, S. 236–250.

Diskursive Widersprüche

Fragen an Heiner Müllers „Autobiographie"

1 Zitiert wird im Text nach Heiner Müller: *Krieg ohne Schlacht. Leben in zwei Diktaturen*, Köln 1992.
2 Heiner Müller und Hagen Stahl: Zehn Tage, die die Welt erschütterten. In: *Junge Kunst* 1, 1957, Heft 1, S. 47.
3 Heiner Müller: Der Bau. In: *Sinn und Form* 17, 1965, Heft 1/2, S. 224.
4 Vgl. hierzu auch meinen Beitrag: Ihr zwingt mich ja, Weltliteratur zu schreiben. In: *Kalkfell für Heiner Müller*. Hrsg. von Frank Hörnigk u. a., Berlin 1996, S. 00–00.
5 Die Erstfassung dieses Aufsatzes erschien in: *Argument* 198, 1993, S. 255–268; engl.: Discursive Contradictions: Questions about Heiner Müller's „Autobiography". In: *Contemporary Theatre Review* 4.2, 1995, S. 37–48.

„Die gotische Linie"

Altdeutsche Landschaften und Physiognomien bei Seghers und Müller

1 Anna Seghers: *Über Kunstwerk und Wirklichkeit*, Bd. I. Hrsg. von Sigrid Bock, Berlin 1970, S. 125.
2 Heiner Müller: *Die Umsiedlerin oder Das Leben auf dem Lande*, Berlin 1975, S. 111.
3 Hans Mayer: *Der Widerruf. Deutsche und Juden*, Frankfurt a. M. 1994, S. 283.
4 Siegfried Kracauer: Eine Märtyrer-Chronik von heute. In: *Frankfurter Zeitung* vom 13. November 1932.
5 Walter Benjamin: Eine Chronik der deutschen Arbeitslosen. Zu Anna Seghers Roman „Die Rettung". In ders.: *Gesammelte Schriften*, Bd. III. Hrsg. von Hella Tiedemann-Bartels, Frankfurt a. M. 1972, S. 533.
6 Ebd., S. 534-535.
7 Ebd., S. 537-538.
8 Carl Zuckmayer: Netty Reiling in Heidelberg. In: *Über Anna Seghers. Ein Almanach zum 75. Geburtstag*. Hrsg. von Kurt Batt, Berlin 1975, S. 28.
9 Heiner Müller: *Krieg ohne Schlacht. Leben in zwei Diktaturen. Eine Autobiographie*, Köln 1994, S. 226–227. Der Titel der Autobiographie geht auf Ludwig Renns Roman *Krieg ohne Schlacht* zurück (Berlin 1957), in dem ein Rekrut den zweiten Weltkrieg im Hinterland der Kämpfe erlebt. Wie Anna Seghers, Bodo Uhse und andere Schriftsteller, die nach 1945 aus dem westlichen Exil heimkehrten, wurde er von der Ulbricht-Gruppe verdächtigt. Obwohl er sich weiter engagieren wollte, gelangte er nie mehr in eine Position, die seiner Begabung und Erfahrung angemessen gewesen wäre. Auch als Schriftsteller konnte er fast nur mehr Erinnerungs- und

Kinderbücher veröffentlichen. Der Titel seines 1957 erschienenen Romans *Krieg ohne Schlacht* beschreibt nicht nur seine eigene, von den politischen Ereignissen erzwungene Distanz zu den Schlachten des zweiten Weltkriegs, sondern bezeugt auch sein unfreiwilliges Zurückziehen aus der politischen Arena nach dem Krieg. Warum Heiner Müller den Titel von Renns Roman für sein Buch gewählt hat, aber Renn darin nur nebenbei erwähnt, obwohl er Ernst Jünger mehrere Seiten widmet, darüber läßt sich lediglich spekulieren.

10 Vgl. Siegfried Wagners Referat auf der Beratung der Sektion Dramatik des DSV (Tonbandprotokoll) am 16. Oktober 1961. Stiftung Archiv der Akademie der Künste, Berlin. Archiv des DSV.

11 Stiftung Archiv der Akademie der Künste, Berlin. Anna Seghers-Archiv, Signatur 15.

12 Ebd.

13 Ladislaus Radvanyi: *Der Chiliasmus. Ein Versuch zur Erkenntnis der chiliastischen Idee und des chiliastischen Handelns.* Hrsg. von Éva Gàbor, Budapest 1985, S. 79–81.

14 Walter Benjamin: Eine Chronik der deutschen Arbeitslosen. Zu Anna Seghers Roman „Die Rettung", S. 535.

15 Bertolt Brecht: *Arbeitsjournal*, Bd. II. Hrsg. von Werner Hecht, Frankfurt a. M. 1973, S. 791.

16 Brief an Irene Witt vom 7. August 1947. In: *Anna Seghers. Eine Biographie in Bildern.* Hrsg. von Frank Wagner, Ursula Emmerich und Ruth Radvànyi, Berlin 1994, S. 159.

17 Bertolt Brecht: *Arbeitsjournal*, Bd. II, S. 971.

18 Vgl. Bertolt Brecht: Zu „Katzgraben" von Erwin Strittmatter. In ders.: *Werke. Große kommentierte Berliner und Frankfurter Ausgabe.* Hrsg. von Werner Hecht, Jan Knopf, Werner Mittenzwei und Hans-Detlef Müller, Bd. XXIV, Berlin, Weimar und Frankfurt a. M. 1991: „Die deutschen Bauern kamen auf die Bühne in Stücken von Anzensgruber, Ruederer und Thoma und in Dialektstücken, die nur lokal bekannt sind. Katzgraben ist meines Wissens das erste Stück, das den modernen Klassenkampf im Dorf auf die Bühne bringt." (S. 437); „Wohl zum ersten Mal in der deutschen Literatur finden wir eine jambisch gehobene Volkssprache. (Die Bauern im Zerbrochenen Krug sprechen das Deutsch ihres Schöpfers Kleist.) Die Verse sind durchwegs fünffüßig wie im klassischen Drama: sie werden dadurch erstaunlich beweglich." (S. 439) Vgl. auch Brechts ausführliche „Katzgraben-Notate".

19 Auf den Einfluß von Matusches *Die Dorfstraße* hat mich Müller 1976 zur Zeit der Inszenierung von *Die Bauern* an der Volksbühne am Rosa-Luxemburg-Platz hingewiesen.

20 Bertolt Brecht: *Über die bildenden Künste.* Hrsg. von Jost Hermand, Frankfurt a. M. 1983, S. 103.

21 Vgl. Heiner Müller: *Krieg ohne Schlacht*, S. 338.

22 Bertolt Brecht: *Über die bildenden Künste*, S. 102.

23 Vgl. meinen Aufsatz: Brecht, Seghers, and „The Trial of Jeanne d'Arc". In: *Brecht-Jahrbuch* 21, 1996, S. 21–47.

24 Bertolt Brecht: *Werke. Große kommentierte Berliner und Frankfurter Ausgabe*, Bd. XXIV, S. 405.

25 Ebd., S. 47.

26 Bertolt Brecht: *Über die bildenden Künste*, S. 102.

27 Vgl. *Cranach & Picasso. Katalog der Ausstellung in der Kunsthalle Nürnberg*, 22. September bis 20. Oktober 1968, Nürnberg 1968. Müllers frühe Cranach-Rezeption bietet eine interessante DDR-Parallele zu der intensiven Beschäftigung Picassos mit Cranach während der vierziger und fünziger Jahre. Als deutscher „Nationalmaler" wurde in der DDR bekanntlich Dürer dem weniger „klassischen" Cranach vorgezogen. Doch konnte man die Bilder des sächsischen Malers Cranach in vielen Museen der DDR aus nächster Nähe betrachten. Auch erschienen relativ früh Cranach-Studien und -Bände, die seine progressive Haltung der Geschichte gegenüber betonten. Vgl. u. a. Heinz Lüdecke: *Lucas Cranach der Ältere im Spiegel seiner Zeit*, Berlin 1953; Heinz Lüdecke: *Lucas Cranach. Der Künstler und seine Zeit*, Berlin 1953; *Lucas Cranach. Holzschnitte, Kupferstiche, Handzeichnungen*, Berlin 1954.

28 Müller selbst hat mich in einem Privatgespräch gegen Ende der siebziger Jahre auf die szenische Verwandtschaft seines Stückes mit dem Werk Cranachs hingewiesen.

29 Heiner Müller: *Die Umsiedlerin oder Das Leben auf dem Lande*, S. 26.

30 Man vergleiche z. B. die frühen Kreuzigungs-Gemälde, die Holzschnitt-Passionsfolge von 1509, die Gemälde *Die Verspottung Christi* und *Christus als Schmerzensmann* um 1515, die skizzenhaften Christus-Zeichnungen von 1519–1525 und das Holzschnitt-Passional Christus und Antichrist von 1521.

31 Heiner Müller: *Die Umsiedlerin oder Das Leben auf dem Lande*, S. 29.

32 Ebd., S. 72.

33 Ebd., S. 49.

34 Heiner Müller: *Krieg ohne Schlacht*, S. 112.

35 „WOLOKOLAMSKER CHAUSSEE III schreibt die Erzählung DAS DUELL von Anna Seghers fort." Anmerkung zu „Wolokolamsker Chaussee". In Heiner Müller: *Shakespeare Factory 2*, Berlin 1989, S. 244.

36 Zit. in Andreas Schrade: *Anna Seghers*, Stuttgart 1993, S. 42.

37 Anna Seghers: *Der Kopflohn*, Berlin 1995, S. 32–34.

38 Siegfried Kracauer: Eine Märtyrer-Chronik von heute. In: *Frankfurter Zeitung* vom 13. November 1932.

39 Anna Seghers: *Der Kopflohn*, S. 44–47.

40 Ebd., S. 104.

41 Heiner Müller: *Die Umsiedlerin oder Das Leben auf dem Lande*, S. 102.

42 Anna Seghers: *Der Kopflohn*, S. 181–182.

43 Ebd., S. 58.

44 Seghers' kurze Erzählung „Der Traktorist", in der die Hauptfigur „Geschke" heißt, gehört wie auch ihre Erzählung „Die Umsiedlerin" zu

dem Zyklus *Friedensgeschichten*, der 1953 in der Sammlung *Der Bienen-stock* beim Aufbau-Verlag erschien. Auch in Seghers' Roman *DieToten bleiben jung* (1949) und Müllers Stück *Der Lohndrücker* (1956) gibt es in vieler Hinsicht vergleichbare „Geschke"-Figuren.

45 Anna Seghers: *Der Kopflohn*, S. 153.
46 Heiner Müller: *Die Umsiedlerin oder Das Leben auf dem Lande*, S. 101–102.
47 Anne Seghers: *Die Toten bleiben jung*, Berlin 1952, S. 64–66.
48 Vgl. den Aufsatz „Landschaften eines Auftrags" in diesem Band.
49 Walter Benjamin: Über den Begriff der Geschichte. In ders.: *Illuminatio-nen*, Frankfurt a. M. 1977, S. 253.
50 Dieser Beitrag ist eine stark bearbeitete und erweiterte Fassung meines Aufsatzes: Anna Seghers's „Gothic" Realism and the Redemptive Moment in Heiner Müller's *Die Umsiedlerin*. In: *Heiner Müller. Contexts and History*. Hrsg. von Gerhard Fischer, Tübingen 1995, S. 21–39.

Mit den Toten reden

Hommage à Heiner Müller

1 Die erste Fassung dieses Beitrags, die für diesen Band leicht überarbeitet wurde, erschien in: *Kalkfell für Heiner Müller. Arbeitsbuch*. Hrsg. von Frank Hörnigk u. a., Berlin 1996, S. 33–36.

Landschaften eines Auftrags

1 Vgl. Alexander Stephans Interview von 1984 mit Fred Zinnemann: „... eine Art von Zivilcourage, die ich sehr bewundere." In: *Argonautenschiff. Jahrbuch der Anna-Seghers-Gesellschaft* 2, 1993, S. 211–217; „*Das siebte Kreuz*" von Anna Seghers. Hrsg. von Sonja Hilzinger, Frankfurt a. M. 1990; und Alexander Stephan: *Anna Seghers. Das siebte Kreuz. Welt und Wirkung eines Romans*, Berlin 1997.
2 Bertolt Brecht: *Arbeitsjournal*. Hrsg. von Werner Hecht, Frankfurt a. M. 1973, Bd. II, S. 791.
3 Briefe an Ruth Berlau vom 4. und 5. November 1947. In Bertolt Brecht: *Werke*. Hrsg. von Werner Hecht, Jan Knopf, Werner Mittenzwei und Klaus Detlef Müller, Bd. XXIX, Berlin und Frankfurt a. M. 1998, S. 425, 427.
4 John Willett: *Brecht in Context*, London–New York 1984, S. 205.
5 Vgl. Helen Fehervary: Brecht, Seghers, and „The Trial of Jeanne d'Arc". With a Previously Unpublished Letter of 1952 from Seghers to Brecht. In: *Brecht-Jahrbuch* 21, 1996, S. 21–47.
6 Heiner Müller: *Krieg ohne Schlacht. Leben in zwei Diktaturen*, Köln 1994, S. 112.

7 Hans Mayer: *Der Turm von Babel. Erinnerung an eine Deutsche Demokratische Republik*, Frankfurt a. M. 1991, S. 204.
8 Christa Wolf deutete das in einer Unterhaltung mit mir am 3. Juni 1983 an, als sie als Writer in Residance an der Ohio State University unterrichtete und von Seghers' Tod hörte.
9 Vgl. Heiner Müller: *Herzstück*, Berlin 1983, S. 43, und *Shakespeare Factory* II, Berlin 1989, S. 239. In seiner „Anmerkung zu Teil III" schrieb Müller: „WOLOKOLAMSKER CHAUSSEE III schreibt die Erzählung DAS DUELL von Anna Seghers fort." Vgl. *Shakespeare Factory* II, S. 244. Vgl. hierzu auch Anna Chiarloni: Zu Heiner Müllers DUELL. In: *Heiner Müller Material*. Hrsg. von Frank Hörnigk, Leipzig 1989, S. 226–235.
10 *Argonautenschiff* 5, 1996, S. 11. Seghers kritzelte ihre etwas kryptische Antwort unter Müllers Brief: „Gratuliere zu Theater-Erfolg. Freue mich. Liege im Bett, teils erschöpft, teils froh für das. Deine Anna Seghers."
11 Vgl. den Aufsatz in diesem Band: „Die gotische Linie". Altdeutsche Landschaften und Physiognomien bei Seghers und Müller.
12 Anna Seghers: *Die Hochzeit von Haiti. Erzählungen 1948–1948*, Berlin 1994, S. 138.
13 Ebd., S. 139 f.
14 Heiner Müller: *Herzstück*, Berlin 1983, S. 91.
15 Zit. in Marianne Streisand: Heiner Müllers „Die Umsiedlerin oder Das Leben auf dem Lande". Entstehung und Metamorphosen des Stückes. In: *Weimarer Beiträge* 32, 1986, S. 1360.
16 Heiner Müller: *Germania Tod in Berlin*, Berlin 1977, S. 80. Als Entstehungsdatum wird in diesem Band fälschlicherweise das Jahr 1958 angegeben. Seghers' „Das Licht auf dem Galgen" erschien erst 1960 in Heft 5/6 der Zeitschrift *Sinn und Form*. Die Ausgabe im Henschel-Verlag von 1981 enthält auf S. 8 den Vermerk: „Geschrieben Anfang der sechziger Jahre." Vgl. hierzu Inge Diersen: „Immer bleiben die Engel aus am Ende" (Heiner Müller). Zur Thematik der verlorenen Revolution bei Anna Seghers. In: *Argonautenschiff* 2, 1995, S. 53.
17 *Krieg ohne Schlacht*, S. 175. Vgl. hierzu Mathias Braun: *Drama um eine Komödie. Das Ensemble von SED und Staatssicherheit, FDJ und Ministerium für Kultur gegen Heiner Müllers „Die Umsiedlerin oder Das Leben auf dem Lande" im Oktober 1961*, Berlin 1995.
18 Akademie der Künste Berlin-Brandenburg, Anna-Seghers-Archiv 49. Auf S. 69 seines Buchs *Drama um eine Komödie* verfälscht Mathias Braun den Inhalt dieser immer noch unpublizierten Rede, indem er aus diesem Text, dessen Argumentation höchst subtil und ironisch ist, nur zwei kurze Abschnitte zitiert. Der Ton von Brauns Buch ist durchgehend abschätzig und keineswegs frauenfreundlicher als die entsprechenden Stellen in den Stasi-Dokumenten, wenn er auf die Bemühungen Seghers' und Helene Weigels zugunsten Müllers zu sprechen kommt. Vgl. S. 69, 72, 75, 150, 159, 162.
19 *Drama um eine Komödie*, S. 162.
20 Ebd., S. 159.

21 Ebd., S. 162.

22 Ebd., S. 162 f.

23 Christa Wolf: Gesichter der Anna Seghers. In: *Anna Seghers. Eine Biographie in Bildern.* Hrsg. von Frank Wagner, Ursula Emmerich und Ruth Radvanyi, Berlin 1994, S. 8.

24 Manès Sperber: *Bis man mir Scherben auf die Augen legt,* Wien 1977, S. 103.

25 Der Philosoph, Soziologe und Wirtschaftswissenschaftler László Radványi (Pseud. Johann-Lorenz Schmidt) war eines der jüngsten Mitglieder des Budapester Sonntagskreises um Georg Lukács und mußte nach der Niederlage der ungarischen Räterepublik im Jahr 1919 Ungarn verlassen. Er ging darauf mit Karl Mannheim nach Heidelberg und schrieb bei Karl Jaspers eine Dissertation über die Geschichte und Philosophie des Chiliasmus. Von 1925 bis 1933 war er Leiter der Marxistischen Arbeiterschule (MASCH), zu deren Lehrern auch Lukács, Béla Fogarasi, Erwin Piscator, Jürgen Kuczynski, Pál Sándor, Andor Gábor, Béla Balázs, Karl Korsch, Walter Gropius und Albert Einstein gehörten, der dort seinen Vortrag „Was muß ein Arbeiter über die Relativitätstheorie wissen" hielt. In den dreißiger Jahren gründete er eine ähnliche, wenn auch wesentlich kleinere Organisation in Paris. In den vierziger Jahren unterrichtete er erst an der Universität in Mexiko City und dann ab 1952 an der Humboldt-Universität in Berlin.

26 Christa und Gerhard Wolf erzählten mir, daß Anna Seghers diese Resolution erst unterschreiben wollte, aber dann – nach Rücksprache mit ihrem Mann – ihre Unterschrift verweigerte (Unterhaltung in Berlin-Pankow im Juli 1994). Über den beträchtlichen Einfluß, den László Radványi auf Anna Seghers' Schriften und Aktivitäten in der DDR hatte, ist bisher noch fast nichts bekannt.

27 Heiner Müller: Fatzer +/– Keuner. In: *Heiner Müller Material.* Hrsg. von Frank Hörnigk, Leipzig 1989, S. 36.

28 Heiner Müller: Epitaph. In: *Argonautenschiff* 1, 1992, S. 6. Die Fassung im *Argonautenschiff* entspricht dem handgeschriebenen Manuskript von 1990. Vgl. das leicht veränderte Gedicht „Brief an A. S." in Heiner Müller: *Gedichte,* Berlin 1992, S. 87. In der frühen Fassung aus den achtziger Jahren folgt der Zeile „Während Odysseus die Brandung pflügt" die Zeile „Im Rücken Gelächter". Nach der Wende von 1989/90 hat Müller diese Zeile, die sich auf die DDR-Parteiführung zu beziehen scheint, getilgt.

29 Hans Mayer: *Der Widerruf. Deutsche und Juden,* Frankfurt a. M. 1994, S. 278.

30 Walter Benjamin: Der Erzähler. In Ders.: *Illuminationen,* Frankfurt a. M. 1977, S. 402.

31 Walter Benjamin: Eine Chronik der deutschen Arbeitslosen. Zu Anna Seghers' Roman „Die Rettung". In Ders.: *Gesammelte Schriften,* Bd. III. Hrsg. von Hella Tiedemann-Bartels, Frankfurt a. M. 1972, S. 533.

32 *Internationale Literatur* 9, 1939, Heft 5, S. 97ff., 111ff.

33 *Das Wort* 3, 1938, Heft 6, S. 22–34.
34 Walter Benjamin: Tagebuchnotizen 1938. In Ders.: *Gesammelte Schriften* VI. Hrsg. von Rolf Tiedemann und Hermann Schweppenhäuser, Frankfurt a. M. 1985, S. 538.
35 Ebd., S. 537f.
36 Anna Seghers: Die schönsten Sagen vom Räuber Woynok. In Dies.: *Reise ins Elfte Reich. Erzählungen 1934–1946*, Berlin 1994, S. 26f. Aus dieser Ausgabe wird auch im Text zitiert.
37 Heiner Müller: *Geschichten aus der Produktion*, Bd. I, Berlin 1974, S. 133f.
38 Heiner Müller: *Geschichten aus der Produktion*, Bd. II, Berlin 1974, S. 99f.
39 Ebd., S. 100.
40 Anna Seghers: *Die Hochzeit von Haiti*, S. 110f.
41 Ebd., S. 112.
42 Heiner Müller: *Herzstück*, S. 52f.
43 Anna Seghers: *Die Hochzeit von Tahiti*, S. 112.
44 Heiner Müller: *Krieg ohne Schlacht*, S. 297.
45 Vgl. Inge Diersen: „Immer bleiben die Engel aus am Ende", S. 44–56.
46 Diese Information verdanke ich Bernhard Greiners Aufsatz: „Kolonien liebt, und tapfer vergessen der Geist." Anna Seghers' zyklisches Erzählen. In: *Argonautenschiff* 3, 1994, S. 155–171.
47 „Es war ihm zumute als leuchte ein Licht von der Spitze des Galgens zu ihm herüber." In Anna Seghers: *Das Schilfrohr. Erzählungen 1957–1965*, Berlin 1994, S. 165.
48 Hans Mayer: *Der Widerruf. Deutsche und Juden*, S. 284.
49 Eine englische Fassung dieses Beitrags erschien unter dem Titel „Landscapes of an *Auftrag*" in einer Heiner-Müller-Sondernummer der Zeitschrift *New German Critique*. Hrsg. von David Bathrick und Helen Fehervary, Winter 1997/98, S. 115–132.

Blick zurück auf Heiner Müller

1 Vgl. Richard Herzinger: Heiner Müller, Christa Wolf, Volker Braun – deutsche Zivilisationskritik und das neue Antiwestlertum. In: *DIE ZEIT* vom 4. Juni 1993, S. 8.
2 Heiner Müller: *Zur Lage der Nation*. Interview mit Frank M. Raddatz, Berlin 1990, S. 11.
3 Vgl. Jost Hermand: *Geschichte der Germanistik*, Reinbek 1994, S. 233.
4 Heiner Müller: Der Lohndrücker. In: *Neue deutsche Literatur* 5, 1957, 5, S. 116–141.
5 Der Text dieses Stücks ist abgedruckt in: *Junge Kunst* 1, 1957, S. 35–47. Müller behauptete später, er habe das Manuskript dieses Dramas weggeworfen.
6 S. 47.
7 Gespräch mit Heiner Müller. In: *Sinn und Form* 18, 1966, S. 30–47.

8 Vgl. Jost Hermand: Madison, Wisconsin 1959 bis 1973. Der Einfluß der deutschen Exilanten auf die Entstehung der Neuen Linken. In: *Exilforschung* 13, 1995, S. 52–67.

9 Helen Feherváry: Heiner Müllers Brigadenstücke. In: *Basis. Jahrbuch für deutsche Gegenwartsliteratur* 2, 1971, S. 103–140.

10 Diese Übersetzung erschien in: *New German Critique* 8, 1976, S. 122–149.

11 Vgl. Geschichte und Drama. Ein Gespräch mit Heiner Müller. In: *Basis* 8, 1977, S. 48–64. Nachdruck: „Einen historischen Stoff sauber abschildern, das kann ich nicht." In: Heiner Müller: *Gesammelte Irrtümer*, Frankfurt a. M. 1986, S. 31–49.

12 Heiner Müller: *Stücke*. Mit einem Nachwort von Rolf Rohmer, Berlin 1975.

13 Zu den Brecht-Aufführungen der San Francisco Mime Troupe vgl. Jost Hermand: Mit der „Mother" auf Tournee. In: *Brecht-Jahrbuch* 1974, S. 138–142.

14 *Alternative* 110/111. DDR-Dramatik: Heiner Müllers „Mauser", 1976. Hans Rosshoff schrieb hier, daß sich der „Mauser" an sich nur in sozialistischen Ländern spielen lasse, S. 221.

15 *New German Critique* 8, 1976, S. 122–149.

16 Ebd., S. 150–156.

17 Ebd., S. 110–121.

18 Ebd., S. 80–109.

19 Vgl. Jost Hermand: *Die Kultur der Bundesrepublik Deutschland 1965–1985*, München 1988, S. 471–506.

20 Vgl. Jost Hermand: Zu Brechts Bearbeitungstechnik. In: *Aktualisierung Brechts*. Hrsg. von Wolfgang Fritz Haug, K. Pierwoß und Karen Ruoff, Berlin 1980, S. 122–142.

21 Vgl. meinen Aufsatz: Herr Puntila und sein Knecht Matti. Brechts Volksstück. In: *Brecht heute – Brecht today*, 1971, S. 117–136.

22 Jost Hermand: Deutsche fressen Deutsche. Heiner Müllers ‚Die Schlacht' an der Ostberliner Volksbühne. In: *Brecht-Jahrbuch*, 1978, S. 129–143.

23 Jost Hermand: *Sieben Arten an Deutschland zu leiden*, Königstein 1979, S. 127–142. Im gleichen Band komme ich in dem Aufsatz: „Heines ‚Wintermärchen'. Zum Topos der deutschen Misere" ebenfalls auf Müller zu sprechen (S. 50).

24 *New German Critique*, Supplement to Issue No. 16, Winter 1979, S. 7–64.

25 Heiner Müller: Keuner +/– Fatzer. In: *Brecht-Jahrbuch*, 1980, S. 21.

26 Helen Feherváry: „Cement" in Berkeley. In: Ebd., S. 206-216.

27 Vgl. Jost Hermand: „Ihr zwingt mich ja, Weltliteratur zu schreiben". Heiner Müller im Gespräch. In: *Kalkfell. Ein Heiner Müller Arbeitsbuch*. Hrsg. von Frank Hörnigk u. a., Berlin 1996, S. 75f.

28 *Kultur in Wiederaufbau. Die Bundesrepublik Deutschland 1949–1965*, 1986 und *Kulturgeschichte der Bundesrepublik Deutschland 1965–1985*, 1988.

29 Vgl. als Symptom Arlene A. Teraoka: *The Silence of Entropy or Universal Discourse: The Postmodernist Poetics of Heiner Müller*, New York 1985.

30 Vgl. die Müller-Passagen in meinem Aufsatz: Fridericus Rex. Das schwarze Preußen im Drama der DDR. In: *Dramatik der DDR*. Hrsg. von Ulrich Profitlich, Frankfurt a. M. 1987, S. 289–292.

31 Jost Hermand: Regisseure unter sich. Ein Gespräch über den ‚Lohndrücker'. In: *Heiner Müller Material*. Hrsg. von Frank Hörnigk, Leipzig 1989, S. 236–250.

32 In: *Argument* Nr. 198, 1993, S. 255–258; engl.: Discursive Contradictions: Questions about Heiner Müller's „Autobiography". In: *Contemporary Theater Review* 4,2, 1995, S. 37–48.

33 Richard Herzinger: *Masken der Lebensrevolution. Vitalistische Zivilisations- und Humanismuskritik in Texten Heiner Müllers*, München 1992, S. 9.

34 Ebd., S. 10.

35 Müller selbst faßte diese Einstellung kurz vor seinem Tod in folgenden Worten zusammen: „Ich bin nicht mehr sicher, daß der Kommunismus das Schicksal der Menschheit ist, aber er bleibt ein Menschheitstraum, an dessen Erfüllung eine Generation nach der anderen arbeiten wird bis zum Untergang unserer Welt." Vgl. *Was von den Träumen blieb. Eine Bilanz der sozialistischen Utopie*. Hrsg. von Th. Grimm, Berlin 1993, S. 8.

36 Die Erstfassung dieses Aufsatzes erschien in: *Zeitschrift für Germanistik*, N. F. 3, 1997, S. 559–571; engl.: Looking Back at Heiner Müller. In: *Looking Back at the GDR*. Hrsg. von Jost Hermand und Marc Silberman, New York 1997, S. 141–162.

Manierismus, Modernismus, Müller

„In der Zeit des Verrats / Sind die Landschaften schön"

1 Heiner Müller: Der Schrecken die erste Erscheinung des Neuen. Zu einer Diskussion über Postmodernismus in New York. In: *Heiner Müller Material*. Hrsg. von Frank Hörnigk, Leipzig 1989, S. 23–24.

2 Heiner Müller: *Germania Tod in Berlin*, Berlin 1977, S. 80.

3 Ebd.

4 Vgl. den Aufsatz „Landschaften eines Auftrags" in diesem Band.

5 Bertolt Brecht: *Über die bildenden Künste*. Hrsg. von Jost Hermand, Frankfurt a. M. 1983, S. 105.

6 Ebd., S. 102.

7 Vgl. den Aufsatz „Die gotische Linie. Altdeutsche Landschaften und Physiognomien bei Seghers und Müller" in diesem Band.

8 Heiner Müller, *Krieg ohne Schlacht. Leben in zwei Diktaturen. Eine Autobiographie*, Köln 1994, S. 338.

9 Heiner Müller: Brief an Robert Wilson. In: *Heiner Müller Material*, S. 51.

10 Ebd., S. 53.

11 Ebd.
12 Ebd.
13 Heiner Müller: *Die Umsiedlerin oder Das Leben auf dem Lande*, Berlin 1975, S. 16.
14 Ebd.
15 Vgl. Müllers Gedicht: Nachdenken über Michelangelo (1993). In ders.: *Werke*, Bd. I. Hrsg. von Frank Hörnigk, Frankfurt a. M. 1998, S. 266.
16 In Jean-Paul Sartre: *Situations*, Bd. IV, Paris 1964, S. 291–346. Zuerst erschienen in: *Les Temps Modernes*, Nr. 141 vom November 1957.
17 Arnold Hauser: *Sozialgeschichte der Kunst und Literatur*, Bd. I, München 1953, S. 387.
18 Ebd., S. 381.
19 Arnold Hauser: *Der Manierismus. Die Krise der Renaissance und der Ursprung der modernen Kunst*, München 1964, S. 13.
20 Jean-Paul Sartre: *Situations*, Bd. IV, S. 345.
21 Etwa ein Viertel dieses Beitrags erschien in einer früheren Fassung in meinem Aufsatz: Anna Seghers's „Seelenmalerei" and the Mannerism of Heiner Müller's Theater. In: *Responsibility and Commitment. Ethische Postulate der Kulturvermittlung. Festschrift für Jost Hermand*. Hrsg. von Klaus L. Berghahn, Robert C. Holub und Klaus R. Scherpe, Frankfurt a. M. 1996, S. 225–241.

Zehn Tage, die die Welt erschütterten

Müllers Bekenntnis zu Lenin

1 Vgl. *Neues Deutschland*, Nr. 264 vom 7. November 1957. In der Beilage „Kunst und Literatur" zu der gleichen Nummer ließ die Redaktion des *Neuen Deutschland* auch positive Statements zur Oktoberrevolution von Bertolt Brecht, Lion Feuchtwanger, Heinrich Mann, Thomas Mann, Anna Seghers und Arnold Zweig abdrucken.
2 Vgl. Heiner Müller: *Krieg ohne Schlacht. Leben in zwei Diktaturen*, Köln 1992, S. 131.
3 So Heiner Müller in mehreren Gesprächen mit dem Verfasser. Vgl. hierzu meinen Aufsatz: Blick zurück auf Heiner Müller. In: *Zeitschrift für Germanistik*, NF 3, 1997, S. 559–571.
4 Vgl. Heiner Müller: *Die Gedichte*. Hrsg. von Frank Hörnigk, Frankfurt a. M. 1998, S. 136–153.
5 Vgl. Rudolf Bahro: Verse vom Roten Stern. In: *Neues Deutschland* vom 2. November 1957.
6 Vgl. hierzu die zwischen Februar und Juli 1957 im *Sonntag* abgedruckten Reden gegen Wolfgang Harich von Alexander Abusch, Kurt Hager und Wilhelm Girnus. In: *Dokumente zur Kunst-, Literatur- und Kulturpolitik der SED*. Hrsg. von Elimar Schubbe, Stuttgart 1972, S. 455–460, 473–478, 478–483 und 505–511.

7 B. K. Tragelehn: Spielweise contra Schreibweise. „Zehn Tage, die die Welt erschütterten" von Heiner Müller und Hagen Stahl. In: *Theater der Zeit* 3, 1958, S. 52.

8 Vgl. *Theaterarbeit*. Hrsg. vom Berliner Ensemble, Dresden 1952, S. 121–170.

9 So schrieb Gudrun Klatt noch zwanzig Jahre später: „Die Auseinandersetzung mit der ungarischen Konterrevolution ist in jedem Satz, in jeder Geste dieser Chronik spürbar." In: Erfahrungen des „didaktischen" Theaters der 50er Jahre in der DDR. In: *Weimarer Beiträge* 7, 1977, S. 45. Vgl. hierzu auch Marianne Streisand: *Frühe Stücke Heiner Müllers. Werkanalysen im Kontext der zeitgenössischen Rezeption*. Diss. masch. Akademie der Wissenschaften der DDR 1983, S. 6f. Ich danke Marianne Streisand für die Zusendung ihres Manuskripts.

10 Heiner Müller und Hagen Stahl: Zehn Tage, die die Welt erschütterten. Szenen aus der Oktoberrevolution nach Aufzeichnungen John Reeds. In: *Junge Kunst. Zeitschrift für Literatur, Kritik, Musik und Theater*, 1957, Heft 1, S. 46.

11 Ebd.

12 Ebd., S. 47. In der Ausgabe dieses Stücks, die 1958 beim VEB Friedrich Hofmeister Verlag in Leipzig erschien, folgt auf diese Szene noch ein Epilog, in der ein Student die Niederlage der Roten prophezeit, während hinter ihm als Projektion eine Weltkarte zu sehen ist, auf der alle Länder rot aufleuchten, die zwischen 1917 und 1957 „sozialistisch" geworden sind (S. 46). Die Kenntnis dieser Szene verdanke ich Norbert Otto Eke.

13 S. 36.

14 So Henryk Keisch in seiner Rezension der Uraufführung im *Neuen Deutschland* vom 29. November 1957.

15 Vgl. Streisand: *Frühe Stücke Heiner Müllers*, S. 5.

16 *IV. Deutscher Schriftstellerkongreß. Protokoll*. Hrsg. vom Deutschen Schriftstellerverband, Berlin 1956, 1. Teil, S. 156f.

17 Für eine sozialistische Kultur. In: *Neues Deutschland* vom 7. Dezember 1957.

18 Zehn Tage, die die Welt erschütterten. Zu dem gestern in der Volksbühne aufgeführten Werk nach John Reeds berühmten Buch. In: *Neues Deutschland* vom 23. November 1957.

19 Vgl. hierzu Heiner Müller: *Krieg ohne Schlacht*, S. 122f.

20 Vgl. Deborah Vietor-Engländer: *Faust in der DDR*, Frankfurt a. M. 1987, S. 24–28.

21 So Hans Mayer im Gespräch mit dem Verfasser.

22 Vgl. *Bibliographie Heiner Müller*, Bielefeld 1993, S. 167f.

23 Vgl. Anm. 14.

24 Vgl. Anm. 7.

25 Vgl. Streisand: *Frühe Stücke Heiner Müllers*, S. 8–18.

26 Wilhelm Neef: Unweise Schreibweise. Bemerkungen zu B. K. Tragelehns Kritik „Schreibweise contra Spielweise". In: *Theater der Zeit* 6, 1958, S. 28.

27 Vgl. Werner Mittenzwei: Die „exekutive" Kritik des Heiner Müller. Das Frühwerk. In: *Responsibility and Commitment. Ethische Postulate der Kulturvermittlung. Festschrift für Jost Hermand*. Hrsg. von Klaus L. Berghahn, Robert C. Holub und Klaus R. Scherpe, Frankfurt a. M. 1996, S. 202ff.

28 Heiner Müller: *Stücke*, Berlin 1975, S. 163.

29 Ebd., S. 126.

30 So in Gesprächen mit dem Verfasser. Wie ich später las, wurde dieses Stück 1967 – zum 50. Jahrestag der „Großen Sozialistischen Oktoberrevolution" – im Landestheater Halle aufgeführt. Vgl. Hans-Georg Werner: Kunst als Waffe. In: *Freiheit* vom 22. September 1967.

31 Vgl. Anm. 10.

32 Vgl. Anm. 12.

33 Zu den Ausnahmen gehören Gunter Reus: *Oktoberrevolution und Sowjetrußland auf dem deutschen Theater. Zur Verwendung eines geschichtlichen Motivs im deutschen Schauspiel von 1918 bis zur Gegenwart*, Bonn 1978, S. 263–269; Marc Silberman: *Heiner Müller*, Amsterdam 1980, S. 14; Marianne Streisand: *Frühe Stücke Heiner Müllers*, S. 1–12; Jost Hermand: Diskursive Widersprüche. Fragen an Heiner Müllers „Autobiographie". In: *Argument* 35, 1993, S. 258.

34 Eine Kurzfassung dieses Beitrags wurde im Oktober 1998 auf der Heiner-Müller-Konferenz an der University of Bath als Vortrag gehalten.

Grundlagen der Literaturwissenschaft

Exemplarische Texte
Herausgegeben von
Bernhard J. Dotzler
in Zusammenarbeit mit
Pamela Moucha

Führende Fachvertreter haben teils klassische, teils noch wenig bekannte Texte neu erkundet, die in exemplarischer Weise vorführen, was Literaturwissenschaft – auch in Zukunft – sein und leisten kann. Die ausgewählten Texte stammen von: Theodor W. Adorno, Richard Alewyn, Erich Auerbach, Walter Benjamin, Ernst Robert Curtius, Hugo Friedrich, Georg Gottfried Gervinus, Max Kommerell, Werner Krauss, August Langen, Gotthold Ephraim Lessing, Clemens Lugowski, Otto Luschnat, Joachim Maass, Johann Gottlieb Münch, Karl Reinhardt, August Wilhelm Schlegel, Arno Schmidt, Levin L. Schücking, Leo Spitzer, Margarete Susman, Peter Szondi, Paul Zumthor. Die Auswahl besorgten: Karlheinz Barck, Wilfried Barner, Günter Blamberger, Hans Ulrich Gumbrecht, Andreas Kablitz, Friedrich Kittler, Wilhelm Krull, Gert Mattenklott, Reinhart Meyer-Kalkus, Jan-Dirk Müller, Gerhard Neumann, Jan Philipp Reemtsma, Ursula Renner, Heinz Schlaffer, Manfred Schneider, Jörg Schönert, Ulrich Schulz-Buschhaus, Georg Stanitzek, Wilhelm Voßkamp, Rainer Warning, Sigrid Weigel, David E. Wellbery.

1999. VIII, 422 Seiten.
Broschur. DM 39,80/sFr 37,–/
öS 291,– ISBN 3-412-07598-1

THEODOR-HEUSS-STR. 76, D-51149 KÖLN, TELEFON (0 22 03) 30 70 21

Jost Hermand
Die deutschen Dichterbünde
Von den Meistersingern
bis zum PEN-Club

Das Buch von Jost Hermand ist die erste umfassende Darstellung der wichtigsten 100 deutschen Dichterbünde von den Singschulen der spätmittelalterlichen Meistersinger bis zu den letzten Streitigkeiten des PEN-Clubs. Es geht nicht nur auf ästhetische, mentalitätsbedingte und berufsständische Aspekte ein, sondern rückt auch die unterschiedlichen gesellschaftspolitischen Wirkungsabsichten der literarischen Zirkel, Gruppen und Interessenvertretungen in den Vordergrund. Der Autor bringt als ein seit langem ausgewiesener Kulturhistoriker für eine solche Aufgabe nicht nur die Fülle seines literarischen und historischen Wissens mit, sondern entwickelt zugleich ein neues Avantgarde-Konzept, das auch für die gegenwärtige Situation, die für die Entstehung neuer Dichterbünde nicht eben günstig ist, von wegweisender Relevanz sein könnte.

KÖLN WEIMAR

1998. VII, 383 Seiten.

54 s/w Abbildungen.

Gebunden mit

Schutzumschlag.

DM 68,–/sFr 62,–/öS 496,–

ISBN 3-412-09897-3

THEODOR-HEUSS-STR. 76, D-51149 KÖLN, TELEFON (0 22 03) 30 70 21

Nicola Bock-Lindenbeck

**Letzte Welten —
Neue Mythen**

Der Mythos in
der deutschen
Gegenwartsliteratur

1999. XX, 290 Seiten. Broschur.

ISBN 3-412-03298-0

Der Mythos erlebt in den letzten Jahren eine Renaissance in den Geisteswissenschaften und hat mittlerweile wieder einen festen Platz in Wissenschaft und Kultur. Das Buch konzentriert sich auf die literarische »Arbeit am Mythos« und versucht, diese am Beispiel ausgesuchter mythoshaltiger Texte aus den Jahren 1985–1995 genau zu definieren. Texte von Helmut Krausser, Christoph Ransmayr, Sten Nadolny, Inge Merkel und anderen zeitgenössischen Autoren werden ausführlich analysiert und mit der Mythosdebatte in Beziehung gesetzt. Daraus ergibt sich das Bild einer Literatur, in deren Mittelpunkt das kulturell-poetische Interesse an zumeist antiken Mythen steht. Aber auch die Frage nach der Beschaffenheit mythisch-religiöser Vorstellungen tritt verstärkt in den Blick. Dem Leser eröffnet sich so ein Zugang zum Mythosverständnis gegenwärtiger Literatur. Die Kritik wissenschaftlich-technischen Fortschrittsdenkens, die Reaktion auf Wiederbelebungsversuche des Mythos im Sinne des New Age und die theoretische Auseinandersetzung mit dem Phänomen verweisen auf eine angestrebte Aussöhnung von Mythos und Logos.

KÖLN WEIMAR

THEODOR-HEUSS-STR. 76, D-51149 KÖLN, TELEFON (0 22 03) 30 70 21